피터 럭크만의 주석서

요한일이삼서, 유다서

피터 S. 럭크만 지음

김 진 석 옮김

말씀보존학회

The Bible Believer's Commentary Series

GENERAL EPISTLES (Vol.II)

(1 ·2 ·3 John-Jude)

By

Peter S. Ruckman, Ph.D.

Bible Baptist Bookstore

Pensacola, Florida

2010 / Korean by Word of God Preservation Society

Seoul, Korea

이 책을 내면서

본서는 흔히 "일반서신"이라 불리는 신약의 서신서들 중 요한서신과 유다서를 주석해 놓은 책이다. (히브리서와 야고보서, 베드로전후서는 이미 각 권으로 출간되어 있다.) 이 책들은 신약 성경 내에서 그 위치가 독특하여, 다른 바울 서신들과 같이 교회 시대 성도들에게 전적으로 적용하기가 힘들다. 히브리 크리스찬 서신들이라는 특징을 가지고 있는 이 책들에는 교리적으로 교회 시대를 벗어난 내용들이 종종 발견된다.

많은 사람들은 성경이 하나님의 말씀이니까 무엇이든 자기 자신에게 적용하고자 하는 오류를 자주 범한다. 성경의 영감성을 믿지 않거나 성경을 자기 마음대로 해석하고 적용해버리는 자유주의자들이야 말할 것도 없지만, 성경을 믿는다고 고백하는 사람들 역시 성경을 자의적으로 해석하고 심지어는 이단 교리를 따라가는 것을 본다. 이것은 하나님께서 성경의 구절들을 통해서 말씀하시고자 하는 본 의도를 무시한 채 무조건 자기 자신에게 하신 말씀이라고만 생각하는 무지에서 비롯된다.

하나님께서는 성경을 통해서 유대인이나 이방인이나 하나님의 교회 모두에게 다양하게 말씀하셨다. 어떤 말씀들은 유대인에게 주신 직접적인 율법 혹은 그들의 축복이나 저주에 대한 예언이고, 어떤 말씀들은 교회에게 주신 복음 혹은 그리스도인의 영적 삶에 대한 지침들이며, 어떤 말씀들은 이방인들에게 심판을 선고하시는 내용이다. 그런데 수많은 사람들은 이 모든 말씀들을 교회, 즉 그리스도인들에게만 적용하려는 우를 범한다. 그래서 구약에 제시된 그 수많은 이스라엘을 위한 예언들을 교회에 적용하려 한다. 심지어 구약의 율법적 규례들을 신약 교회에 적용하려는 사람들도 있다.

그런가 하면 성경에는 구약적 진리와 신약적 진리가 있다. 또한 성경은 구약과 신약만 말씀하시는게 아니라 향후 펼쳐질 대환란과 천년왕국과 영원 시대까지 모두 예언하신다. 따라서 성경에는 대환란 시대에 적용될 구절이나 천년왕국의 영광을 보여주는 구절들이 있다. 문제는 이러한 구절들, 특히 대환란 구절들을 신약 교회에 적용한다는 점이다. 예를들어 마태복음 24:13에서 끝까지 견뎌야 구원받는다는 말씀은 대환란 끝까지 견뎌야 한다는 말인데, 무지한 사람들은 "죽을 때까지 잘 믿어야" 구원받는다는 이단 교리를 양산해 내었다. 또 히브리서 6:4-6에서 한 번 구원받은 사람이 구원을 잃어버리면 다시 찾을 수 없다는 말씀을 가지고, 우리가 구원을 잃어버릴 수 있으니 주의하라고 경고 아닌 경고를 한다. 히브리서의 이 구절은 대환란에 해당하는 구절이다. 신약 성도의 휴거(그리스도의 공중 재림) 이후에 펼쳐질 대환란 때에는 구원을 잃어버릴 수 있다. 하지만 우리가 지금 살고 있는 교회 시대에는 절대로 구원을 잃어버릴 수 없다(요 6:37, 롬 8:38-39 등). 이것이 바로 성경 말씀들을 그 시대와 대상에 따라 "나누어" 봐야 하는 이유이다(딤후 2:15).

이처럼 "나누어" 보기에 특히 주의해야 할 책들이 몇 있는데, 일반서신서들이 바로 그에 해당한다. 히브리서와 야고보서를 시작으로 펼쳐지는 일반서신들에서는 바울 서신과는 사뭇 다른 교리적 분위기를 느낄 수 있다. 행위가 강조된다든지 적그리스도가 직접 언급된다든지 하는 내용들이 특히 그렇다. 따라서 독자들은 본서를 통해서, 일반서신들에 대해 갖고 있던 기존 관념들을 벗어나 더 깊은 교리적 진리를 알 수 있게 될 것이다.

그렇다고 일반서신서들이 대환란에 대한 내용으로만 일관되어 있는 것은 아니다. 그 책들은 십자가 이후에 펼쳐진 신약 성경들이고, 더욱이 요한서신서들은 사도 요한이 그의 복음서에서 보여주었던 바대로 신약적 진리가 풍성하다. 이는 사도 요한이 이 서신서를 기록할 당시엔 바울 서신서들을 비롯한 대부분의 신약 성경들이 완성되어 있었기 때문이다. 요한이 바울에게 주어진 교회의 계시들을 몰랐을 리 없다. 그럼에도 불구하고 이 책들은 교회시대에만 한정된 진리를 담고 있지 않다. 그래서 오히려 일반서신들은 성경의 더 풍부한 진리들을 맛보게 하며, 그리스도인들에게는 온전한 성도의 행실로 이끌 수 있다.

이제 본서는 하나님께서 영감으로 기록하시고 〈킹제임스성경〉을 통해 온전히 보존해 주신 일반서신의 각 책들에 나타난 귀하고 풍성한 진리들로 독자 여러분들을 이끌어 줄 것이다. 아울러 성경 거부자들, 성경 변개자들, 〈킹제임스성경〉을 부인하는 자들, 또한 자유주의자나 보수주의자나 근본주의자나 할 것 없이 성경을 비평하는 모든 자들이 내 놓은 주석과 설명들을 〈킹제임스성경〉에 근거해서 구체적으로 비평하며 올바른 교리를 제시해 줄 것이다. 주지하다시피 본서의 저자 피터 럭크만 박사는 〈킹제임스성경〉이 오늘날 영어를 모국어로 사용하는 사람들에게 주어진 유일한 하나님의 말씀임을 증명해 줄 수 있는 세계적인 권위자이다. 또한 그의 주석들은 교리적으로 명쾌하여, 거의 모든 난해 구절들을 해결해 준다. 우리는 이제 요한일이삼서와 유다서를 통해서 말씀하시는 하나님의 말씀을 더욱 분명하게 깨달을 수 있는 기회를 얻게 된 것이다.

본회에서는 이미 〈히브리서〉와 〈야고보서〉, 〈베드로전후서〉 등 일반서신의 일부를 출간했으며, 본서를 통해서 일반서신의 모든 책들을 완간하게 되었다. 이러한 귀한 책들이 하나, 둘 출간될 때마다 우리는 얼마나 기쁜지 모른다. 배교로 치닫는 이 땅에도 진리를 갈급해 하는 사람들이 분명히 있을텐데, 이러한 귀한 책들로 그들의 영적 갈증을 조금이나마 해소해 줄 수 있으리라 기대하기 때문이다. 아멘! 하나님께서는 분명 그리 하실 것이다. 하나님께서 이 책을 통하여 독자들의 지각을 깨우쳐 독자들을 진리의 지식으로 이끌어 주시길 간절히 기도한다.

2010년 10월

편집인

차 례

이 책에 인용된 성경구절은 〈한글킹제임스성경〉입니다.

요한일서 서문

지금부터 다루게 될 네 서신은 흔히 "일반서신"(General Epistles) 혹은 "공동서신"(Catholic Epistles)이라 불린다. 이 용어는 히브리서부터 요한계시록까지의 9편의 서신을 통칭하는 말이다. 그러나 오해하기 쉽고 위험하기도 한 용어이다. 왜냐하면 히브리서나 요한계시록에 전혀 "보편적인"(Catholic) 내용이 들어있지 않기 때문이며, 야고보서는 교회나 이방인이 아니라 명확하게 이스라엘 "열두 지파"를 대상으로 기록되었기 때문이다(약 1:1). 케네스 테일러(Kenneth Taylor)는 그가 번역한 〈리빙 바이블〉에서 자신의 무지와 편견에 맞추기 위해 야고보서 1:1을 수정했다. 그는 야고보가 유대인 그리스도인들에게 야고보서를 기록한 것으로 만들었다. 물론 테일러의 망상일 뿐이다. 지난 19세기 동안 라틴어, 시리아어, 헬라어, 고트어, 콥트어, 영어, 프랑스어, 스페인어, 러시아어, 이탈리아어, 독일어 등으로 기록된 어떤 필사본이나 성경에도 테일러의 수정은 전혀 근거를 찾아볼 수 없는 것이다.

테일러의 이러한 개악(改惡)은 그와 생각을 같이하는 자들의 주장과 맞추기 위한 것이다. 곧 팔머(Palmer), 파스타드(Farstad), 해리스(Harris), 밥 존스 3세(Bob Jones III), 피(Fee), 필립스(Phillips), 워커(Walker), 포스터(Foster), 영블러드(Youngblood), 린튼(Linton), 케네스 웨스트(Kenneth Wuest), 스피로스 조디에이츠(Spiros Zodhiates), A. T. 로버트슨(Robertson), 니다(Nida), 알란드(Aland), 메츠거(Metzger) 등이다.

히브리서에서 요한계시록에 이르는 이 일단의 서신들은 "히브리인 그리스도인" 서신 혹은 "환란" 서신 혹은 "전환기" 서신이라 부르는 편이 성경적이며 더 낫다. 물론 당시 있었던 지역 교회들이 몇몇 본문에서 언급된다 할지라도, 이 중 어떤 서신도 직접적으로 혹은 교리적으로 교회 시대의 그리스도의 몸을 겨냥해서 기록되지 않았다.

마태복음과 히브리서가 "전환기적" 책인 것처럼, 히브리서도 독자들을 그리스도의 몸이 그리스도의 심판석과 어린양의 혼인식을 위해 들림받은 후의 상황으로 데려가는 것이다. 마태복음은 구약과 신약의 간격에 다리를 놓는 책이며, 사도행전은 이스라엘에서 교회 시대로 연결해 주는 책이며, 히브리서는 교회 시대를 뛰어넘어 대환란 곧 "야곱의 고난의 때"로 인도하는 책이다(렘 30:7).

이런 이유로 A.D. 90년 이후로 모든 이단들은 자신의 이단 교리들의 근거로 위의 네 개의 책을 댄다. 로마카톨릭, 그리스도의 교회, 은사주의자, 극단적 칼빈주의자, 제칠일안식교, 몰몬교, 여호와의 증인, 후천년주의자 등을 직접 다뤄 본 사람은 알 것이다. 사실 A.D. 90년부터 2010년 현재까지 모든 이단들은 그들의 거짓 교리들을 마태복음과 사도행전과 히브리서에서 조달한다. 즉 마태복음 10,16,18장과 산상설교와 "주기도문," 24,25장과 사도행전 2,8,19장과 히브리서 1,3,4,6,10,11장 등의 본문이다. (자세한 논의를 보고자 한다면 저자의 주석서 〈마태복음〉, 〈사도행전〉, 〈히브리서〉 등을 참조하라. 위의 본문들의 모든 구절들을 명쾌하게 설명하고 있다.)

사도 요한의 서신들은 신약에서 매우 독특한 책들이다. 왜냐하면 사도 요한은 그가 성경을 기록하기 전에 나머지 모든 신약성경을 접할 수 있었던 유일한 신약 기록자이기 때문이다. 즉 신약에서 요한의 저작을 제외한 모든 책들이 기록되어 있었다. 요한보다 더 늦게 신약성경을 기록한 사람이 없기 때문이다. 요한은 마태복음, 마가복음, 누가복음, 사도행전과 사도 바울의 서신 전체를 자신 앞에 놓을 수 있었던 것이다. 물론 쉘톤 스미스(Shelton Smith), 마이크 랜달(Mike Randall), 존 맥아더(John MacArthur), 찰스 스탠리(Charles Stanley), 제리 포웰(Jerry Falwell), 하이머(Hymers), 로버트 섬너(Robert Sumner), 더그 쿠틸렉(Doug Kutilek), 스튜어트 커스터(Stewart Custer), 해롤드 윌밍턴(Harold Willmington), 에드 힌드슨(Ed Hindson), 케네스 웨스터 등과 같은 영적인 약골들은 이러한 진리로부터 유익을 얻지 못할 것이다. 이들은 모두 게으르고 불경건한 "성경학자들"이며 안티킹제임스라는 질병에 전염되었다. 이 병에 걸리면 자동적으로 성경의 10구절에서 1,000구절에 대한 조명을 받지 못하게 된다.

척 스윈돌(Chuck Swindoll), "바이블앤서맨"(The "Bible Answer" Man), 존 R. 라이스(John R. Rice), 커티스 헛슨(Curtis Hutson), 클라렌스 색스톤(Clarence Sexton) 등과 같은 라오디케아 시대의 유명 인사들은 모두 성경이 단지 자신의 사역을 세우기 위한 도구나 침례교의 교리들을 가르치기 위해 기록된 책이거나 심리학자의 교과서처럼 상담할 때 쓰는 책이거나 요한복음 3:16이나 고린도전서 13장 등을 가르쳐 사람들이 자신을 영적인 사람이라고 착각하게 만들게 하기 위해 기록된 책쯤으로 여긴다.

따라서 이들은 자신의 명예, 수입, 명성, 학생수, 교인수, 인지도, 영예에 방해가 되고 자신을 "특이하고" "이상하고" "중심에서 벗어난" 것처럼 보이게 만드는 모든 성경 본문을 그들의 고객의 구미에 맞게 무시하고 폐기하고 수정하는 것이다.

우리는 평생을 이런 작업으로 소진한 320여 명의 그리스도인 학자들을 열거한 바 있으며, 이들 중 290 명 정도는 소위 "거듭난" 보수주의자, 복음주의자, 근본주의자이다. 이들을 일일이 논박한 바 있으므로 이 주석서에서 다시 다루지는 않을 것이다. (저자의 다음의 책을 참고하라. 〈거짓말쟁이 그리스도인의 장서, The Christian Liar's Library〉, 1997)

이런 예는 수도 없이 많다. 지난 2002년 빌리 그래함은 예수 그리스도께서 마태복음 13장에서 지옥 불에 대해서 말씀하신 것을 철회한 적이 있다(마 13:40; 25:41). 제리 포웰 또한 자신이 별생각 없이 마호메트를 거론하여 마호메트의 명예를 실추시켜 모슬렘 정통주의자들을 불쾌하게 한 것을 사과하기도 했다. 제리 포웰은 자신의 이미지를 염려했던 것이다. 그가 항상 생각하는 것도 바로 자신의 이미지다. 자신의 신학에 의해 수입이 결정된다면, 사람들은 먹고살기 위해 자신의 신학이 잘못된 것이라 할지라도 그것을 고수하기 마련이다.

성경대로 믿는 그리스도인이 예수 그리스도께서 지옥과 그분 자신에 대해서 말씀하신 것과 일치하여 하나님의 말씀을 선포했다면, 그 어떤 카톨릭이나 불교인이나 힌두교인이나 모슬렘에게 사과할 필요가 없다(요한복음 3,9,10장, 요한일서 5장, 마 5:35; 11:27; 13:40; 25:41, 막 9:44). 모슬렘의 우상인 마호메트에 대한 진실은 그는 문맹이었고 정신 발작을 일으키며 음행하는 살인자였다는 것이다. (그는 선지자라고는 하지만 예언하지도 못했고 기적을 일으키지도 못했고 표적을 주거나 누군가를 치유시켜준 적도 없으며, 진리를 선포한 적도 없다. 〈성경 대 코란, The Holy Scriptures vs. the "Holy Koran"〉, 2002) 어떤 사과도 필요없다. 만약 당신이 마호메트를 믿으려고 한다면 당신은 낙타 허리를 꺾어놓을 정도로 많은 문서화된 역사적 사실들을 무시하고 폐기시켜야 한다. 안타깝게도 수백만의 사람들이 그렇게 하고 있다. 수백만의 로마카톨릭 또한 그들의 허구적인 "하늘의 여왕"에 대해서 똑같이 행하고 있다. 우리는 "자유" 민주주의 나라에 살고 있다. 당신이 원하는 것을 믿으라. 그러나 음행하는 일부다처론자이며 열네 명의 아내들을 거느렸고 하나님께는 어떤 아들도 없다고 거짓말한 마호메트에게나, 예수 그리스도께서 알라를 모독하여 즉시 불타는 지옥으로 갔다고 말하는 모슬렘에게 성경대로 믿는 그리스도인은 조금이라도 사과할 필요가 없다(수라 47:12; 72:23; 3:9; 66:10; 40:10-72; 2:116; 3:44,83; 19:30-35; 4:163,171). 그렇게 하는 것은 예수 그리스도를 거짓말쟁이로 만드는 짓이다.

모슬렘은 모두 위의 거짓말을 믿는다. 모든 모슬렘 보수주의자는 위에 말한 그대로 믿는다. 코란에 따르면 베드로와 야고보와 마태와 마가와 누가와 요한과 바울은 요한복음 1:12,13,18; 3:16,36; 9:35,36의 본문을 믿은 것으로 지옥에 던져진 것이다. 우리 또한 도마가 믿은 것을 믿는다면 그렇게 될 것이라고 하는 것이다(요 20:28). 모슬렘을 오도하거나 모욕하는 것이 아니다. 이것이 있는 그대로 코란이 말하는 바다.

사과라고? 무엇을 사과해야 하는가? 누구에게 사과해야 한단 말인가? 머리에 두건을 감고 다니며 아홉 살 난 여자아이를 성추행하고 자신의 며느리와 결혼하고 자신이 믿는 것을 믿지 않는다는 이유로 포로들과 죄수들을 살해한 마호메트에게 사과해야 한단 말인가? 빈 말이라도 그런 말은 하지 말라. 마호메트에 대한 역사적인 사실들을 언급한 것에 대해 공개적으로 사과하는 자는 그리스도를 모독하고 그리스도를 부인하며 성경을 부인하는 겁쟁이일 뿐이다. 포웰이 그런 자다.

이제 우리는 요한일서를 연구하면서 현대의 존경받는 그리스도인 학자들이 다루지 못했던 구절들을 만나게 될 것이다. 학자들은 그럴 때마다 항상 세 개의 표준적인 방법으로 진리를 회피한다. 이 방법은 배교한 알렉산드리아 이단들이 난처한 상황에 처할 때마다 쓰는 것이기도 하다. 그 방법은 다음과 같다.

1. 학자들은 자신이 이해하지 못하는 본문을 만나면 헬라어를 운운한다. 그래서 독자들을 자신의 무지의 수준으로 끌어내린다(BJU, PCC, BBC, Liberty University).

2. 학자들은 성경 본문을 영해하거나 교훈적으로 적용한다. 그래서 최우선적이며 가장 중요한 교리적인 진리를 피하려 한다(빌리 그래함, 교황, 매튜 헨리, NCCC 등이다).

3. 학자들은 자신의 의견과 선호와 상반되는 모든 단어를 본문에서 제거한다. (좋은 예로 요 3:9과 사 9:3을 보라.)

우리는 처음부터 이러한 사실을 인식하고 "헌신된 경건한 학자들"이 내놓은 모든 학자적인 저술들을 폐기하고 처음부터 그런 것들이 없었던 것처럼 취급할 것이다. 즉 2세기의 클레멘트와 오리겐부터 2002년 리버티대학이 출간한 주석까지 모든 주석서들을 말한다.

우리는 누구에게도 우리가 주석하고 표명하는 진리에 대해 사과하지 않을 것이며, 기독교계의 참을성 없는 유명 인사들이 우리의 주석과 우리의 사역에 대해 어떻게 생각하는지도 신경 쓰지 않을 것이다. 『**실로, 하나님은 참되시나 사람은 모두 거짓말쟁이라**』(롬 3:4).

거짓말쟁이에게 사과할 필요는 없는 것이다. 특히나 카바의 달 신을 최고의 신으로 만든 마호메트와 같은 육신적이고 색욕적인 죄인에게는 더 그렇다. 마호메트가 주의 부활을 목격한 500명의 그리스도인 증인들을 거짓말쟁이로 만들고(고전 15:6), 하나님께는 독생자가 있다고 말한 것으로 사도 요한을 지옥에 떨어진 자로 취급했다(마 1:20). 따라서 우리 또한 마호메트와 그의 추종자들에 대해서 몇 자 논평을 하려 한다. 우리는 모슬렘들에게 말한다. "너희가 정부의 허가를 얻어서 무장하고 우리를 암살할 수 있을 때까지는, 너희의 행동을 조심하고 어리석은 입을 놀려 수다를 떨지 말라. 지난 5세기 동안 너희 중에 단 한 사람도 정직하거나 현명한 자가 없고, 진실을 인정할 수 있는 자가 없다. 너희의 주특기는 아내들을 많이 두는 것과 암살이다."

모슬렘들은 코란에 따르면 동시에 네 명의 아내들을 거느릴 수 있다. 조셉 스미스도 동일한 죄를 지었다.

로마카톨릭과 모슬렘들은 그들이 통제하지 못하는 나라에서는 조심스럽게 행동한다. 우리는 이 사실을 알고 있다. 필자는 두 권 분량의 교회사를 저술하고 힌두교와 이슬람과 로마카톨릭과 그리스 정교와 서양 문명에 대해 800개 이상의 슬라이드를 수집하고 조사하였기 때문에 이 점을 잘 알고 있다.

카멜레온들은 상황과 환경에 맞춰서 항상 색깔을 바꾼다. 이것이 모든 사기꾼들의 방식이다.

사도 요한이 기록한 요한일서는 A.D. 89년경에 기록되었고, 5장 105구절 2,523단어(영어 KJV)로 구성되어 있다.

요한일서 1장

1:1 **태초부터 계셨고, 우리가 들었으며, 우리 눈으로 보았고, 주목하여**
살폈으며, 우리 손으로 직접 만졌던 생명의 말씀**에 관해서라.**
2 **(그 생명이 나타나시매 우리가 보았고 증거하였으며 너희에게 그 영**
원한 생명을 보여 주었으니, 그 생명은 아버지**와 함께 계셨으며 우**
리에게 나타나셨느니라.)

1절에서 빌립보서 4:13처럼 예수 그리스도를 중성으로(which) 취급하는 것을 주목하라. 『**태초부터 계셨고**』(That which was from the beginning) 요한은 처음부터 그분(who)이라고 말하지 않았다. 현대 번역자들을 혼란스럽게 하면서, 요한은 "That which"라고 말함으로써 고린도전서 13:10을 올바로 해석할 수 있게 우리를 인도하고 있다. 물론 1800년부터 2002년까지 미국에 있는 모든 주석가들과 "인정받는" 신학대학원과 기독교대학들에 있는 모든 교수들은 이를 잘못 읽고 잘못 해석했다. (저자의 주석서 〈고

린도전서〉의 고전 13:10 주석을 참조하라)

성령과 〈킹제임스성경〉의 본문을 부인하면서 BBC, PCC, BJU, 리버티 대학, 포트 워스, 달라스, 루이스빌, 뉴올리언즈, 덴버에 있는 신학대학원들과 다른 50여 개의 신학대학들의 교수진들은 로마서 8:16의 『**친히**』에 해당하는 영어 단어 "itself"를 "himself"로 바꿨다. 모든 헬라어 필사본이 성령을(the Spirit) 남성이 아니라 중성으로 말하고 있는데도 그렇게 행한 것이다.

학자들은 이런 눈먼 바보짓으로 순진한 그리스도인을 자신이 허우적거리고 있는 늪으로 빠뜨리려고 하는 것이다. 이들이 바로 제임스 화이트, 노먼 가이슬러, 존 맥아더, J.I. 패커, 브루스 메츠거, 행크 헤인그래프, 에드 힌드슨, 돕슨 박사 등이다. 이렇게 함으로써 라오디케아 시대의 배교자들은 자신의 소경 됨과 어리석음과 육신적임을 공유하는 것이다. 성경 구절을 주석한다고 앉아서 학자들은 성경을 창문 밖으로 던짐으로써 이런 일들을 자행하는 것이다.

예를 들어 보자. 중성이 올바로 쓰여졌다고 한다면 발작적인 반응을 일으킬 필요가 없다. 왜냐하면 예수 그리스도 자신이 누가복음 1:35에서 『**거룩한 이**』(the holy THING)로 불렸고 그보다 4,000년 전에는 『**그녀의 씨**』(IT)라 불리시기도 했다(창 3:15). 두 경우 다 성경은 중성으로 표현하고 있다.

위에 언급한 배교한 라오디케아인들은 요한일서의 첫장 첫구절부터 독자들이 성경적 진리를 찾지 못하게 한 것이다.

재미있지 않은가?

로마서 8:16에서 『**친히**』(itself)에는 전혀 잘못된 것이 없다. "프뉴마"는 헬라어로 중성이다. 학자들은 그들의 주석서에서 각 구절을 주석할 때마다 "헬라어는 사실 이렇게 말한다" 혹은 "헬라어로는 실제로 이런 뜻이다"

혹은 "여기서 이 헬라어는 이렇게 번역되었어야 한다"라고 말하다가 여기서는 어떻게 된 것인가? 왜 로마서 8:16에서만 헬라어 문법을 말하지 않는가? 별안간 알렉산드리아의 이단들은 모두 그들의 헬라어 문법서와 렉시콘들을 집어던진 것이다. 그 이유가 무엇인가?

그들은 요한일서 5:7을 다룰 때도 동일한 짓을 하며 예수 그리스도의 신성을 제거하려 한다. 그들은 그 구절에서 세 개의 중성 단어가 하나의 남성 단어로 받아질 수 있다고 주장하고 있는 것이다. (요일 5:7의 주석을 보라.)

필자의 캠브리지 〈킹제임스성경〉에는 신격의 세 번째 인격이신 성령께서 민수기 11:17,26,29 등에서 소문자로 『**영**』(spirit)으로 언급된다. 이것이 단순히 오류나 착오가 아닌 것은 주의 영이 재판관기 11,13,14,15장, 민수기 27장, 사무엘하 23장, 열왕기상 18장, 역대기하 15,18,20,24장, 욥기 27,33장, 이사야 44,59장, 에스겔 11장, 요엘 2장, 미카 3장 등에서 소문자 "s"인 영으로 언급되기 때문이다.

성령께서 신격의 남성 인격 중 하나로 계시되기 전에(마 28장, 요일 5장), 그분을 말할 때(요 14장) 하나님의 영향력(중성), 능력(중성), 수행(중성), 사역(중성), 부분(중성)으로 언급하는 것이 적절하기 때문이다. 로마서 8:16에서 바울은 성령을 증인(witness, 중성)으로 언급하는 것이지 인격으로 언급한 것이 아니다. 언제나 의심스러울 때는 "경건한" 학자들을 창문밖으로 던져 버려라.

요한일서 1:1에서 "That which"는 사도 요한이 보고 만진 무엇을 말하는 것이다. 그가 보고 만진 인격체는(Person)는 『**생명의** 말씀』이셨다. 『**그 생명이 나타나시매**』 즉 그 생명이 한 인격체로 나타난 것이다. 요한일서 1:1-3이 말하고자 하는 것이 이것이다. 말씀은 사물이며(a thing) 그것이 인격체(a PERSON, 딤전 3:16)로 나타나지 않았다면 사물로 남아 있었을 것이다. 그래서 〈NIV〉와 〈NASV〉를 내놓은 경건하지 않고 타락한 배교자들은 디모데전서 3:16에서는 아버지 하나님을 없애 버리고, 『말씀』이 하나님이심을 말하는 곳에서는 말씀을 제거해 버린 것이다(요일 5:7, 요 1:1,2).

이것이 현대의 기독교 학자들의 태도다.

말씀이 우리에게 나타나기 전에 말씀은 아버지와 함께 계셨다. 그 나타나심은 디모데전서 3:16에 묘사되어 있으며, 이것이 왜 〈NIV〉와 〈NASV〉와 모든 유사한 성서들이 디모데전서 3:16을 변개시킨 이유다. 변개된 성서들은 모두 바티칸 사본과 시내 사본에 근거를 둔 것이며, 이 사본들은 근본적으로 중세 시대의 로마카톨릭 예수회의 림즈 역본(Rheims) 본문과 동일하다.

성경에서 세권의 책이 『**태초**』(the beginning)라고 말하며 시작한다. 모세가 기록한 책이 한 권이며(창 1:1) 나머지 두 권은 요한이 기록한 책이다. 이는 사도 요한이 보았던 분이 곧 하늘들과 땅을 창조하신 분이라는 뜻이다.

한번은 흑인 목사가 설교 도중에 찬양대 지휘자에게 물었다. "주님께서 하늘들과 땅을 창조하시기 전에, 주님은 어디에 계셨나요?" 그리고 찬양대에게 물었다. 그 다음에는 전체 회중에게도 같은 질문을 했다. 그들은 모두 흑인들 특유의 감각으로 리드미컬하게 노래를 부르면서 머리를 흔들며, "음, 잘 모르겠어요."라고 대답했다. 흑인 목사는 이렇게 말하며 그의 설교를 시작했다. "여러분, 주님은 주님의 영광 가운데 계셨습니다. 그곳이 바로 주님께서 계셨던 곳입니다." 요한복음 17:5,24을 보라.

디모데전서 3:16에 따르면 여호와 하나님께서 직접 육신으로 나타나셨다. 도마는 그것을 고백하기를 주저하지 않았고(요 20:28), 우리 주 예수 그리스도 그분 자신도 그렇게 말씀하셨다.

『예수**께서 그에게 말씀하시기를 "빌립아, 내가 너희와 그처럼 오랜 시간**

을 있었는데 네가 나를 모르겠느냐? 나를 본 자는 아버지를 **보았느니라. 그런데 어찌하여** '아버지를 **보여 주소서.'라고 말하느냐?**』(요 14:9)

『예수**께서 그들에게 말씀하시기를 "진실로 진실로 내가 너희에게 말하노니, 아브라함이 나기 전부터 나는 있느니라."고 하시니라**』(요 8:58).

사도 바울은 이 말씀께서 우주를 창조했다고 말한다.

『**그는 보이지 않는** 하나님**의 형상이시며 모든 피조물의 첫태생이시니 이는 만물이 그에 의하여 창조되되 하늘에 있는 것들과 땅에 있는 것들과 보이는 것들과 보이지 않는 것들과 보좌들이나 주권들이나 정사들이나 권세들이나 만물이 그에 의하여 또 그를 위하여 창조되었기 때문이라. 그는 만물 이전에 계시고 또 만물은 그로 말미암아 존속하느니라**』(골 1:15-17).

이는 창세기 1장에서 『하나님**께서 말씀하시기를**』, 『하나님**께서 말씀하시기를**』, 『하나님**께서 말씀하시기를**』 하신 것과 일치한다. 모슬렘들은 완전히 틀린 것이다.

"알라"는 창조주가 아니다. 골로새서 1:15-17의 창조주는 예수 그리스도시다.

『**나는 살아 있는 자며, 죽은 자였으나, 보라, 영원무궁토록 살아 있노라. 아멘. 또한 내가 지옥과 사망의 열쇠들을 가졌노라**』(계 1:18).

『**만물은 그에 의하여 지은 바 되었으며, 이미 지음받은 것 가운데 그가 없이 지어진 것은 아무것도 없더라**』(요 1:3).

『**그가 세상에 계셨고 세상이 그에 의하여 지은 바 되었으나 세상은 그를 알지 못하더라**』(요 1:10).

『**라오디케아인들의 교회의 천사에게 편지하라.** 아멘**이시요 신실하고 진실한 증인이시며,** 하나님**의 창조를 시작하신 분이 이 일들을 말씀하시느니라**』(계 3:14).

〈코란〉은 창문 밖으로 던져 버려라. 114개의 수라 모두를 다 내다 버려라.

모든 불교인과 힌두교인도 마찬가지다. 〈젠다베스타〉, 〈푸라나스〉, 〈베다〉, 〈수트라스〉, 〈럼플레스틸츠킨〉, 〈신데렐라〉, 〈바가바드 기타〉, 〈포고〉, 〈빨간모자〉 등도 다 던져 버려라.

쉽게 말해서 뉴욕 시에 있는 UN도 완전히 틀렸다는 것이다.

UN의 회원국 중에 20개도 넘는 국가들이 신약이 거짓말이며 새로운 출생도 신약에 없고 지구상에 있는 어떤 인간도 "하나님의 아들"이라 불려질 수 없다고 믿기 때문이다(요일 3:1-3).

믿든지 아니면 그만두라. UN을 믿으면 성경을 던져 버려라. 성경을 믿는다면 UN을 던져 버려라(눅 16:15).

요한은 하나님을 만진 것이다(요 13:23). 도마도 만졌다(요 20:28).

아프리카, 유럽, 아시아, 중미, 북미, 남미 대륙에 있는 모든 모슬렘도 다 틀린 것이다.

마호메트는 단 한 번도 하나님께 (혹은 알라에게) 가까이 가 본 적도 없고, 그분을 보거나 그분의 말씀을 직접 들은 적도 없다. 코란 전체가 날개 600개 달린 천사가 마호메트에게 구두로 일러준 것이다. 아메리카대륙에 있는 모슬렘 말고 이 사실을 모르는 사람이 누구겠는가?

영원한 생명의 근원에 5센티미터 정도로 바짝 당신의 귀를 대본다고 상상해 보라! 육체의 생명은 피에 있다고 하셨다. 즉 그리스도의 인간으로서의 몸에서 피를 내뿜었던 장기는 그분의 심장이었다. 예수 그리스도 안에 무엇이 있었는지 아는가? 성경은 그분 안에는 영원한 생명이 거하고 있다고 말씀한다(요일 5:20). 육체의 생명이 피에 있다고 성경이 말하지 않았는가? 그러면 사도 요한이 예수님의 가슴에 그의 머리를 기대고 있었을 때 그분의 혈관들에 흘렀던 피는 과연 어떤 종류의 피였는가?

의사였던 누가는 그것이 하나님의 피였다고 말한다.

『**그러므로 너희 자신을 조심하고 모든 양떼에게도 그리하라. 이들을 위하여** 성령**께서는 너희를 감독자들로 세우셨으며 하나님께서 자신의 피로 사신** 하나님**의 교회를 돌보게 하셨느니라**』(행 20:28).

마호메트도, 부처도, 간디도, 모든 에큐메니칼 회의도, UN도 틀렸다. 또한 카톨릭도 틀렸다. 왜냐하면 그들은 매주 주일마다 발효된 술로 그 영원한 피를 주조할 수 있다고 공언했기 때문이다.

바른 성경이 말하는 바를 그대로 고수하면 이처럼 함께하는 자가 많지 않다. 살펴보았듯이, 성경은 지구상에 있는 모든 로마카톨릭 신부와 주교와 대주교와 교황에게 모욕이며 걸림이 된다(마 16:23, 시 69:8, 딤전 2:5, 히 10:8-10, 계 17:4). 성경은 또한 이 땅에 있는 모든 모슬렘들에게도 걸림이 된다(창 15:18-21, 마 5:35, 민 24:9, 계 19:10-17, 마 25:31-45, 계 16:12-14, 갈 4:30, 창 21:10, 시 105:8-11).

요한일서 5:11은 은하들을 창조하신 우주의 하나님께서 우리에게 무엇을 주셨다고 말씀한다. 그것이 무엇인가? 그것은 영원한 생명이다. 즉 창세기 1:1 이전부터 존재했으며 계시록 22장 이후에도 있을 생명이다. 하나님께서는 이 생명을 어디에 놓아 두셨는가? 쉽다. 하나님께서는 어떤 교회나, 종교나, 의식이나, 성사나, 거룩한 날이나, 거룩한 도성이나, 묵상기도나, 로자리나, 황금률이나, 십계명이나, 한 분 하나님을 믿는 믿음에 두시지 않았다.

하나님께서는 영원한 생명을 그분의 아들 안에 두셨다. 『**또 증거는 이것이니,** 하나님**께서 우리에게 영생을 주신 것과, 이 생명이 그의** 아들 **안에 있다는 것이라**』(요일 5:11).

알라가 성경의 하나님과 같은 하나님이라면, 알라는 예수 그리스도 안에 영생을 두신 것이다.

하나님의 아들은 그분이 죽은 자들로부터 부활하신 후에 그분을 만지라고 명령하셨다(눅 24:39). 그러므로 성경적인 그리스도인 신앙을 가진 우리는 결코 문맹이며, 발작하고, 음행하는 살인자나 자신을 예수 그리스도보다(Bishop, 벧전 2:25) 더 높은 대주교(Archbishop)로 만든 자 밑에서 검은색 제의를 입고 식인행위를 일삼는 바알숭배자를 따르지 않는다. 우리는 하나님-사람이신 분(GOD-MAN)을 믿는 것이다. "참된 하나님의 하나님, 참된 사람의 사람" 곧 하나님의 아들(Son of God)이시며 인자(Son of Man)이신 주 예수 그리스도를 믿는 것이다. "알라"는 예수 그리스도와 같은 방식으로 나타날 수 없었다. 인간이 되어 본 적이 없는 알라는 그의 입을 열기도 전에 이미 경험 부족과 이해와 동정심의 부족으로 하나님으로서의 자격이 박탈되는 것이다(히 4:15; 8:26, 사 53장, 시 22편).

당신은 언젠가 하나님의 아들을 보게 될 것이다(계 1:7). 당신은 한 사람을 보게 될 것이다(딤전 2:5). 그분은 "하나님은 사랑이시다"라는 증거를 그분의 발과 손과 옆구리에 간직하고 계심을 보게 될 것이다(요 20:27). "알라"가 만약 우리 주 예수 그리스도처럼 자비롭다고 한다면, 알라는 그것을 증명하기 위해서 과연 무엇을 해놓았는가? 아무것도 한 것이 없다.

『**그때** 예수**께서 말씀하시기를** "아버지**시여, 저들을 용서해 주옵소서. 그들은 자기들이 하는 것을 알지 못하나이다."라고 하시더라. 그리고 그들은 주의 옷을 나누고 제비를 뽑더라**』(눅 23:34).

『**나는 선한 목자라. 선한 목자는 양들을 위하여 자기 생명을 내어 놓으나**』(요 10:11).

『**내가 그들에게 영생을 주노니 그들은 영원히 멸망하지 않을 것이며, 또 아무도 나의 손에서 그들을 빼앗지 못할 것이니라**』(요 10:28).

『**생명의** 말씀』이라는 표현을 주목하라(1절). 무지옥주의자들 즉 여호와의 증인들의 성서인 〈NWT〉는 그분께서 『하나님』(God)이 아니라 단지

“한 신”(a god)일 뿐이라고 말한다. 그렇다면 왜 하나님께서는 그분의 지상에서의 성육신을 『말씀』이 나타난 것으로 말씀하시는가?(요 1:1-8) 왜냐하면 말은(words) 인간이 다른 인간들과 의사소통하는 방법이기 때문이다. 동물들은 말로 의사소통하지 않는다. 인간은 결코 동물에게서 날 수 없고 그 역도 마찬가지다. 유신론적 진화론을 포함하여 진화론에 대한 가장 강력한 반박은 사람이 동물들을 가르쳐 동물들이 서로 말로 의사소통하게 할 수 없다는 것이다. 원숭이와 “유인원”(Ape men) 사이에 무슨 “사라진 간격”(missing gap)이 있는 것이 아니다. 처음부터 400,500마일의 너비와 20,000마일의 깊이의 건널 수 없는 거대하고 엄청난 협곡이 있었던 것이다. 동물은 사람으로 진화할 수 없다.

세상들은 말씀들(words)로 지어졌다(히 11:3). 우주의 원자의 구조는 지금 동일한 말씀들(words)로 보존되고 있으며(히 1:3), 이 말씀들(words)이 먼저 인쇄된 형태로 나타나시고(창세기-말라기), 그리고 B.C. 4년경 육신으로 나타나신 것이다(마태복음-사도행전). 〈코란〉의 114개의 수라 안에는 이 말씀들 중 단 하나도 없다.

동물들은 울음소리와 몸짓으로 8개의 표현을 한다. “저리가!,” “나는 짝을 찾고 있어,” “나 피곤해,” “나 배 고파,” “나는 몸이 안 좋아,” “도와줘,” “저리 가지 않으면 죽여 버릴 꺼야” 등이다. 말은 그들의 수준에는 도무지 상상도 못하는 것이다. 어떤 동물도 자신의 말로 의롭게 되거나(마 12:37) 그의 말로 정죄받지 않는다(마 12:37).

어떤 동물로 다른 동물을 말로 회심시켜 자신이 믿는 바를 믿도록 하지 못했다. 어떤 동물도 다른 동물을 위해 책을 쓴 적도 없고 쓰지도 않으며 앞으로도 쓰지 않을 것이다. 만약 동물이 말을 한다면(민 22장, 시 148편), 『말씀』께서 그 동물에게 말을 넣어 준 것이다(골 1:16).

『말씀』께서는 『**내가 너희에게 한 말들은 영이요, 생명이라.**』고 말씀하셨다. 마호메트나 그의 "가브리엘"이 말하는 것은 영과 생명과는 아무 관계가 없다. 『말씀』께서는 구약의 말씀들에 대해서 『**아버지의 말씀은 진리니이다.**』라고 말씀하셨다(요 17:17). 모든 모슬렘 정통주의자는 창세기 15:18-21, 21:10, 시편 105:8-11, 창세기 22장, 신명기 21장에 기록된 것이 거짓말이라고 믿는다. 단순히 극단주의자들뿐만 아니라 그들 모두가 그렇게 믿는다.

『하나님**께로부터 나온 사람은** 하나님**의 말씀들을 듣느니라. 너희는 하나님의 말씀들을 듣지 아니하나니, 이는 너희가** 하나님**으로부터 나오지 않음이라."고 하시니라**』(요 8:47).

인간은 하나님과 논쟁할 수 있는 유일한 "동물"이다. 또한 인간이 하나님과 대화할 때 인간은 말을 사용한다(롬 3:4).

당신은 어떤 문제에 있어서도 하나님께 불순종하는 "동물들"을 만나 보지 못할 것이다.

성경은 『**우리 손으로 직접 만졌던 생명의** 말씀』이라고 말씀하신다.

나는 생명의 말씀을 손으로 만져 보았다(요 6:68). 그러나 나는 요한복음 1:1-2의 "성육신한 말씀"은 만져 보지 않았다. 그러나 나는 발설되어 "기록된 말씀"은 확실히 만져 보았다(요 6:63). 지상에서는 "성육신한 말씀"에 접근할 수 있는 것이 여기까지다. 필자는 성경 숭배자가 아니다. 나는 나의 성경책이 하나님이라고 믿지 않는다. 성경책을 잃어버리고 태우고, 성경책 위에다 펜과 잉크로 표시를 할 수도 있다. 그러나 하나님께는 그러한 일을 할 수 없다. 결코 성경을 하나님이라고 착각하지 않는 것이다. 성경책은 잃어버릴 수 있어도, 그 어떤 그리스도인도 어떤 상황, 어떤 장소에서도 하나님을 잃어버릴 수는 없다(시 139:7-8).

그러나 중요한 것이 있다. 이 성경의 말씀들은 하늘에 영원히 정착되어 있으며(시 119:89) 하늘들이 사라져 버린 후에도 여전히 거기에 있을 것이다(마 24:35). 그렇다면 이 성경은 내가 물리적으로 하나님께 가장 가까이 다가갈 수 있는 매체인 것이다. 다른 것이 있다면 한번 말해 보라. 혹자는 "당신이 몸이 성령의 전이잖아요."라고 말할 것이다. 그렇다. 그러나 사람의 몸이 썩어질 것이라는 것 또한 사실이다. 그것은 죽을 것이고, 그것은 하늘들이 사라진 후에도 남아 있지 못한다. 그것은 장막처럼 무너지고(고후 5장), 그것은 하늘들이 사라지기 전에 바뀌질 것이다(고전 15장).

이제 지구상에 있는 90% 이상의 죄인들이 왜 항상 성경을 증오하고 무서워하는지 알 것이다. 성경은 사람이 지상에서 거룩하신 하나님과 가장 가까이 또한 밀접한 교제를 가질 수 있는 수단이다. 그래서 죄인들은 성경을 수정하고 부인하고 욕하고 무시하고 그것의 오류를 찾으려 하는 것이다. 사람들은 거룩하지 못하다.

성경은 세상의 어떤 마을이나 도시에 있는 세 살짜리 순진무구한 아이보다도 순수하다(시 119:140). 필자는 순수한 것을 보면 그것이 순수한 것인 줄 안다. (이 말이 무슨 말인지 이해가 안 된다면 필자의 자서전 〈썩지 않을 면류관〉(말씀보존학회)을 읽어 보라.)

한번 생각해 보라. 만약 동네에 두세 살짜리 아이들을 때리고 그 아이들에게 욕하고 총을 쏘고 잭나이프로 찌르고 돌과 오물을 던지는 자가 있다면 그런 자를 참아 줄 수 있겠는가?

그런데 그리스도인 학자라는 자들이 이 세상에 존재했던 책 중에 가장 순수한 책인 성경을 오염시키고 조롱하고 수정하고 변질시키고 비평하고 부인하고 파괴시키면 왜 참아 주는 것인가?

학자들이 고등 교육을 받은 자아중심주의자이기 때문인가? 그들이 말하는 "윤리적인 기준"이나 "이차적인 성별"은 위선에 불과하다. 하나님의 말씀을 함부로 다루는 교만한 학자들을 결코 용납하지 말라.

『주의 말씀이 매우 순수하므로 주의 종이 그것을 사랑하나이다』(시 119:140).

『주의 말씀들은 순수한 말씀들이라. 흙 도가니에서 단련되어 일곱 번 정화된 은 같도다』(시 12:6).

1:3 우리가 보고 들은 것을 너희에게 전함은 너희도 우리와 교제를 갖게 하려는 것이니, 참으로 우리의 교제는 아버지**와 그의** 아들 예수 그리스도**와 함께하는 것이라.**

여기서 "전함"(declaration)은 무엇인가를 공개적으로 선언하고 발표하는 것을 말한다. 미국 남부 사람들은 "내가 하는 말은..."(Well, ah declare)이라고 말하는 습관이 있다. 시편 19:1은 **『하늘들이** 하나님**의 영광을 선포하고 창공이 그의 손으로 하신 일을 나타내는도다.』**라고 말씀한다. 본문에서는 영원한 생명이 지상에서 한 사람의 인격, 곧 실제적으로 살과 피를 가진 인간으로 나타났음을 선포한다는 뜻이다. 그러나 이것은 신화나 꿈 같은 전설에서 나오는 "신들이 지상에 내려오는 것"과는 다른 것이다(사도행전 14:11과 그 주석을 보라). 예수 그리스도의 오심은 노아의 때에 "하나님의 아들들"이 내려왔던 사건에서 유래된 제우스나 쥬피터, 플루토, 바알, 쉬바, 크리쉬나, 오시리스, 죠브와 같은 이방신들이 땅으로 내려왔다는 신화와는 다르다. A.D. 33년경에는 의사(누가)와 세리(마태)와 직업적인 어부들(베드로와 요한)과 신학대학원을 졸업한 율법 박사(바울)을 포함한 500명이 주님의 부활의 증인이다. 그들은 죽은 지 삼 일 만에 무덤에서 다시 부활한 초자연적인 사람을 보았던 것이다(고전 15:4-8).

마호메트는 이번에도 틀렸다. 그는 코란에서 이 모든 500명의 목격자들이 거짓말쟁이라고 선언했다. 그러나 마호메트 자신은 코란을 보지도 읽지도 못했던 것이다.

『**우리가 보고 들은 것을 너희에게 전함은**』(3절).

그러면 이 구절에서 "너희"는 누구인가? 여기에서 "너희"는 4절과 2:1의 "너희"를 말하며, 여기에서의 "너희"는 6절에서 10절까지의 "우리"(we, us)에 포함된다. "너희"는 2:1의 『**나의 어린 자녀들**』과 2:13의 『**아비들**』와 『**청년들**』를 가리킨다. 즉 구원받지 않은 잃어버린 자를 말하는 것이 아니다. 이 사실이 중요한 것은 9절 때문인데, 그 구절은 어디를 봐도 잃어버린 죄인에 대한 말씀이 아니기 때문이다. 그것은 그리스도인들에게 주어진 말씀이다.

그러면 이 "전함"의 목적은 무엇인가? 『**너희도 우리와 교제를 갖게 하려는 것이니, 참으로 우리의 교제는** 아버지**와 그의** 아들 예수 그리스도**와 함께하는 것이라**』(3절).

마호메트는 또 틀렸다. 코란은 한 분이시며 참되신 하나님께는 아들이 없다고 말한다(수라 2:116, 3:58, 9:30, 18:4-5, 37:152, 112:3).

독자들은 미국이나 유럽이 마호메트, 곧 발작을 일으키고 음행을 일삼고 신구약성경을 모두 거부했던 일부다처론자에게 그 종교적인 신념을 이양한다면 얼마나 이상한 일이 일어날지 생각해 보았는가?

독자들은 또한 어느 나라에 있는 어떤 모슬렘과도 사이좋게 지내려면 요한복음 3:16을 부인해야 함을 생각해 보았는가?

코란이 하나님께는 아들이 없다고 말하는 것을 믿는다고 한다면, 결국 성경을 부인하는 것이며, 예수 그리스도의 증인들을 거짓말쟁이로 만드는 것이다.

마태 : 『'**우리와 함께하시는** 하나님.'』(마 1:23), 『**그녀에게 잉태된 아기는** 성령**으로 된 것이라**』(마 1:20).

로마 백부장 : 『"**참으로 이 사람은** 하나님**의** 아들**이었도다.**"』(마 27:54)

더러운 영들 : 『"**당신은** 하나님**의** 아들**이시니이다.**"』(막 3:11)

천사 가브리엘 : 『**그러므로 너에게서 탄생하실 그 거룩한 이는** 하나님**의** 아들**이라 불리리라**』(눅 1:35). 그런데 모슬렘들은 가브리엘이 마호메트에게 코란의 내용을 불러줬다고 주장한다.

마귀들 : 『"**당신은** 하나님**의** 아들 그리스도**시니이다.**"』(눅 4:41)

침례인 요한 : 『**내가 보았고 이분이** 하나님**의** 아들**이심을 증거하노라**』(요 1:34).

나다나엘 : 『"**랍비여, 주는** 하나님**의** 아들**이시요, 주는 이스라엘의** 왕**이시니이다**"』(요 1:49).

시몬 베드로 : 『**우리는 주께서 그** 그리스도, **곧 살아 계신** 하나님**의** 아들**이심을 믿으며 또 확신하나이다**』(요 6:69).

마르다 : 『"**예, 주여, 나는 주께서 세상에 오실 그** 그리스도, **곧** 하나님**의** 아들**이심을 믿나이다.**"』(요 11:27)

요한 : 『**너희로** 예수**가** 그리스도, **곧** 하나님**의** 아들**이심을 믿게 하려는 것이요**』(요 20:31).

바울 : 『**능력으로** 하나님**의** 아들**로 선포되셨으니**』(롬 1:4).

요한 : 『**이 목적으로** 하나님**의** 아들**이 나타나셨으니**』(요일 3:8), 『**또 우리가 아는** 것은 하나님**의** 아들**이 오셔서**』(요일 5:20), 『하나님**께서 그의** 독생자**를 세상에 보내신 것은**』(요일 4:9).

예수 그리스도 자신 : 요 5:18,25; 9:35; 19:7, 눅 22:70,71, 마 11:27.

석유를 확보하고자 "이슬람과 평화"를 가지려고 한다면 위의 열두 명의 증인들을 모두 무시하고 제거해야 하는 것이다.

위의 열두 명의 목격자들이 모두 거짓말했고, 500년 후에 600개의 날개가 달린 천사에게 계시를 받은 베두윈의 두건을 두른 마호메트가 하나님의 독생자 그분 자신(요 3:16)을 포함한 모든 성경의 목격자들이 거짓말을 한 것이라고 가정해 보자. 이것이 21세기의 이슬람이 주장하는 바다. 이것이 이맘과 울라마에게 교육을 받고 이슬람교를 믿는 사람이면 온건하거나 보수적이거나 할 것 없이 누구나 믿는 바다.

"지구에 평화"가 있기를 원하는가? 그렇다면 이슬람과 타협하려고 한다면 성경을 집어던져 버려라.

어떤 기독교 지도자라 하더라도 에큐메니칼 종교 통합 운동을 한다면 그는 마태와 마가와 누가와 요한과 나다나엘과 바울과 예수 그리스도를 뻔뻔한 거짓말쟁이로 만드는 것이다. 당신이 이 진술을 좋아하지 않아도 그만이다. 이것이 있는 그대로의 사실이다.

요한은 유대인(히브리인)이었고, 바울이 그러했듯이 이방인 성도들에게 서신을 기록하고 있었다. 그러나 요한이 바울 서신뿐만 아니라 마태복음도 가지고 있었음을 잊지 말아야 할 것이다. 요한은 야고보가 "형제" 혹은 "형제들"이라는 용어를 썼을 때와 같은 의미로 쓰기도 한다. 야고보가 그 단어를 썼을 때 그는 이방인 성도나 유대인 믿는 자를 말하는 것이 아니었다. 그는 있는 그대로 열두 지파를 대상으로 서신을 기록한 것이다(약 1:1).

1:4 우리가 너희에게 이런 것들을 씀은 너희의 기쁨이 충만하게 하려는 것이라.

모든 하나님의 자녀는 기쁨을 누려야 한다. 기쁨은 성령의 두 번째 열매이다. 우리 구주께서는 『**지금까지는 너희가 내 이름으로 아무것도 구하지 아니하였으나 구하라. 그러면 받을 것이니 너희 기쁨이 충만케 하려 함이라.**』고 말씀하셨다(요 16:24). 이 말씀은 기쁨을 얻기 위해 하나님의 자녀의 삶에 두 가지 것이 필수적임을 말하고 있다. 1. 그는 기록된 말씀을 읽어야 한다(4절). 2. 그는 기도하는 데 시간을 써야 한다(요 16:24).

요한은 단지 "기쁨"을 바란 것이 아니라 "충만한 기쁨"을 원했다(4절). 요한은 요한이서 8절에서도 단순한 상이 아니라 온전한 상을 언급하고 있다. "기쁨"의 표시 중의 하나는 노래를 부르는 것으로 나타난다(약 5:13, 골 3:16).

2001년에 모슬렘 한 명이 필자의 설교를 비난하려고 사무실로 찾아온 적이 있었다. 우리 교회의 아랍어를 말하고 읽을 수 있는 한 레바논인 자매가 그의 친구들 몇 명을 그리스도께 이겨온 것이 화가 났던 것이다. 그는 그 소식을 듣고 나중에 지하드나 암살을 획책할 수 있도록 한번 눈여겨보려고 온 것이었다. 마피아에서는 이런 종류의 암살을 "힛"(hit)이라 부른다.

필자는 그가 문맹자에다가 발작하고 음행하는 일부다처론자이며 유대인들과 그리스도인들을 살해한 자를 자신의 본으로 삼은 것을 꾸짖어 주었다. 그는 이렇게 말했다. "당신이 나의 선지자에 대해 그렇게 말해서 나에게 매우 깊은 상처를 주었소." 그는 이어서 이렇게 말했다. "만약 당신이 내 나라에 살면서 그렇게 말했다면 우리는 당신을 죽였을 것이오."

그는 내가 놀라거나 적어도 충격을 받기를 바라며 필자를 쳐다봤다. 그는 실망할 수밖에 없었다. 나는 하품을 했다.

그는 내가 뉴스 앵커나 법무부 사람이나 부시 대통령이나 미국 대학 교수들이나 특집 기사를 쓰는 기자들처럼 어리석을 것이라 생각했던 것이다. 그는 내가 오직 "종교적 광신자들" 혹은 "광신적인 급진주의자들"과 "테러분자들"만이 그들의 종교를 조롱한다는 이유로 사람들을 죽여도 좋다고 믿고 있는 줄로 생각했던 것이다.

그러나 아니다. 사실은 지구상에 있는 어떤 모슬렘도 "알라의 영광을 위해" 유대인과 그리스도인을 죽일 준비가 되어 있지 않다면 그는 타락하고 배교한 모슬렘인 것이다.

독실한 모슬렘이라면 누구나 칼을 들든지 혹은 어떤 무기와 무력을 사용하든지 지구상에 있는 모든 종교적인 신념을 제거하는 데 자신을 바쳐야 한다. 만약 당신이 만약 모로코나 알제리나 수단이나 인도네시아나 시리아나 아라비아나 파키스탄이나 방글라데시나 레바논에서 길모퉁이에 서서 "마호메트는 거짓 선지자다"라고 외치고도, 사형선고가 내려지지 않을 것이라고 생각한다면 당신은 착각하고 있는 것이다.

그가 문을 나갈 때 따라가서 그에게 이렇게 말해 주었다. "당신이 나를 죽여야 한다는 것을 나도 알고 있소. 당신의 신은 힘이 없기 때문이지. 당신의 신은 아무도 죽일 수 없기 때문에, 그래서 사람인 당신이 신을 대신해서 다른 사람들을 죽여 줘야 하잖소. 만약 내 하나님이 당신이 죽기를 바라신다면 나는 당신에게 손끝 하나도 건드리지 않을 것이요. 원하시기만 한다면 하나님께서 당신이 저 문을 나가기 전에 고꾸라져 죽게 하실 수 있으니까 말이오. 능력에 있어서 당신의 신은 내 하나님께 전혀 상대가 되지 못하잖소." [다윗이 태어나기도 전에 성경이 이에 대해서 말씀하고 있다(판 6:29-32을 보라). 마호메트와 알라는 기록된 사실을 검토하는 데도 1,700년이나 뒤떨어진 것이다.]

나는 그런 후 그에게 노래를 불러 보라고 했다. 그는 충격을 받고 이렇게 말했다. "왜 노래를 불러 보라고 하는 것이오?" 나는 대답했다. "당신은 당신의 선지자를 사랑하지 않소?" 그는 말했다. "물론 많이 사랑하죠." "그러면 당신은 당신의 선지자를 찬양하는 노래를 적어도 20곡 이상을 알아야 될 것 아니오? 내게는 한 사람을 찬양하는 노래가 550곡 이상이나 있는 찬송가가 있소. 만약 마호메트가 선지자고 그가 나의 선지자처럼 죄인들을 위해 죽었다면, 당신의 선지자에 대한 노래가 있을 것이 아니오?"

그는 움츠러들고는 이렇게 말했다. "아니오, 노래하는 것은 죄요."

나는 물었다. "당신과 마호메트는 구약성경을 믿는다고 고백하지 않소?"

그가 대답했다. "그렇소."

나는 물었다. "당신은 구약에서 가장 긴 책이 무엇인지 아시오? 아니, 성경 전체에서 가장 긴 책이 무엇인지 아시오?" (물론 그는 몰랐다. 마호메트도 몰랐다. 마호메트는 문맹자였으므로 구약성경을 읽을 수도 없었다.)

나는 말했다. "그것은 시편이요. '시편'이 무슨 뜻인지는 아시오?" (그는 알고 있었다. 그는 나를 위협하려하다가 그만 완전이 체면이 구겨진 것이었다.) 시편은 "노래들"을 의미한다.

노래하는 것이 죄인가? 어쩌면 오십이 세의 나이에 아홉 살짜리 여자 아이와 동침하는 것을 정당화하는 마호메트에게는 노래하는 것이 죄가 될지도 모르겠다.

이것이 이슬람이다. 그들은 성경을 거부하는 육신적이고 정욕적인 죄인들이다.

미국에 있는 모든 이맘과 칼리프와 울라마와 머프티는 7세기의 베두윈족이 가졌던 세 가지 특징을 그대로 물려받았다.

1. 그들의 선지자가 죽음 이후의 실제 역사를 다루는 그 어떤 예언도 알지 못한다.

2. 마호메트의 삶과 행동을 성스럽고 거룩하고 영적인 것으로 만들기 위해서 지속적으로 거짓말을 한다.

3. 그들의 경전이 명백하게 거짓되고 추악한 것들을 가르칠 때마다 코란이 말하는 것이 실제로는 그것이 아니라고 지속적으로 코란의 내용을 호도한다.

노래하는 것은 기쁨의 표시다. 성경의 위대한 진리들을 실제적으로 체험하지 못하는 그리스도인들이 찬송가를 부르는 것보다 차갑고 죽은 것은 없다. 그것이 왜 배교한 그리스도인들이 전통적인 찬송가를 버리고 아프리카의 섹스 뮤직인 CCM을 좋아하는 이유다. 이것이 1964년에서 현재까지 일어난 일이다. 성경의 진리들을 믿지 않는 배교자들이 노래할 때 느끼는 "기쁨"은 그 노래의 메시지에 있는 것이 아니라 그 노래의 외적인 요소인 박자와 리듬과 소음일 뿐이기 때문이다.

음악 교육을 제대로 받지는 않았지만 성경을 믿고 자신이 부르는 찬송가의 가사 내용을 있는 그대로를 믿는 수백 명의 성도들이 확신에 차서 우렁차게 노래하는 것을 들어보았는가? 그것이 진짜다. 어떠한 전문적인 합창단도 따라가지 못한다. 왜냐하면 그들이 할 수 있는 것은 기껏해야 그 노래의 내용이 아니라 일종의 예술가로서 그 노래의 테크닉에만 집중하기 때문이다.

『**우리가 너희에게 이런 것들을 씀은**』(4절).

사도 요한은 성령님과 자신을 함께 통칭하며 "우리"라고 말하는 것일 수도 있다. (요 21:24도 이와 유사하게 『**우리는 ... 아노라.**』고 표현했다.) 문맥상 본문에서 말하는 "우리"는 3절에서 말하는 "우리"로 보인다.

1:5 그러므로 우리가 그에 관하여 듣고 너희에게 전하는 말이 이것이니, 곧 하나님은 **빛이시요, 그분 안에는 어두움이 전혀 없다는 것이라.**

요한이 전달하고자 하는 말이 무엇인가? 매우 독특한 메시지다. 그것은 우리 하나님이 사랑이시며 소멸하는 불이실 뿐만 아니라(히 12:29), 하나님께서 빛이시라는 사실이다. 햇빛이나 달빛이나 별빛과는 다른 순수한 빛이 있는 것이다. 『**그분 안에는 어두움이 전혀 없다는 것이라.**』

이것은 바울이 교회에게 전달한 메시지는 아니었다. 바울은 사도행전 26:18과 데살로니가전서 5:5에서 이 위대한 진리를 인지했다. 바울을 회심하도록 이끈 것 자체가 빛이었기 때문이다(행 9:3; 22:6,9). 그러나 계속 『**세상의 빛**』이신 분을 선포하는 사람은 요한이다. 요한은 자신의 복음서를 다음과 같이 열었다.

『**그분 안에 생명이 있었으니 그 생명은 사람들의 빛이라. 그 빛이 어두움 속에 비치어도 어두움은 그것을 깨닫지 못하더라**』(요 1:4,5).

『**그가 증인으로 왔으니, 빛에 관하여 증거하려 함이며, 모든 사람이 그를 통하여 믿게 하려 함이더라. 그 사람은 그 빛이 아니었고 그 빛에 관하여 증거하라고 보내심을 받았더라**』(요 1:7,8).

"빛을 거절하면 번개로 변한다."

앞에서 한 번 언급한 바와 같이, 바울과 달리 요한은 다니엘의 칠십째 주에 관한 진리를 드러내고 있다. 다음 구절들을 저자의 〈시편〉 주석에서 찾아보라: 시 36:9; 50:2; 31:16; 67:1; 80:1,3; 112:4; 사 60:1–3; 9:2 등이다.

모든 이방의 종교들이 "태양 숭배"로 시작하는 이유는 태양이 지상의 모든 물리적인 빛과 열과 따뜻함과 성장과 조명의 근원이기 때문이다. 태양은 시편 19편과 말라키 4장에서 예수 그리스도의 예표다. 태양은 천년왕국에서도 그러하다(벧후 1:19, 마 13:43, 살전 5:5,6). 이것은 지상에서 모든 영적인 조명과 빛과 열기와 성장이 예수 그리스도께 달려 있음을 의미한다. 『**그때에 예수께서 다시 그들에게 말씀하시기를 "나는 세상의 빛이**

라. 나를 따라오는 사람은 결코 어두움 속에 다니지 아니하고 생명의 빛을 얻으리라."고 하시더라』(요 8:12).

이번에도 마호메트는 굴욕을 당할 수밖에 없다.

마호메트는 모세와 같은 선지자에게 상대가 되지 않는 것이다(행 3:22). 모세는 유대인이었고, 메시아께서 유다 지파에서 오실 것을 예언했다(창 49:9,10). 그는 모세의 치유하는 "표적들"을 가지신 분이다(저자의 주석서 〈출애굽기〉, 출 4:6,7 주석을 참조하라.) 마호메트는 결코 이런 표적을 가져 본 적이 없다. 예수 그리스도는 장사된 후 다시 부활하셨으나(신 34장, 유다서, 마 17장), 마호메트는 결코 그런 적이 없다. 그분은 유대인들을 이집트에서 데리고 나와 팔레스타인 땅으로 데려가실 것이다. 마호메트는 그런 적이 없다. 마호메트가 빌리 선데이와 빅토리아 여왕과 닮지 않았듯이, 마호메트는 전혀 모세와 같은 선지자가 아니다.

지상에서 그리스도인의 삶에서 가장 중요한 것은 바로 예수 그리스도과 함께하는 "교제"다. 이것보다 중요한 것은 없다. 당신의 수입도, 위신도, 가족도, 사역도, 환경도, 친척도, 교육도, 직업도, 심지어 당신의 건강도 이것보다는 중요하지 않다. 구원받을 때부터 그리스도의 심판석에 이르기까지 당신이 예수 그리스도와 가지는 교제가 당신의 삶의 핵심이다. 이 교제보다 앞서는 다른 우선 순위가 그리스도인에게 있을 수 없다.

구원과 교제는 별개의 것이다. 구원은 하나님 앞에서의 지위를 말하는 것인 반면, 교제는 하나님 앞에서 당신의 상태를 말하는 것이다. 민수기 23:21에 나타난 이스라엘의 지위는 같은 책에 나타난 하나님 앞에서의 그들의 상태와는 다른 것이다(민 16:49; 21:6).

우리 구주시며 주이신 예수 그리스도와의 교제를 유지하는 것은 우리의 주의를 끌고 시간을 차지하는 다른 모든 것보다 우선한다. 이것이야말로 그리스도인들에게 "정언명령" 혹은 지상명령이다.

모든 그리스도인은 반드시 구령해야 한다. 그러나 그것이 가장 중요한 것은 아니다. 교회 개척이나 학교 건물이나 세상 사람들과 사이좋게 지내고 함께 나누는 것이 중요한 것이 아니다. 가장 중요한 것은 당신이 당신의 창조주와 교제를 가지는 것이다. 만약 그것이 올바로 되어 있다면 다른 모든 것도 똑바로 될 수 있다. 하나님과 교제 속에서 확정되지 않는 한 확정된 것은 아무것도 없는 것이다. 독일 속담에 이르기를, "모든 것이 하나님의 축복에 달려 있다."라고 했다.

교제는 당신과 주님 사이에 해결되지 않은 문제나 다툼이나 논쟁거리가 남아 있지 않다는 것이다.

『두 사람이 동의하지 않고 함께 걸을 수 있겠느냐?』(암 3:3)

주님께서 옳다하지 않으시면 어떤 관계도 옳지 않다. 현대 기독교는 그리스도인의 생애의 이러한 초자연적인 부분을 망각하고 있다. 대신 그리스도인들은 현대적이고 심리학적인 "가족의 가치들"을 강조하는 가짜 상담자들이 자신의 가치관과 주관에 따라 하는 얘기를 몇 시간씩 들으며 시간을 낭비하고 있는 것이다. 1965년 이후로 기독교 서점을 한번 확인해 보라. 현대 기독교 저술은 50%가 인본주의이며, 그중 30%는 성경에 대한 고등 비평이다. 이것이 라오디게아 시대의 가증한 타락이다.

1:6 만일 우리가 하나님과 교제가 있다 하면서 어두움 가운데 행하면 우리가 거짓말하는 것이며 진리를 행하지 아니하는 것이라.

그리스도인은 빛이나 어두움 둘 중 하나 가운데서 행하게 마련이다.

『너희가 한때는 어두움이었으나 이제는 주 안에서 빛이니 빛의 자녀들

로서 행하라』(엡 5:8).

『**열매 없는 어두움의 일들에 관여하지 말고 오히려 그것들을 책망하라**』(엡 5:11).

『**그러나 책망받는 모든 것이 빛에 의하여 드러나니 무엇이든지 드러나게 하는 것은 빛이니라. 그러므로 그가 말씀하시기를 "잠자는 자여 깨어라. 그리고 죽은 자들로부터 일어나라. 그러면** 그리스도**께서 네게 빛을 주시리라."고 하셨느니라**』(엡 5:13,14).

6절에 이어 네 개의 조건절이 따라온다. 6절은 『**만일 우리가 하나님과 교제가 있다 하면서**』라고 말하고, 그 뒤를 이어 『**우리도 빛 가운데 행하면**』(7절), 『**만일 우리가 우리에게 아무 죄도 없다고 말하면**』(8절), 『**우리가 우리 죄들을 자백하면**』(9절) 등이 이어지고 마지막으로 『**만일 우리가 죄를 짓지 아니하였다고 말하면**』(10절)이 이어진다.

1:7 그러나 그분이 빛 가운데 계신 것같이 우리도 빛 가운데 행하면 우리가 서로 간에 교제가 있게 되고, 그의 아들 예수 그리스도**의 피가 우리를 모든 죄에서 깨끗하게 하시느니라.**

우리 그리스도인이 어떤 위치에 있는지 살펴보자. 그리스도인은 이미 빛 가운데 있다. 그러므로 하나님의 명령은 우리가 빛 가운데 있기 때문에 또한 빛 가운데서 행하라는 것이다(살전 5:4-8). 문자적으로 받아들이자면, 그리스도인이 자신의 눈을 눈가리개로 혹은 썬글래스 등으로 가리고 자신이 어디로 가고 있는지 살피기를 의지적으로 거부할 때만 어두움 가운데서 행할 수 있다는 뜻이다. 바로 이런 현상을 언급하는 것이 요한복음 1:5,9-10이다. 즉 고의적으로 소경이 되는 것이다.

『이 백성의 마음이 무디어지고, 그들의 귀는 듣는 데 둔하고, 그들은 자기들의 눈을 감았으니, 이는 그들이 어느 때라도 눈으로 보지도 못하고』(마 13:15).

〈킹제임스성경〉으로 요한복음 9:39-41을 읽으라. 새로운 역본이나 헬라어 교수가 없어도 성경이 무엇을 말하는지 정확하게 이해할 수 있을 것이다.

그리스도인은 빛 가운데 행하고 다른 그리스도인들과 교제를 가지는 중에도 죄지을 수 있다는 사실을 주의해서 보라. **『우리가 서로 간에 교제가 있게 되고』** 예수 그리스도의 피를 그리스도인의 새롭게 된 삶에 적용하면 그 피는 그리스도인을 깨끗게 한다. 그러나 예수 그리스도께서 수백 년 전에 십자가에서 피를 흘리셨을 때부터 그 피는 영원한 효력을 발휘하고 있다.

그러나 그 피가 그리스도인의 매일의 생활에서 그를 실제로 깨끗게 하기 위해서 하나의 조건이 있다. 히브리서 9:14에서 이 피를 현재 우리가 적용하여 사용할 수 있다고 말함을 주목하라. (저자의 주석서 〈히브리서〉, 히 9:14을 참조하라) 이 구절은 히브리서 1:3의 과거의 정결케 됨을 말하는 것이 아니라, 현재 정결하게 됨에 대해서 말하고 있는 것이다.

또한 이 현재적인 정결케 됨은 그리스도인이 자기의 죄를 자백할 때 그에게 적용된다(요일 1:9). 성경 또한 그리스도인을 죄로부터 정결케 할 수 있다(시 119:9,11). **『이제 너희는 내가 너희에게 일러준 말을 통하여 깨끗해졌느니라』**(요 15:3).

이 말씀은 9절이 과거의 그리스도인의 구원이나 정결케 됨이나 깨끗게 됨이나 의롭게 됨이나 구속(골 1:14)과는 전현 관계없는 다른 것을 말하고 있음을 의미한다. 9절은 조건적이기 때문에 그리스도인의 현재적인 거룩하게 됨을 말하는 것이다.

1:8 만일 우리가 우리에게 아무 죄도 없다고 말하면 우리 자신을 속이는 것이요, 진리가 우리 안에 있지 아니하나

이 구절은 우리의 본성의 일부로서의 죄에 대해서 말하고 있다. 바울이 로마서 7:8,11,14,17,20,23,25 등에서 설명한 죄와 같은 것이다. 요한은 바울의 로마서를 그의 앞에 두고 서신을 쓰고 있는 것이다. 로마서는 요한일서가 기록되기 적어도 20년 전에 기록되었기 때문이다.

즉 본문의 『**죄**』는 요한복음 1:29의 의미에서의 『**죄**』다.

본문의 『**죄**』는 고린도후서 5:21의 의미에서의 『**죄**』다.

마호메트는 또 틀렸다. 그는 자신에게는 오직 하나의 성품만이 있다고 고백하고 로마서 6장에서 증거하는 바와 같이 그리스도인 안에 두 가지 성품이 있음을 인지하지 못했다. 이 무지한 자는 타락한 아담의 죄의 본성으로 행위를 통하여 낙원에 갈 수 있다고 믿은 것이다. 어떤 언어나 어떤 판의 〈코란〉에도 새로운 출생에 대해서 말하는 부분이 없다. 지상에 살았던 모든 모슬렘은 죄인으로서 "허물과 죄들 가운데서 죽은"(엡 2:1-4) 상태로 태어나, 세속적인 아담의 본성을 가지고 아담 안에서 살다가 죽었다. 모슬렘들이 필자가 가르치는 것에 대해서 기분이 나쁘다고 해도 어쩔 수 없다. 필자는 성경이 〈코란〉에 대해서 무엇이라 말하는지 진술하고 있을 뿐이다. 성경은 코란이 무엇이라 말하기 500년 전에 위에서 말한 진리를 말한 것이다.

누구라도 현재형으로 인간은 하나님의 형상으로 만들어져 있다거나(창 5:1-4, 골 3:10), 인간의 본성은 기본적으로 선하다고 말하는 자는 성경을 거부하고 성경을 부인하며 자기를 의롭다 여기는 바보일 뿐이다.

모든 그리스도인 안에는 죄가 거하고 있다(롬 7:17,20). 죄가 자신 안에 거하지 않는 그리스도인은 없다. 요한은 죄가 거하지 않는다고 말하는 그리스도인은(8절) 자신을 속이는 것이며 죄에 대해서 말하는 진리를 거부하는 것이라고 분명하게 선언하고 있다. 『**진리가 우리 안에 있지 아니하나**』 요한이 말하는 바는 확고하다.

"하나님의 마음에 합한" 사람이었으며, 21가지 점에서 예수 그리스도의 예표가 되는 사람은 이렇게 말했다. 『**보소서, 내가 죄악 중에서 조성되었고 죄 중에서 내 어머니가 나를 배었나이다**』(시 51:5). 예수님께서는 죄인들이 저지르는 죄들뿐만 아니라 죄인의 타고난 본성적인 인간의 죄성을 위해서도 죄값을 지불하셨다. 이제 우리는 죄가 우리 안에 다스리는 것을 거부함으로써 죄를 이기고 승리할 수 있다(롬 6:12,14). 그러나 여전히 그리스도인 안에는 죄가 있으며, 이 죄는 주께서 오시기를 지체하시면 그리스도인을 죽일 것이다. 마호메트는 다른 여느 수백만의 죄인들처럼 소망없이 죽었다. 마호메트는 베드로, 야고보, 요한, 이사야, 예레미야, 마태, 마가, 누가, 유다, 바울과 같은 성도가 아니었을 뿐만 아니라, 예수 그리스도의 근처에도 갈 수 없는 죄인이었다.

당신은 죄를 다스려야 한다(창 4:7). 죄가 당신을 조종하게 해서는 안된다. 옛 성품은 절대로 "성령 침례"나 "불"이나 "성화"나 "은혜의 두 번째 역사" 등으로 제거되지 않는다. 교회사 2,000년 동안에 그 누구도 단 한 번도 죄성을 제거할 수는 없었다.

이제 논란이 되는 구절이 나온다.

1:9 우리가 우리 죄들을 자백하면 그는 신실하시고 의로우셔서 우리 죄들을 용서하시며, 모든 불의에서 우리를 깨끗하게 하시느니라.

이것이 교회 시대에 대한 본문인가? 갈보리에서 모든 죄들이 용서되었기 때문에 지금 짓는 죄들은 자백할 필요가 없는 것이 아닌가? 하나님께서 당신을 즉시 새 예루살렘으로 데려가시기를 원한다면 이렇게 여기고 살아도 좋다(고전 11:30).

바울은 자신이 구원받기 전에 지은 죄들을 (공개적으로) 자백했다(행 26:10-11, 딤전 1:13). 이것을 어떻게 설명하겠는가? 또한 죄들을 자백할 필요가 없다면 왜 구원받은 후에 고린도인들은 자신의 행동을 자백한 것인가?(행 19:18) 그렇다면 자기 죄들을 자백하지도 않고 어떻게 그 죄들을 심판할 수 있으며, 또한 어떻게 그런 상태로 주의 만찬에 동참하여 하나님과 교제할 수 있는가?(고전 10:15-21) 하나님께서는 그분께 죄들을 자백할 것을 말씀하시지 않았는가?(롬 14:11)

아니면 이 구절이 주님께 실제로 당신이 잘못한 것을 말씀드리지 않는 "침묵의 자백"을 말하는가? 20세기의 코넬리우스 스탬이나 J.C. 오헤어나 E.C. 무어나 베이커, 벌링거 등의 극단적 세대주의자들이 가르친 거짓 교리다. 이들은 에베소서 4장의 "of"라는 영단어 하나도 제대로 이해하지 못했다. (필자의 〈극단적 세대주의, *Hyper-Dispensationalism: Wrongly Dividing the Word of Truth*〉을 참조하라, 1985) 이 불쌍한 천치들은 "하나님"이라 불리는 기간이 있는 것처럼 말하고, 골로새서에 그러한 표현이 있는 것처럼 생각했다. 그들이 에베소서 3:2의 『하나님**의 은혜의 경륜**』(dispensation <u>of</u> the grace of God)의 "의"(of)를 잘못 해석하여 "하나님의 은혜의 시대"라고 해석했다. 그들의 논리를 따르면 똑같은 구조의 골로새서 1:25은 "하나님의 시대"라는 기간이 있다고 말하는 것이 된다. 두 글자의 영단어(of)가 그들의 전체 신학을 약 100년간 망쳐 버린 것이다.

그리스도인이 자신의 죄를 자백하지 않아도 된다는 것은 극단적 세대주의자들의 명백한 거짓 교리다. 모든 극단적 세대주의자들은 교회 시대에 물 침례를 실행하는 것이 틀렸다고 말한다. 성경은 모든 불의가 죄라고 말씀한다(요일 5:17). 사도 바울은 그리스도인이 받는 영적인 침례 곧 "한 침례"가 있음을 깨닫고 난 후에도, 물 침례를 주었다(행 16:33; 18:8). 극단적 세대주의자들의 논리에 따르면 사도 바울도 불의를 행하고 죄를 지은 것이다. 극단적 세대주의자들과는 달리 사도 바울은 죄를 자백해야 했지만(딤전 1:13), 물 침례를 준 것을 죄라고 고백한 적은 없다.

극단적 세대주의자들은 죄들을 자백할 필요가 없다 한다. "갈보리가 모든 죄를 덮었다!"라고 말한다. 이러한 주장은 성경을 곡해한 거짓 교리일 뿐이다.

예를 들어보자. 어느 날 필자가 밖에서 돌아왔더니, 집은 불이 나서 다 타 버렸고 차 창문들은 다 깨졌고 기르던 독일산 셰퍼드는 총에 맞아 죽었고, 내 아들이 제 어머니를 때려 병원 응급실에 실려 갔다고 치자. 그리고 이 모든 것이 내 아들이 한 짓이라고 하자. 집에 들어갔더니 아들이 나와서 내게 이렇게 말한다. "아, 아버지, 제가 아버지의 아들이라는 사실이 기뻐요. 아버지가 이 모든 것을 사셨잖아요. 그러면 오늘은 나가서 스테이크나 함께 먹도록 해요. 아버지와 함께 있고 아버지와 친근하게 교제를 나누고 싶어요!"

내가 어떻게 할 것 같은가?

필자는 내 아들을 죽기 일보 직전까지 흠씬 두들겨 패주고, 한 번 더 혼내 주고, 그 다음에 보안관을 불러서 감옥에 넣을 것이다. 물론 "갈보리가 모든 죄를 덮었다!" 물론 그렇다. 그러나 그것이 당신의 하늘 아버지께서 당신이 죄지을 때 징계하시지도 않고(히 12:5-11) 당신의 자기 기만적인 태도를 단단히 바로잡고 똑바로 행동할 때까지 제대로 훈육하시지도 않는다는 의미는 아니다.

『**너희가 육신을 따라 살면 죽을 것이나** 성령을 **통하여 몸의 행실을 죽이면 살리라**』(롬 8:13).

『**내 안에 거하지 아니하는 사람은 가지처럼 버려져 말라 버리느니라. 그러면 사람들이 그것들을 거두어 불 속에 던질 것이요 그것들은 타 버릴 것이라**』(요 15:6).

『**너희는 그들 중 어떤 사람들이 불평한 것처럼 불평하지 말라. 그들은 그러다가 멸망시키는 자에게 멸망당하였느니라. 이제 그들에게 일어난 이 모든 일이 본보기가 되고 또 세상의 끝날들을 당한 우리에게 권면으로 기록되었느니라**』(고전 10:10,11).

『**그러한 자를 사탄에게 넘겨주어 그 육신은 멸망케 하여도 그 영은** 주 예수**의 날에 구원받게 하려 함이라**』(고전 5:5).

『**만일 누구든지** 하나님**의 성전을 더럽히면** 하나님**께서도 그 사람을 멸하시리라. 이는** 하나님**의 성전은 거룩하며 너희는 그 성전이기 때문이라**』(고전 3:17).

자백이 구원의 기초가 되는 것도 아니다. 유다, 파라오, 발라암은 모두 자백하고도 모두 지옥으로 갔다. 위의 구절들을 확인해 보라. 필자가 주석한 것을 믿지 말고 성경을 찾아서 확인해 보라.

하나님께서는 공의로우시고 거룩하시다. 하나님께서 한 사람을 깨끗게 하실 때는 공의로운 근거를 기준으로 그렇게 하신다. 누군가가 죄를 자백하여 용서받기 이전에 먼저 그 기준이 만족되어야 한다. 『그리스도 예수 **안에 있는 구속을 통하여 그의 은혜로 값없이 의롭게 되었음이라.** 하나님**께서는 그의 피를 믿는 믿음을 통하여 그를 화목제물로 세우셨으니 이는** 하나님**의 오래 참으심 가운데서 이전에 지은 죄들을 사하심으로 인하여 그의 의를 선포하려 하심이요, 곧 이때에 자기의 의를 선포하심은 자신도 의롭게 되시고 또한** 예수를 **믿는 자도 의롭다 하려 하심이니라**』(롬 3:24-26).

구원과 교제는 별개의 것이다. 교제는 자백이 있을 때 지속되지만, 구원은 자백이 필요없다. 구원에 필요한 것은 예수 그리스도를 자신의 구주로 시인하는 것이지(롬 10:9,10), 하나님이나 다른 사람에게 지은 죄들을 자백하는 것이 필요한 것이 아니다.

극단적 세대주의자들이 이렇게 "초극단 은혜"를 말할 때 그들은 부시 대통령이 팔레스타인의 "테러리즘"에 대해서 말할 때처럼 자신이 무엇을 말하는지 전혀 모르는 것이다. 플로리다 주 밀톤 시에서는 1980년부터 2003년까지 이 문제가 너무 심각해져서 그리스도인 라디오 방송국 아나운서들이 극단적 칼빈주의자 흉내를 내면서 아무도 예수 그리스도를 영접할 때 기도할 필요도 없고 구원받기 위해 주님의 이름을 부르지 않아도 되고, 더 나아가 그분을 공개적으로 시인하지 않아도 된다고 가르쳤다. 성경이 고린도후서 5:19에서 말씀하는 바가 진리이기 때문에 아무 신경 쓰지 않아도 된다는 것이다.

사탄도 고린도후서 5:19의 본문을 한 단어도 빠뜨리지 않고 믿는다. 바울은 고린도후서 5:19을 믿는 사람들에게 그것을 받아들이라고 권고하고 있으며, 그렇게 하지 않으면 구원받지 못하는 것이다.

주목하라. 『**우리도** 그리스도를 **대신하여 너희에게 간구하노니 너희는** 하나님**과 화해하라**』(고후 5:20).

그들은 위의 구절을 믿었다 해도 하나님과 화해하지 않았었다.

사탄 또한 위의 구절을 모두 믿지만 불못에 던져질 뿐이다.

대개 부정적인 진리가 먼저 나옴을 주목하라. 『**우리 죄들을 용서하시며**』

긍정적인 진리가 항상 두 번째로 나온다. 『**우리를 깨끗하게 하시느니라**』

그것은 독자가 죄짓고 기도한 경험이 있다면 위의 말씀이 믿기 쉽지 않은 진리임을 알 것이다. 똑같은 죄들을 자주 지었을 때 자백하고 일어났는데, 여전히 죄들이 용서되지 않고 그대로 있는 것 같은 느낌을 받은 적이 있는가? 이렇게 느끼는 이유는 우리가 죄들을 짓고 난 이후 수년 후에도 여전히 그 죄들의 결과들을 감내해야 할 때가 있기 때문이다. 필자는 독자들에게 70세였을 때에도 19세 때 저지른 죄들에 대한 대가를 치렀음을 고백한다.

필자는 『**감각들을 단련하여 선악을 분별**』(히 5:14)할 수 있게 되었기 때문에, 주님께서는 때때로 우리의 삶에 뭔가가 들어와서, 그것으로 기도하고 궁지에 몰리기까지 하며 어려움을 겪는 것을 허락하시기도 하신다는 사실을 깨닫게 되었다. 계속 싸우고 싸워도, 오히려 그것이 육신의 가시처럼 당신 자신을 다시 찌르는 것이다. 사탄은 당신이 그것을 정복하지 못한 것에 대해 완전히 낙담하고, 그것을 이기지 못하고 승리를 획득하지 못한 것이 너무 부끄러워서, 더 이상 은혜의 보좌 앞으로 그것을 가져가지 않기를 바란다.

독자들도 다음과 같이 느낄 때가 분명 있을 것이다. 한 소년이 잠자리에 들기 전에 침대 옆에 무릎을 꿇고 앉았는데, 그날 밤은 소년이 무슨 이유인지는 모르겠지만 길고 별로 말이 안 되는 듯한 기도를 드리는 것을 어머니가 듣게 되었다. 기도가 끝나자 어머니가 아들에게 물었다. “무슨 기도가 그러니?” 여덟 살 된 소년이 대답했다. “음, 제가 똑같은 말을 밤마다 계속 기도드리니까, 주님께서 똑같은 내용을 듣는 게 좀 지겨우실까 봐 오늘밤은 주님께 ‘골디록과 곰 세 마리 이야기’를 들려 드렸어요.”

훌륭한 꼬마가 아닌가!

언젠가 개장수들끼리 개 한 마리를 놓고 홍정하는 것을 들은 적이 있다. 한 사람이 말했다. “저 개 순종이야?”

두 번째 사람이 대답했다. “저 녀석은 완전 순종이지. 저 개가 말을 할 수 있다면 우리 같은 사람에게는 말도 붙이지 않을 걸!"

"보니까 벼룩이 좀 있던데...", 첫 번째 사람이 말했다. 두 번째 사람이 이렇게 받아쳤다.

"음, 그렇지, 저 녀석이 스스로 개라는 사실을 잊어버리지 않을 정도만큼은 벼룩을 가지고 있지."

두 번째 사람이 말한 것을 곰곰이 생각해 보라. 이삼 년은 족히 염두에 두어야 할 진리가 그 안에 들어 있다.

가족의 가치와 심리학적인 상담과 인본주의적인 설교를 하는 현대의 설교자들은 이와 같은 그리스도인의 실제적이고도 영적인 문제들에 대해서 아는 바가 없다. 그들 스스로가 모두 초짜에 머물러 있는 것이다.

하나님께서는 우리가 세상을 배회하며 방황하다가 문제들에 봉착하는 것을 원치 않으신다. 그래서 하나님께서는 우리가 히브리서 4:16에 근거하여 그분의 은혜의 보좌에 자주 찾아올 수 있는 꺼리를 주시는 것이다. 이러한 주님의 조치는 우리가 좋아하든지 싫어하든지 사실상 우리에게 유익이 된다.

그러면 우리는 어떤 죄들을 자백해야 하는가? 죄들을 구체적으로 말해야 한다. 대부분의 대학 졸업생들은 죄나 죄들이 무엇인지 개념 자체가 잡혀 있지 않다. 그들은 "악을 선이라 부르고" 선이 악이라 믿도록 교육을 받은 것이다. 마약 거래를 일삼는 음행하는 변태성욕자에게 "죄"란 흑인을 "깜둥이"라고 부르는 것이나 마호메트나 테레사 수녀를 욕하는 것 정도를 의미한다. 반대로 "선"은 누군가의 아내나 딸을 희롱하는 것이거나 히틀러와 연쇄살인범 잭 더 리퍼와 같은 자들도 다른 모든 사람들처럼 하나님의 자녀라 부르는 에큐메니칼 운동에 편승하는 것이다.

죄에 대한 목록은 로마서 1장과 3장, 고린도전서 6장, 갈라디아서 5장 등에 나온다. 그 구절들에 기록된 죄들은 굵직굵직한 죄들이다. 이러한 큰 죄들을 짓게 하는 작은 죄들은 다음과 같다.

1. 자신이 이룬 성공에 대해 은밀하게 느끼는 자부심과 교만
2. 교육이나 외모나 지능에 대한 교만
3. 스스로 중요하고 혼자서도 잘할 수 있다고 스스로 느끼는 것.
4. 누군가가 자신에 대해서 말한 것을 오래 기억하고 쓴 뿌리를 품는 것
5. 냉소적이거나 항상 이기려는 태도
6. 사납고 예민하고 "까칠한" 태도
7. 자신에게 관심을 끌려고 뭔가를 말하거나 행하는 것
8. 이성의 주의를 끌려는 욕망
9. 불평하고 불만을 토로하는 것
10. 옳은 것을 행하기를 포기하려 하는 것
11. 남몰래 잘못들을 찾아내고 비평하려는 것
12. 기만적이고 은근슬쩍 넘어가려는 짓
13. 개인적인 이익이나 유익이 있지 않은 한, 남을 돕지 않으려는 마음가짐

(평균적인 설교자들은 "죄"에 대해서 심각하게 혹은 구체적으로 설교하지 않는다. 1964년 이후로 미국에서는 사람들이 듣기 좋아하는 설교가 주류를 이뤄 왔다.)

14. 자신과 타인에게 비정상적이고 해가 되는 행동을 하는 것
15. 자신에 대해서 사실과 다른 이미지를 만들려는 것
16. 정욕과 음욕이 가득한 눈으로 이성을 보는 것
17. 마땅히 해야 할 의무로부터 몸을 사리는 성향
18. 남이 기분을 상하게 했을 때 어떤 식으로든 앙갚음을 하려는 심보
19. 다른 그리스도인의 삶에서는 죄라고 지적하면서도 자신의 생활에서 허락하는 것들

20. 생각하는 것이 저질이거나 구두쇠거나 깨끗하지 않은 것

21. 농담을 말하고 즐기는 버릇

22. 특정한 사람들이나 교단이나 계층의 사람에게만 편파적으로 잘해주는 성향

23. 일이 이렇게 되지 않고 저렇게 되었다면 어떠했을까 공상하는 것

24. 하나님께서 자신의 삶에서 주신 "몫"에 대해서 감사할 줄 모르는 마음

25. 지속적으로 실패할까봐 두려워하거나 실패한 사람에 대해서 자비롭지 않은 태도를 가지는 것

26. 가식적이거나 과장된 겸손을 보이는 것

27. 죄를 짓거나 책임을 다하지 못한 것에 대해서 무관심한 태도를 보이는 것

28. 사람들이 얼마나 자신을 칭송하고 칭찬해 줄까 생각하는 것

29. 진리를 몸서리치는 것

30. 자신이 더 잘할 수도 있다 싶은 일을 다른 사람이 하고 있을 때 곱게 봐주지 않고 기분 나빠하는 옹졸함

위의 작은 죄들의 목록을 잠자리에 들기 전에 자주 체크해 보라.

그러나 1964년 이후로 2,000명 이상의 학생들이 등록한 학교를 운영하거나 2,000명 이상 주일학교에 출석하는 유명 기독교 지도자들은 이와 같은 죄들에 대해 지적하는 설교를 하지 않았다. 현대 라오디케아 시대의 근본주의자들은 영적인 깊이가 없고 신약성경에 기록된 참된 그리스도인다운 인품이 없다. 진리에 관한 한 그들은 약골인 데다가 아무런 관심도 없다. 그들은 육신적인 동기들을 품고 자신의 "성공"만을 좇아가는 자들이다. 성경에서 사도 바울을 따르라고 말했지만 그들은 따르지 않는다(고전

11;1, 딤전 1:16). 그들은 정치인들과 영화배우들처럼 "경력을 쌓기"를 원할 뿐이다.

1:10 만일 우리가 죄를 짓지 아니하였다고 말하면 우리는 그분을 거짓말쟁이로 만드는 것이요, 그분의 말씀이 우리 안에 있지 아니하니라.

구원받은 이후로 자신이 죄를 지은 적이 없다고 말하는 그리스도인 안에는 하나님의 말씀이 거하지 않는다.

프라미스키퍼, 700 클럽, PTL, 브라운스빌과 토론토에 있는 은사주의의 우상들과 오순절교도들과 같은 육신적인 아기에 불과한 은사주의자들은 히브리서 10:26을 읽고 충격을 받아 구원을 잃어버릴지도 모른다는 공포에서 벗어나지 못한다. 그래서 그들은 자신이 정말 "고의로" 죄를 지은 것은 아니니, 실제로 죄를 지은 것이 아니라고 짐짓 여긴다. 지미 스와거트는 포르노와 사기와 횡령과 음행으로 스스로를 망치기 전에 이렇게 기도하곤 했다. "오, 하나님, 우리의 실수들과 잘못들을 용서해 주소서!" 그가 실제로 구속되기 전까지 그는 결코 죄를 지었다고 자백한 적이 없다. 그러고도 그는 침례교인들은 구원을 잃어버릴 수는 있지만, 극악한 죄들을 지은 자신은 구원을 잃어버리지 않았다고 주장했다. 거짓말을 하고 음행하고 탐하고 하나님의 돈을 횡령하고 간음을 자행하면서도 자신은 구원을 잃어버리지 않았다고 한 것이다.

이것이 미국에서 일어나고 있는 은사주의 운동의 단면이다.

지금 나와서 설치는 지미 배커도 지미 스와가트와 마찬가지다.

『말씀』(the Word) 곧 예수 그리스도께서는 거짓말하는 그리스도인 안에 남아 계시지만, 『**말씀**』은 그 안에 더 이상 있지 않는 것이다. 여기서

『**말씀**』(word)은 성경에 기록된 말씀을 말한다. 예수 그리스도께서는 『**나를 사랑하는 사람은 내 말들을 지키리니**』라고 하셨다(요 14:23). 서점에 나와 있는 NIV, ASV, NASV, NWT, CEV, NEB, TEV 등의 210가지의 변개된 성서에는 이렇게 기록되어 있지 않다.

(문서화된 증거를 원한다면, 필자의 〈The Scholarship Only Controversy, 1996〉과 〈The Christian Liar's Library, 1997〉을 읽어 보라.)

요한일서 2장

2:1 나의 어린 자녀들아, 내가 이런 것들을 너희에게 쓰는 것은 너희로
죄를 짓지 않게 하려는 것이라. 그러나 만일 누가 죄를 지으면 우리
에게 아버지**와 함께 있는 한 변호인이 있으니, 곧 의인이신** 예수 그
리스도**시라.**
2 그는 우리의 죄들을 위한 화목제물이시니, 우리뿐만 아니라 온 세상
의 죄들을 위한 것이니라.

그리스도인의 영적 성장에는 7단계가 있다. 이는 성경이 말하는 인생의 일곱 단계와 일치한다.

1. 아기들(고전 3:1)
2. 어린 자녀들(요일 2:1)
3. 자녀들(갈 3:26)
4. 청년들(요일 2:13)

5. 아비들(요일 2:13)
6. 장로들(벧전 5:1)
7. 나이 많은 자들(몬 9)

1절은 어떤 그리스도인도 죄지을 필요가 없다는 진리를 말하고 있다. 침례교인들은 "그러나 죄를 지을 수밖에 없다."라고 말한다. 은사주의자들은 "죄짓지 않고 살 수 있다."라고 말한다. 두 입장 다 틀렸다. (머피의 법칙 : "만약 한 문제에 대해 두 가지 입장이 있다면, 둘 다 틀렸다.")

진리는 그리스도인은 전혀 죄를 짓지 않고 살 수는 없으나 그렇다고 죄지을 필요도 없다는 것이다. 즉 그리스도인이 반드시 죄를 지을 필요는 없다는 것이다.

『**누가**』(anyman)는 그리스도인을 말한다. 『**우리에게** 아버지**와 함께 있는 한 변호인이 있으니**』라고 말하기 때문이다. 구원받지 않은 자에게는 변호인이 없다. 하나님께서 세우신 변호인이 죄인들을 위해 화목제물이 되셨다. 『**그는 우리의 죄들을 위한 화목제물이시니... 온 세상의 죄들을 위한 것이니라.**』 그러나 변호인은 변호를 위한 변호사를 말하고, 당신이 그분의 화목제물을 받아들이기 전까지는 예수 그리스도는 죄인의 변호인이 아니시다. 『**화목제물**』(propitiation)은 누군가에게 마땅히 지불해야 할 대가를 의미한다.

표현이 『**어린 자녀들**』(little children)에서 『**누가**』(anyman)로 넘어가는 부분은 조금 까다롭다. 요한일서 5:16에서 『**누구든지**』(anyman)는 분명 그리스도인을 말한다. 왜냐하면 그는 "형제가 사망에 이르지 않는 죄를 짓는" 것을 보는 사람이기 때문이다. 그러나 요한일서 3:14을 보면 여기서 말하는 『**형제**』를 그리스도인이라 단정하기가 쉽지 않다. 『**우리가**[그리스도인들이] **사망으로부터 생명으로 옮겨간 것을 아노니**[즉 영원히 구원받았다], **이는 우리가**[그리스도인들이] **형제들을**[그리스도 안에 있는 구원받은 우리의 형제들을] **사랑하기 때문이라. 자기 형제를**[구원받은 사람인가, 아닌가?] **사랑하지 않는 자는**[구원받은 사람을 말하는가?] **사망 안에 거하느니라. 자기 형제를 미워하는 자는**[구원받은 자인가?] **누구나**[구원받은 자인가?] **살인자요, 살인자는 누구나 영원한 생명이 그의 안에 거하지 않음을**[그러나 그리스도인은 영생을 소유하고 있다] **너희가 아느니라**』(요일 3:14,15).

헬라어를 들먹이는 것으로 위의 본문의 문제가 해결되지 않는다. 어떻게 그리스도 안에 있는 형제를 미워할 수 있는가? 이 말씀이 말하는 바는, 만약 형제를 미워한다면 당신은 그의 형제가 아닌 것이 되고, 그 또한 당신에게 형제가 아닌 것이 된다.

이것이 왜 우리가 요한의 서신들과 다른 "일반" 서신들에 전체적인 어조에 대해서 미리 주의를 주고 시작한 이유다. 요한일서 3:14에서 『**형제**』는 마태복음 25:40에서와 같은 경우다. 그 구절에서 『**형제**』는 그리스도인을 말하는 것도 아니고 구원받지 않은 염소를 말하는 것도 아니다.

야고보서 2:1,5; 3:1,10; 4:11; 5:19에서도 같은 의미로 『**형제들**』이 쓰여졌다. 5:7의 『**형제들**』은 구원받은 유대인들이다. 그러면 요한복음 9:16,24과 누가복음 7:39의 맥락에서 볼 때, 야고보서 5:19의 『**형제들**』로 언급되며 5:20에서 『**그 죄인**』이라 일컬어지는 사람은 누구인가?

마태복음 25장에서 그리스도의 『**형제들**』은 그리스도 안에 있는 그리스도인들을 말하는 것이 아니다. 그리스도의 몸에 속한 사람들 중 그 일부를 말하는 것이 아니다(고전 12장). 마태복음 28:10에서 『**형제들**』은 혈과 육에 따라서 유대인들인 자들이며, 그들 중 어느 누구도 거듭난 사람들이 아니었다.

우리에게는 변호에 능한 판사이자 변호인이신 분이 있다. 우리를 고소하는 검사가 심문을 시작할 때(슥 3:1, 계 12:10), 우리는 이 『**중재인**』(daysman)이 있다(욥 9:33). 『**중재인**』은 중보자(middleman, mediator)이며, 그분은 고소당한 자들을 위해 최선을 다해 변호하신다. 『**중재인**』은 피고가 법정에 출두해야 할 그 날에 나타나는 사람이다. 그는 우리의 변호를 위한 변호사이시다.

오래전에 라구알디아가 뉴욕 시에서 판사로 있었을 때 일이다. 하루는 빵 한 덩어리를 훔쳤다고 구속된 사람이 법정에 끌려왔다(잠 6:30). 사람들은 그가 유죄라고 선고했다. 라구알디아는 그에게 10달러의 벌금을 선고했고, 그는 자신의 지갑을 꺼내 그 범죄자의 벌금을 내주었다. 그리고 그는 또한 사람들이 굶어죽지 않기 위해 도둑질을 해야 하는 도시에 살고 있다는 이유로 법정에 50달러를 벌금으로 선고했다. 그래서 라구알디아 판사는 그 자리에서 그 범죄자를 위해 모금을 하여 그가 법정을 떠날 때 그의 수중에 47달러 50센트의 돈을 가지고 가게 했다.

라구알디아와 같은 판사를 가졌다면 바로 본문이 말하는 종류의 『**변호인**』을 가진 것이다.

내게는 라구알디아보다 훨씬 훌륭한 변호인이 있다. 내 변호인은 나와 관련된 모든 법정 사건들에서 내게 지옥행을 선고했다. 그런 후 나의 모든 죄들을 용서해 주시고 나를 위해 대신 지옥에까지 다녀오셨다. 자비 위에 자비를 더하심으로, 그분은 나에게 영원한 생명을 값없는 선물로 주셨고, 지상 삶과 영원을 대비한 완전한 지침서를 주셨다. 혹이라도 그것이 부족할까봐 그분께서 나를 법정에서 내보내실 때 나와 항상 함께할 완전하고 무오한 살아 있는 『**위로자**』를 소개시켜 주셨다. 이분이 바로 주 예수 그리스도시다. 주님께서 1950년부터 2003년까지 나에게 주신 물질은 약 2,120,000달러에 이른다.

마호메트는 이 부분에 수치스러울 수밖에 없다. 그는 누구의 대가를 대신 지불한 적도 없고, 어떤 사람을 위해서도 죽은 적이 없으며, 그는 사망 이후로 누구와도 함께할 수 없었고, 그는 낙타 한 마리 살 돈도 성경대로 믿는 그리스도인들에게 줄 수 없었다. 더 나아가 그의 죽음으로 다른 사람에게 단 하나의 죄를 이길 수 있는 능력도 준 적이 없다.

『**화목제물**』(propitiation)은 성경 어휘에 해당하는 용어다. 이 어휘들은 대부분 어미가 "–ion"으로 끝난다. 이 어휘들은 구원을 다루는 독특한 용어들이며, 구원에 대한 서로 다른 진리를 강조한다. 이러한 용어들이 "더 새롭고" "더 명확한" 모든 번역본들에서 사라진 것은 극악한 불신과 뻔뻔한 무지를 증명한다. 이 용어들은 구속(redemption), 양자 됨(adoption), 화해(reconciliation), 중생(regeneration), 거룩하게 됨(sanctification), 예정(predestination), 전가(imputation), 의롭게 됨(justification), 사함(remission) 등이다. 구원(salvation)은 이 모든 용어들의 총합이라 할 수 있다.

현대 설교자들은 죄인이 하나님께 "그리스도를 위한 선택"을 드리고 "그리스도가 삶에 들어오게" 하여 "다른 사람들과 하나님의 사랑을 나누는" 것 외에 설교하는 것이 없다. 그래서 그는 마귀를 포함한 모든 사람을 사랑하는 자가 된다. 그들은 회개나(행 20:21; 26:20), 새로운 출생이나 죄들을 위한 피의 속죄(롬 5:1–8)는 언급하지도 않고, "하나님께서 두 팔 벌리고 너를 용서하시려" 기다리신다고 설교한다. 이들이 말하는 구원은 미국의 중산층 사람들이 "교정"되고 스스로 사는 법을 배워서 상황들에 "대처"하고 다른 사람들과의 "관계"를 유지하는 것이다. 성경적인 구원은 전혀 그런 것이 아니다. 그러나 미국의 대부분의 설교자들은 이런 것들이 구원인 양 설교하고 있다.

죄인이 구원받을 때, 죄인은

1. 구속받는다(벧전 1:18). 주께서 그를 값을 주시고 사신다(고전 6:20).

2. 영적으로 할례받는다(골 2:11-13, 롬 7:1-4).

3. 그의 죽었던 영이 다시 살아난다(요 3:3,5, 엡 2:1-8).

4. 불의하지만 법적으로 의롭다고 선포된다(롬 3:24; 4:6).

5. 하나님의 아들들 중의 하나로 하나님의 가족에 입양된다(히 12:8-12, 롬 8:15-16).

6. 하나님께서는 그의 죄들을 예수 그리스도께 전가시키고 예수 그리스도의 의를 그에게 전가시킴으로 하나님과 화해하게 된다(고후 5:19-21).

7. 구원받는 순간부터 그의 최종 운명이 영원히 확정된다(롬 8:29). 그는 예수 그리스도와 같이 되도록 예정받는다(고전 15:40-55, 요일 3:1-3).

8. 그의 죄들은 용서되며(죄사함), 하나님께서 사용하시고 축복하실 수 있도록 성별된다(거룩하게 됨).

현대의 "복음 설교"는 성경의 구원의 교리를 제대로 묘사하지 못한 습작에 불과하다. 성경을 제대로 해석하지도 못했고 적용도 올바로 하지 못하는 것이다.

어떤 죄인이라도 예수 그리스도를 자신의 구주로 영접하면, 그 때가 그의 인생에서 "핵심적인 순간"이 된다. 구원받는 순간이 지상에서의 번영의 절대적인 최고점이자, 그가 휴거 때까지 다시 도달하지 못하는 승리의 절정이 되는 것이다.

죄인이 하나님의 값없는 선물을 받아들였을 때(롬 5:6-10), 남녀노소와 인종과 종교와 문화에 상관없이 가장 위대한 결정을 한 것이다. 요즘에는 예수 그리스도를 구주로 믿는 것을 동일한 가치와 중요성을 가진 여러 가지 종교들 중에 하나를 고르는 것처럼 평가절하하고 오해하는 예가 비일비재하다. 그러나 이것보다 더 큰 실수가 없다.

한 죄인이 구원받을 때 그 죄인에게는 수많은 영적인 역사들이 일어나지만, 4억의 죄인들이 함께 모여서 온갖 종교들과 UN의 도움을 받아 그들의 노력으로 하늘 나라에 가려고 한다 해도 그들 안에는 아무런 일도 일어나지 않는다. 성령께서는 종교가 지옥으로 갈 수 있는 가장 빠른 지름길이라고 말씀하신다(빌 3장, 마 23장, 롬 10장, 갈 4,5장).

죄인이 구원받을 때 그는 "그 사랑하시는 이 안에서 받아들여진다"(엡 1:6). 이것이 최초로 태어났던 사람이 어려워한 문제였다. 『**네가 바르게 행하면 받아들여지지 않겠느냐?**』(창 4:7) 그리고 향후 6,000년 동안 인류가 풀지 못하는 문제가 되어왔다. 곧 하나님께서는 인간의 죄들에 대한 대가를 지불할 요량으로 하는 어떤 종교나 종교적 성사들이나 종교적인 의식들을 절대 받아들이시지 않는다는 진리다.

『**피흘림이 없이는 죄사함이 없느니라**』(히 9:22). 갈보리의 십자가 사건 이후로는 오직 히브리서 10:8-12, 로마서 4:1-5, 에베소서 2:8의 조건에 따라서만 죄인들은 하나님께 받아들여질 수 있다. 왜냐하면 피의 속죄를 이루신 분이 하나님 자신이기 때문이다(고후 5:19-21, 골 1:14, 롬 5:6-10). 어떤 죄인이 여기서 벗어나거나 이 진리를 부인하거나 거부하면, 그는 더 이상의 해결책이 없는, 용서받을 수 없는 죄를 짓는 것이다(히 10:26-30). 이 죄는 죄인이 그의 창조주께서 그에게 영원한 생명을 주시려고 이루신 일을 거절하는 행위다. 죄인은 이를 경시한 대가를 스스로 치르게 되며(히 2:3), 그것은 영원한 사망이다(단 12:2, 마 25:41; 13:40, 계 14:10,11; 21:8).

마호메트는 이 부분에서도 비교 대상이 되지 않는다. 어떤 모슬렘도 자신이 구원받을 수 있는 길은 그를 위해 다른 사람이 죽어 주는 것임을 믿지 않는다. 마호메트가 평생 행한 일이라고는 예수 그리스도께서 거짓말쟁이임을 증명하려 한 것이다. 〈코란〉의 어떤 판본을 참조한다 하더라도, 그것은 다음의 말씀들을 하신 예수 그리스도를 거짓말쟁이로 만든다.

『**나의 아버지께서 모든 것을 내게 주셨으니, 아버지 외에는 아들을 아는 사람이 아무도 없고, 또 아들과, 누구라도 아들이 아버지를 계시하고자 하**

는 자 외에는 아버지**를 아는 사람이 아무도 없나이다**』(마 11:27).

『**나와 나의** 아버지**는 하나니라**』(요 10:30).

『예수**께서 그에게 말씀하시기를 "나는 길이요 진리요 생명이라. 나로 말미암지 않고는** 아버지**께로 올 사람이 아무도 없느니라**』(요 14:6).

『**하늘과 땅은 없어져도 내 말들은 결코 없어지지 아니하리라**』(마 24:35).

『**또 내가 너희에게 말하노니, 누구든지 사람들 앞에서 나를 시인하면,** 인자**도** 하나님**의 천사들 앞에서 그를 시인하리라**』(눅 12:8).

『**또 그들이 그를 채찍질하고 죽이리라. 그러나 셋째 날에 그가 다시 살아나리라."고 하시니라**』(눅 18:33).

『예수**께서 그에게 말씀하시기를 "빌립아, 내가 너희와 그처럼 오랜 시간을 있었는데 네가 나를 모르겠느냐? 나를 본 자는** 아버지**를 보았느니라. 그런데 어찌하여** '아버지**를 보여 주소서.'라고 말하느냐?**』(요 14:9)

『예수**께서 그들에게 말씀하시기를 "진실로 진실로 내가 너희에게 말하노니, 아브라함이 나기 전부터 나는 있느니라."고 하시니라**』(요 8:58).

『**그후에** 예수**께서 그들에게 오셔서 일러 말씀하시기를 "하늘과 땅에 있는 모든 권세를 나에게 주셨도다."**』(마 28:18)

이슬람은 예수 그리스도께서 위에서 말씀하신 진리들을 부인한다. 이것이 전미대륙과 영국과 유럽과 아시아와 아프리카와 서인도제도와 동인도제도와 전 세계에 있는 모든 모슬렘이 믿는 바다.

『**그는 우리의 죄들을 위한 화목제물이시니, 우리뿐만 아니라 온 세상의 죄들을 위한 것이니라**』(2절).

이 구절은 디모데전서 2:4,6과 함께 존 칼빈의 신학이 복음의 주요한 목적에 있어서 중대한 결함이 있음을 증명한다. "제한된 속죄"는 망가진 지성을 가진 자가 철학과 이성으로 성경을 해석하려 함으로써 만들어진 끔직하고 치명적인 거짓 교리다. 루터의 경우와 마찬가지로, 칼빈이 그의 당대에 어떤 유익을 끼쳤던 간에 그 만큼의 해악 또한 끼쳤다. 칼빈은 신약의 구원의 주요한 주제에 있어서 많은 공헌을 했으나, 유아 세례를 실행했고 세르베투스와 같은 "이단들"을 불태우는 사악한 실행으로 많은 해악을 끼친 것이다.

죄인들은 그리스도의 피의 속죄로 값을 치른 바 되었으나 지옥에 가는 것이다. 베드로후서 2:1-2을 보라.

예수 그리스도의 흘려진 보혈로 "거룩하게 되었음"에도 죄인들은 지옥에 간다(히 10:26-29). 영원한 생명은 오직 영원한 피에서만 파생할 수 있다(행 20:28, 레 17:11,14, 요일 5:20). 영원한 피는 영원한 하나님과 그분안에 있는 영원한 생명(딤전 6:16)처럼 어떤 장소나 시간에도 얽매이지 않는다. [칼빈주의의 5대 강령인 TULIP에 관한 최고의 걸작은 로렌스 밴스 박사가 저술한 〈극단적 칼빈주의의 이해〉라는 책이다. (말씀보존학회)]

전능하신 하나님은 "아무도 멸망하기를 원치 않으시며"(벧후 3:9, 부정적 진술), "모든 사람이 구원을 받고 진리의 지식에 이르기를 원하신다"(딤전 2:4, 긍정적 진술). 이 말씀은 어떤 "택함받은 자들"에 대한 말씀이 아니다. 왜냐하면 다음 구절이 『**사람**』이라고 말씀하시며(딤전 2:5), 그 다음 구절은 『**모든 사람**』이라고 말하며(딤전 2:6), 이는 다시 1절의 『**모든 사람**』에 연결되기 때문이다. 『**모든 사람**』은 왕들과 모든 권세있는 자들을 포함한 사람들이며, 이들은 "택함받은 자들"이 아니며, 그 중 십분의 일도 구원받은 그리스도인이 아니다.

『**온 세상의 죄들**』(2절)이라는 표현은 창세기 1장 이전과 이후의 어떤 "택함받은 자들"을 말하는 것이 아니다. 이 죄들은 고린도후서 5:19에서 예수 그리스도께 전가된 모든 죄들을 말한다. 만약 그 죄들이 전가되지 않았다면 사도 바울은 성경 전체의 논리와 통하지 않는 구절을 기록한 것이 된다. 칼빈주의자들은 이렇게 해석한다. "하나님께서 택함받은 자들을 이처럼 사랑하셔서 그의 독생자를 주셨으니 이는 택함받은 자들이 영원한 생명을 받도록 하려 함이라." 이 해석은 또 다른 그릇된 해석을 가져오게 된다. "하나님께서 그리스도 안에 계셔서 택함받은 자들을 그 자신과 화해하게 하시며... 우리는 택함받은 자들에게 권고하노니 너희는 하나님과 화해하라."

논리적으로 칼빈주의는 다음과 같은 해석에 도달하게 된다. "그가 자기의 택함받은 자들에게 오셨으나 그분의 택함받은 자들은 그분을 영접하지 아니하더라. 그러나 택함받은 자들 중에 누구든지 그를 영접한 택함받은 자는 하나님의 아들들이 되는 권세를 주셨으니"

신학적인 광기며 사적인 성경 해석이다.

2:3 만일 우리가 그의 계명들을 지키면 이로써 우리가 그분을 알고 있음을 아는 것이요

4 "나는 그분을 아노라." 하면서 그의 계명들을 지키지 아니하는 자는 거짓말쟁이니, 진리가 그 사람 안에 있지 아니하니라.

이 말씀은 그리스도인이 그의 계명들을 지키지 않으면 그는 자신의 구원을 의심하기 시작할 것이라는 뜻이 된다(3:20-22의 주석을 참조하라).

우리는 여기서 필자가 〈나는 왜 안식교인이 아닌가?〉에서 설명했던 안식교의 거짓 교리를 살펴볼 필요가 있다. 엘런 G. 화이트를 따르며 성경을 변개하고 행위로 구원받으려는 자들은 모두 이 구절의 관련구절로 마태복음 5:19을 제시하고 그 다음에는 에스겔 20:20을 제시한다. 그리고 이 구절들로 사도 바울이 토요일에 경배를 드렸다는 거짓 교리를 증명하려 한다. 그러나 사도 바울이 토요일에 회당에 간 것은 구원받지 않은 유대인들에게 말씀을 전하기 위해서이다(행 13:14; 16:13; 17:1; 18:19).

하나님께서 일곱째 날보다 주의 "첫날"을 먼저 거룩한 날로 제정하셨다는 것이 진리다(출 12:16). 출애굽기 12장은 십계명이 주어지기 전의 상황이다. 창세기 2장의 안식이 있은 후 향후 2,000년 동안 십계명의 안식일은 누구에게도 계시되지 않았다. 아담과 이브는 안식일을 지키지 않았고, 카인과 아벨도 마찬가지다. 노아, 에녹, 아브라함, 이삭, 야곱 또한 B.C. 2300부터 B.C. 1400까지 아무도 단 한 번도 안식일을 지키지 않았다. 요셉, 베냐민, 시므온(창 40-44장) 등도 셈과 함과 야펫과 마찬가지로 안식일에 대해 아는 바가 없었다.

느헤미야 9:13-14에서는 정기적인 안식일은 시내 산에서 모세에게 하나의 표적으로 이스라엘 민족에게 주어졌다고 말씀한다. 또한 이스라엘 민족은 표적들을 구한다(고전 1:22). 왜냐하면 그들의 민족 자체가 표적들로 시작했기 때문이다(출 4:8, 겔 20:20). 천년왕국에서 이스라엘과 함께하는 고자들은 모든 정통 유대인들처럼 안식일들을 지킬 것이다(사 56:4). 그러나 이 시대에는 어떤 하나님의 자녀도 이스라엘에게 주어진 의식적인 표적을 신경쓸 필요가 없다. 사도 바울 서신에서 네 번 계명들을 인용할 때 일곱째 날인 안식일은 의도적으로 제외되었다(롬 13:8-10; 14:5-6, 고후 3:7,11, 골 2:16).

당신은 그리스도의 몸 안에서 최종적인 배교가 일어나는 마지막 때인 라오디케아 시대에 살고 있다.

또한 주목해야 할 사실이 있다. 구약의 유대인들의 율법은 대환란 기간(계 12:17, 14:12)과 천년왕국(계 22:14)에서 다시 지켜질 것이다. 율법과 선지자들(모세와 엘리야: 말 4장)이 다시 오면, "주의 율법"이 갈보리가 아니라 예루살렘으로부터 나올 것이다(사 2장).

이번에는 마호메트만 틀린 것이 아니다. 마리아를 숭배하는 로마카톨릭과 모든 불교도들과 힌두교도들과 남침례교회와 북침례교회와 BJU, PCC, BBC, 무디, 풀러, 휘튼, 마란아다, 세더빌 등의 신학교들과 미국과 유럽에 있는 모든 유명한 신학교들의 교수진도 틀렸다. 이들은 모두 구약의 율법들과 의식들이 완전히 끝났다고 여긴다. 〈NASV〉와 〈NIV〉 등의 변개된 성서들이 골로새서 2:16을 변개한 이유도 이것이다. 배교자들은 에스겔서의 9개의 장의 내용을 제거해야 했다. 그래서 그들은 『**다가올 것들**』(to come)을 "왔어야 했던 것들"(things that were to come)로 수정했다. 즉 구약의 모든 것이 마태복음, 마가복음, 누가복음, 요한복음에서 모두 성취된 것으로 만든 것이다.

지적한 바 있지만, 이중 적용(Double Application)을 주의하라. 교회 시대의 하나님의 자녀가 지켜야 할 계명들은 요한복음 13:34; 14:21의 "새 계명들"이며 요한일서 3:23-24에서 "계명들"이다. 요한일서 4:21에는 세 번째로 "새 계명"이 나온다. 여기서도 대환란의 상황으로 들어가는 것이며, 대환란 기간에는 안식일에 "피난하는 일"(Flying)에 대해서 경고를 받는다(마 24:20). 또한 말라키 4:4에서 바울이 아니라 모세를 기억하라는 경고를 받고 대환란에서는 "어린양의 노래"뿐만 아니라 "모세의 노래" 또한 불러야 한다(계 15:3). 일반서신에서 자주 나타나듯이 "믿음과 행위의 체계"다(유, 계 12:17; 14:12; 22:14, 히 3:14; 6:6; 10:26, 벧후 2:20, 약 2:24).

달라스신학원, 풀러신학원, 그레이스신학원, 로젠트대학, 크레센트대학, 퍼먼, 자이비어, 스텟슨, 하워드, 저드슨, 리버티, BJU, PCC, BBC 등의 대학과 휘튼, 풀러, 포트 워쓰, 루이스빌, 로스엔젤레스 등에 있는 모든 신학교들의 교수진은 이 진리를 보지 못했다.

스코필드가 말했듯이, "배교에는 치료책이 없고 심판만이 예비되어 있을 뿐이다." 문제는 1901년 이후로 미국에는 〈킹제임스성경〉을 있는 그대로 믿는 뛰어난 성경교사나 성경학자가 한 명도 나타나지 않았다는 데 있다.

하나님의 말씀을 가르친다고 하는 자들은 생계를 유지하기 위해서 성경을 믿지도 않으면서 성경을 사용하는 자들이었다. 이들은 〈킹제임스성경〉을 살아 계신 하나님의 살아 있는 말씀들로 알고 존귀히 여기지 않는다. 따라서 성령께서도 미래에 대한 진리의 예언을 깨닫는 데 있어서 조명의 문을 닫으신 것이다. 그들은 "역사적인 입장"과 그들 자신이 "성도들에게 단번에 전해 주신 믿음"이라고 여기는 것에 얽매여서 새로운 진리를 성경에서 더 발견하지 못하는 것이다. 하나님께서는 지속적으로 거짓말하는 이들을 신뢰하지 못할 자들로 취급하셨다. (필자의 〈The Christian Liar's Library〉, 1997을 참조하라.) 그들은 최종권위에 대해서는 〈킹제임스성경〉을 믿지 않으면서 믿는 체하여 돈을 벌었다. 거짓말을 하여 먹고사는 자들이 된 것이다. (필자의 〈The Scholarship Only Controversy〉, 1997을 참조하라.)

이중 적용 : 이것은 권위가 인정받은 〈킹제임스성경〉이 출간된 1611년 이래로 모든 성경 변개자들을 파멸한 진리다. 이중 성취가 어떤 것인지 구체적으로 알기 위해서는 히브리서 8:8-13의 주석을 연구하라.

주님께서는 이중 적용을 하신다. 예를 들어서 사도행전 15장 14,16,17절에서 이방인들에게 해당하는 두 번의 불러내심이 있음을 알 수 있다. 바울은 천년왕국에 있을 두 번째 부르심을 첫 번째 부르심에 적용하고 있다(롬 10장). 이런 현상은 성경에 대한 자신의 이해와 종교적인 배경과 성경본문이 다를 때 성경을 수정하는 습관을 가진 모든 그리스도인 성경학자들의 지성을 혼잡케 하는 것이다.

하나님께서는 바울에게 지구상에 있는 어떤 그리스도인에게도 구약의 계명들의 의미에서 "그분의 계명들을 지키라"고 전하라고 시키신 적이 없다. 바울은 로마서 13장에서 하나의 계명을 말하고 있으며, 이 계명은 요일 3:23,24에서 주어진 "새 계명"이다. 요한이 이 표현과 함께 "거하다"라는 말씀을 넣음으로써 요한일서 2:28; 2:24; 3:15 등으로 가서 문제를 해결하려는 학자들에게 완전히 본문 해석을 실패하게 하셨다. 만약 요한일서 2:27로 가서 본문을 설명하려 하면, 요한복음 15장과 조화롭게 설명하지 못하게 된다. 왜냐하면 그렇게 연결하면 "기름부으심"을 잃어버릴 수도 있다는 의미가 될 뿐만 아니라, 내주하시는 그리스도도 잃어버릴 수 있다는 의미가 되기 때문이다(요 15:6).

이 부분에 있어서도 주요 신학교들의 교수진들은 모두 오류를 범하고 있다. 모든 침례교 성경 교사들도 히브리서를 거론하며 위의 구절들은 있는 그대로의 의미가 아니라고 함으로써 문제를 해결하려 한다. 울라마와 이맘도 철저하게 부패한 종교서적인 〈코란〉에서 난처한 본문들을 만나면 동일한 방법으로 변명한다. 카톨릭 예수회, 그리스정교 주교들, 은사주의 프라미스키퍼 등은 이런 구절들을 보면 "보라고, 내가 전에 말했지! 구원받은 그리스도인도 은혜에서 떨어져 나가 지옥에 갈 수 있다."고 말한다.

100% 오류다. 성경의 저자이신 성령께서 에스겔서 14:1-10을 그들에게 적용케 하신 것이다. 이런 류의 해석이 전 세계에서 매일 30,000번 이상 전파되고 있다.

8절을 주석할 때 이 점을 명확하게 짚어 보기로 하자. 독자들은 어떻게 성령께서 수세기 동안 의도적으로 〈킹제임스성경〉의 본문을 수정하는 소위 "선하고 경건하고 헌신적이며 인정받는 그리스도인 학자들"의 지성을 망가뜨리셨는지 알게 될 것이다.

『**그의 계명들을 지키지 아니하는 자는 거짓말쟁이니, 진리가 그 사람 안에 있지 아니하니라**』(4절). 이 구절을 다음 구절과 비교해 보라. 『**우리는 그분을 거짓말쟁이로 만드는 것이요, 그분의 말씀이 우리 안에 있지 아니하니라**』(요일 1:10).

서 3-6장이다.

사실 모세의 율법 아래에 있었던 유대인들에 대한 계명들이 많았던 만큼, 은혜 아래 있는 하나님의 자녀가 지켜야 할 도덕적인 계명들이 많이 있다. 우리가 구원받은 것은 선한 일들을 행하기 위함이며(엡 2:10) "선한 일에 열심을 내는 독특한 백성"으로 "선한 일들을 지속하기" 위함이다. (저자의 주석서 〈목회서신〉에서 딛 1:16; 2:14의 주석을 찾아보라)

마호메트와 교황은 또 틀렸다. 마리아도 마찬가지다. 로마카톨릭과 그 창녀 딸들도 틀렸다(계 17:3-7). 신약의 어떤 그리스도인도 구원받기 위해서 선행을 하지 않는다. 신약의 어떤 그리스도인도 구원을 유지하기 위해 선행을 하지는 않는다. 마호메트와 교황들은 "일반서신"에서 그들의 목을 스스로 부러뜨린 것이다. 이런 현상은 특히 야고보서 2:24, 히브리서 6:1-6; 3:6,14; 10:26-30의 본문에서 더욱 심하다.

본문의 『**옛 계명**』은 모세의 율법을 가리키는 것이 아니다. 요한은 『**이 옛 계명은 너희가 처음부터 들었던 말씀**』이라고 해석한다. 바울은 같은 경우에 있어서 이렇게 말한다.

『**그러므로 믿음은 들음에서 나오며 들음은** 하나님**의 말씀에 의해서니라**』(롬 10:17).

『**이로 인하여 우리가** 하나님**께 쉬지 않고 감사함은 너희가 우리에게 들은 바** 하나님**의 말씀을 받을 때에 사람들의 말로 받아들이지 아니하고 사실 그대로** 하나님**의 말씀으로 받았음이니, 이 말씀이 믿는 너희 가운데서도 효과적으로 역사하느니라**』(살전 2:13).

여기서 『**처음**』(the beginning, 7절)은 요한일서 1:1의 『**태초**』(the beginning)가 아니다. 왜냐하면 요한의 독자들이 창세기 1:1이전에 존재했던 "말씀"을 들었을 리가 없기 때문이다. 그들은 구원을 위해 "말씀"이 전파되는 것을 들었다. 요한은 어떤 시작보다 이전에 존재했던 "말씀"(Word)

을 들었다. 『**처음**』(the beginning)이 또 다른 의미로 쓰이는 경우가 요한복음 6:64에 나오며, 여기서도 창세기 1:1이 아니라 마태복음 10:4을 가리킨다. 칼빈은 성경에 있는 모든 "태초" 혹은 "처음"(the beginning)을 선역사(先歷史)로 만드는 버릇이 있다. 즉 "택함받은 자들"이 존재하기도 전에 구원받는 것에 대한 구절들로 모두 해석하는 것이다. 예를 들어서 데살로니가후서 2:13에서의 『**처음**』은 빌립보서 4:15에서와 같은 동작을 지시하는 말이다. 즉 데살로니가인들이 진리를 처음 들었을 때를 언급하는 것이다. 사도행전 11:15에서의 『**처음**』도 칼빈의 "태초"를 말함이 아니다. 요한복음 2:11, 히브리서 3:14, 요한일서 3:8 등의 수십 개의 구절에서도 마찬가지다. 칼빈은 정신적인 문제가 있었다.

2:8 또 내가 너희에게 새 계명을 쓰노니, 이는 그분과 너희에게 참된 것이라. 이는 어두움이 지나갔고 이제 참 빛이 빛나고 있기 때문이라.

8절은 7절에서 요한이 말한 것과 모순으로 보일 수도 있고 부언하는 것으로 볼 수도 있다. 요한은 그가 말하고 있는 『**새 계명**』은 옛 계명의 일부라고 말한다. 즉 예수 그리스도께서 요한복음 13:34에서 주신 것이며 요한 자신이 요한일서 2:10-11; 3:10-12,17-18,22-24 등에서 말한 것이다.

그분 곧 예수 그리스도 안에서 참되며 또한 "너희" 즉 그리스도인 안에서 참된 것은(8절) 형제들에 대한 사랑이다.

『**사람이 친구들을 위하여 자기 생명을 내어 놓는 것보다 더 위대한 사랑은 없나니**』(요 15:13).

〈킹제임스성경〉의 본문을 제맘대로 수정하는 변개자들에게는 일언의 경고도 없이 사도 요한을 곧바로 예수 그리스도께서 대환란 기간 동안 가난으로 고통받을 유대인들에 대한 사랑과 관심을 말씀하신 구절들과 본문들을 연결시키고 있다.

"가난하고 궁핍한" 유대인들은 야고보서 1:9-11; 2:1-8; 5:1-6 등에서 크게 강조된다(시 35:10; 37:14; 70:5; 72:13; 82:4). 오직 쉘튼 스미스, 커티스 헛슨, 클라렌스 테일러, 제리 포웰, 빌리 그래함, 찰스 스탠리, 척 스윈돌, J. 버논 맥기, 밥 존스 3세, 에드 힌드슨, 해롤드 윌밍턴, 마이크 렌달, 제임스 콤즈, 더그 쿠틸렉, 제임스 화이트 등 〈킹제임스성경〉을 비평하는 자들은 이 진리를 알아보지 못한다. 욥기와 시편과 잠언에 있는 말씀들까지 합치면 전체 구절은 70구절을 넘어선다.

성경에서 부자는 저주를 받게 되고 가난한 자가 구원받게 된다는 것을 암시하는 구절들의 목록을 일부만 제시하면 다음과 같다.

눅 16장, 마 25장, 삼상 2;8, 욥 20:10; 34:28, 잠 19:17; 22:16; 28:8,15; 29:14, 사 11:4; 25:4, 시 10:8, 욥 24:4, 시 9:18, 사 32:7, 암 8:4, 욥 24:9,14; 36:15, 시 9:18; 10:2,9-10; 12:5; 14:6; 35:10; 37:14; 70:5; 72:2,4,12; 86:1; 74:19,21; 109:16,22, 잠 30:14, 사 3:15; 10:2; 14:32; 41:17, 겔 18:12,17; 22:29, 합 3:14, 슥 11:7,11, 시 12:5; 113:7, 사 14:30, 렘 5:28.

위에 제시된 구절들은 반 정도가 "가난하고 궁핍한" 자들을 다루며, 나머지는 적그리스도가 가난한 자들에게 고통을 주는 것과 "형제들"의 반응에 대한 것이다. 이것은 몇 년 후에 UN이 받는 심판의 근거가 된다(마 25:30-44). 뉴욕 시에 모인 모든 191개의 나라들은 〈킹제임스성경〉의 약 50구절에 해당하는 기준에 의해 심판받을 것이다. 〈킹제임스성경〉은 1980년 이전에 약 160개의 언어들로 번역되었다. 〈킹제임스성경〉의 언어인 곧 영어는 또한 새로운 시대의 세계어이다.

야고보서에서 모든 부자들은 저주를 받고 모든 가난한 사람들은 구원을 받는다.

누가복음 16:19-20도 마찬가지다. 부자와 나사로의 생애의 도덕적이고 윤리적인 측면에 대해서는 전혀 언급이 없다. 성경이 말하는 것은 부자는 (UN의 191개의 나라들처럼) 지옥에 가지 않기 위해 결코 성경을 찾아본 적이 없다는 것이다(눅 16:31).

부자는 어쩌면 코란이나 카톨릭 찬미가를 따랐을지도 모른다.

8-11절에 나오는 요소들을 살펴보자.

1. 빛
2. 어두움
3. 형제를 사랑함
4. 형제를 미워함

형제를 사랑하거나 미워하는 증거가 무엇인가? 간단하다. 야고보가 말한 것과 일치한다. 물론 바울이 말한 바와는 다르다. 다음 구절들을 보라.

『**누가 세상의 재물을 가졌는데 자기 형제의 궁핍한 것을 알면서도 그를 동정하는 마음을 닫으면 어찌** 하나님**의 사랑이 그 안에 거하겠느냐? 나의 어린 자녀들아, 우리가 말이나 혀로 사랑하지 말고 행동과 진리로 하자**』(요일 3:17,18).

『**만일 형제나 자매가 헐벗고 그 날의 양식조차 없는데 너희 중에 누가 그들에게 말하기를 "평안히 가라. 몸을 따뜻하게 하고 배부르게 먹으라." 고 하면서 그 몸에 필요한 것들을 주지 않는다면 무슨 유익이 있겠느냐? 그와 같이 행함이 없으면 믿음만으로는 죽은 것이라**』(약 2:15-17).

이제 다시 마태복음 25장을 펼쳐서 읽어 보라. 그런 후 A.D. 200년 이후로 모든 그리스도인 학자들이 "구약에서는 십자가를 '바라보고' 구원받았고 신약에서는 십자가를 '뒤로 보고' 구원받는다."라고 하는 주장과 대환란 기간에서도 교회 시대의 구원 방법과 똑같은 방법으로 구원받는다는 주장이 얼마나 신학적인 억지인지 생각해 보라. 다음 구절들도 보라.

『왕**이 그의 오른편에 있는 사람들에게 말하기를 '오라, 나의** 아버지**의 복을 받은 자들아, 세상의 기초가 놓인 이래로 너희를 위하여 준비한 그 왕국을 이어받으라. 이는 내가 굶주렸을 때에 너희가 먹을 것을 주었으며, 내가 목마를 때에 마실 것을 주었고, 내가 나그네였을 때에 대접하였고, 또 내가 헐벗었을 때에 입혀 주었으며, 내가 병들었을 때에 문안해 주었고, 내가 감옥에 갇혔을 때에 찾아와 주었음이라.' 하리라**』(마 25:34-36).

『**그러나** 왕**이 대답하여 그들에게 말하기를 '진실로 내가 너희에게 말하노니, 여기 내 형제들 가운데 가장 작은 자 하나에게 한 것이 곧 나에게 한 것이니라.' 하리라**』(마 25:40).

만약 위의 구절이 신약 교회 시대의 "은혜로 말미암는 구원"을 말하는 것이라고 한다면, 단단히 뭐가 잘못된 사람이다.

요한의 서신을 여는 열쇠는 이중 적용이다. 교리적이지 않은 적용과 교리적인 적용이다. 교리적인 적용은 대환란 성도에게 적용된다. 이 점에 있어서 21세기의 그리스도인 학자들, 교사들, 설교자들, 목사들, 주석가들, 해석가들은 휴거 후 대환란에 들어가는 사람들을 우롱하는 격이 된 것이다.

"잘 하였도다. 착하고 신실한 배교자여, 히로시마 폭격을 뒷마당 바베큐 파티처럼 보이게 할 그리스도의 심판석의 불 시험에 들어가도록 하라."

이 놀라운 현상을 한번 연구해 보라. 이사야 40:3은 침례인 요한과 함께 초림 때 성취되기로 되어 있었다. 그런가? 성령께서 그런 의도로 기록하신 것이다. 그러나 예언의 이중성을 보라. 예수 그리스도께서는 요한이 엘리야라고 말씀하셨다. 그리고 나중에는 그가 엘리야가 아니라고 말씀하셨다. 엘리야는 미래에 올 것이다(막 9:12). 주님께서는 제자들이 이런 말씀을 깨닫기 어려워하는 줄 아시고 『**들을 귀 있는 자는 들을지어다.**』라고 말씀하셨다(마 11:14,15). 향후 1970년 동안 그리스도인 학자들이라는 사람들은 이 말씀을 올바로 이해하지 못했고, 리버티대학의 교수진 또한 마찬가지다.

이사야 40:3은 이사야 40:1-2의 성취가 있기 전에는 성취될 수 없다. 왜냐하면 완전히 문맥에서 벗어난 것이 되기 때문이다. 침례인 요한이 나타났을 때 사 40:1-2은 전혀 일어나지 않았고, 지금까지 한 번도 성취된 적도 없으며, 엘리야가 나타날 때까지 성취되지 않을 것이다. 요한은 엘리야가 아니었고, 그렇지 않다면 바리새인들에게 거짓말을 한 것이 된다(요 1:21). 그는 단지 『**엘리야의 영과 능력**』으로 행한 것이다(눅 1:17).

이중 적용이다.

여기서도 성경을 제대로 믿지 않는 그리스도인 지도자들과 〈킹제임스성경〉의 비평가들은 진리를 깨닫지 못한다. 도날드 웨이트, 프레드 아프만, 제임스 화이트, 스튜어트 커스터, 마이크 렌달, 커티스 헛슨, 델 존슨, 존 R. 라이스, 밥 존스 3세, 해롤드 윌밍턴, 에드 힌드슨, 빌리 그래함, 존 맥아더, 찰스 스탠리 그리고 이들이 가르치는 학생들과 추종자들이다.

마태복음 4:14-16을 보라. 마태가 이사야 9:1-2에서 인용한 그 본문은 초림 때 "뱀의 머리를 부수는 사건"이 일어나지 않았듯이 성취되지 않은 것이다(창 3:15). 바울은 예수 그리스도께서 승천하신 후 뱀의 머리를 부수실 사건이 미래에 있을 것이라고 예언했고, 이 사건은 아직 성취되지 않았다(롬 16:20).

이사야 9:1-2을 보라. 이사야의 말씀을 초림 때의 마태복음 4:14-16에 붙이기 위해서, 마태는 고의적으로 원래 이사야의 말씀에서 영어로 26단어를 삭제한 것이다. 예수님께서는 이사야 61:2도 이런 식으로 인용하셨다. 예수님께서는 한 문장을 두 부분으로 나누어 영어로 13단어에 해당하는 뒷부분을 없는 것처럼 인용하지 않으셨다. 히브리서의 저자는 예레미야 31:31-34을 정확하게 인용하고 난 뒤(히 8:8-13), 다시 인용할 때는 100개 이상의 단어를 고의적으로 생략해서 인용했다(히 10:16-17).

두 번의 오심이 거꾸로 나와 있다. 1700년부터 2010년 현재까지 미국의 어떤 신학대학과 신학대학원의 교수진도 히브리서 8:8-13을 제대로 다루지 못했다.

히브리서 10:16,17은 교회 시대의 어떤 그리스도인에게도 적용할 수 있다. 그러나 그렇게 하기 위해서 원래의 본문(렘 31장)을 반 이상 생략해야 하며, 원래의 본문은 재림에 적용된다. 두 번의 오심은 시편 89:37,38에서도 거꾸로 나타난다. 교회 시대와 더불어 재림이 1-37절에 나오고 그런 후 갑자기 교회 시대 이전에 있을 십자가 사건과 더불어(38절) 초림이 제시된다(39-46절).

이것이야말로 진정한 "심도 깊은 성경 연구"다. 윌밍턴, 트랜취, 커스터, 떼이어, 파노시안, 위즈덤, 닐, 아프만, 맥기, 조디에이츠, 로버트슨, 웨스트코트, 팔머, 홀트, 파스타드 등의 아마추어 성경교사들은 이와 같은 심오한 진리를 가르칠 수 없다. 그들은 전적으로 어둠 속에 있을 뿐이다.

이사야 9:1,2의 인용 다음에 나오는 이사야 9:5의 "전투"를 보라. 이 전투는 이사야 9:1,2이 마태복음에서 성취될 때 함께 성취되었어야 하지만, 1970년이 지나도록 지상에서 이뤄지지 않았다. 그러나 본문을 해석할 수 있는 이중 적용의 단서가 있다(사 9:6). 즉 두 번의 오심이 함께 주어진 것이다. 즉 『**아이**』(Child)가 『**태어났고**』(6절), 그후 『**아들**』(Son)께서 온 세상과 우주의 통치자로서 나타나신다(6,7절).

1970년 동안 대부분의 "경건한" 기독교 학자들은 이 부분을 올바로 분별하고 깨달을 수 없었다. 장로교인도, 침례교인도, 회중교인도, 루터교인도, 은사주의자도, 카톨릭도 위의 본문을 올바로 해석하지 못했다.

한 구절에 이중 적용이 나오는 것이다. 이런 경우는 창세기 49:11과 49:24에서도 볼 수 있다. 모든 개신교도들도 히브리서 8장과 이사야 40장을 다룰 때 로마카톨릭의 본을 따랐다.

마태가 이사야 9:1,2을 인용하면서 생략한 모든 단어들은 재림을 묘사하는 부분이다. 히브리서의 기록자가 히브리서 10:30,31을 기록할 때도 동일한 작업을 한 것이다. 모든 성경변개자들은 신구약성경에 있는 이 관련 구절들을 놓쳐 버렸다. 그들이 성경을 망치려 들자 하나님께서 그들의 지성을 망가뜨리신 것이다.

재림을 의미하는 『**죽음의 그림자**』, 『**빛**』, 『**마지막 날들**』과 관련된 구절들은 히브리서 1:2; 9:28, 사도행전 2:17, 시편 44:19; 107:10,14 등이며, 해당 주석서의 주석을 함께 공부하라.

이 부분을 염두에 두고, 사도 요한이 1,800년간 신약을 연구하는 "경건한" 학자들이 눈치채지 못하도록 얼마나 멋지게 재림에 대한 말씀을 삽입해 놓았는지 보라.

『**어두움이 지나갔고**』(적어도 대환란의 42개월 중 41개월이 지나간 후를 말하는 것이다.) 『**이제 참 빛이 빛나고 있기 때문이라.**』 실제로 눈으로 볼 수 있는 빛을 말하며, 다음의 관련 구절들을 보라: 사 60:1; 4:5, 겔 43:2, 벧후 1:9, 시 67:7; 80:1, 신 33:2, 단 9:17, 계 1:16, 시 50:2; 4:6; 43:3; 36:9, 사 2:5; 58:8,10, 60:3,19.

모든 관련 구절이 재림 때의 문자적인 빛을 말하고 있으며, 이것은 마태복음 17장에서 베드로, 야고보, 요한에게 나타났던 빛이며 바울에게도 이 빛이 나타났다. 바울은 "달을 채우지 못한" 자였다. 즉 다니엘의 칠십째 주와 관련하여 너무 이른 것이다.

2:9 그 빛 가운데 있다고 말하면서 자기 형제를 미워하는 자는 지금까지도 어두움 가운데 있느니라.

10 자기 형제를 사랑하는 자는 빛 가운데 거하며 자기 안에 실족할 계기가 없으나

11 자기 형제를 미워하는 자는 어두움 가운데 있고 어두움 가운데 행하되 자기가 어디로 가는지 모르니, 이는 그 어두움이 그의 눈을 멀게 하였음이라.

이미 이 부분은 앞에서 마태복음 25장, 누가복음 16장, 야고보서와 함께 길게 논의하였다. 우리도 마태가 이사야 9장을 마태복음 4장의 "흑암"을 영적으로 적용했듯이 본문의 "어두움"을 영적으로 적용할 수 있다. 그러나 데살로니가전서 5:4-7의 『**밤**』과 『**어두움**』은 시간의 기간을 의미한다. 『**빛의 자녀들**』, 『**낮의 자녀들**』 등의 표현을 볼 때 이 기간은 해가 뜨기 전의 "밤 시간"을 말한다. 『**낮**』(day)은 말라키 4:1을 가리키며, 바울의 시대에 구원받은 사람들이 『**그들의** 아버지**의 왕국에서 해처럼 빛**』날 것임을 의미한다(마 13:43). 재림이 이중으로 적용되고 있다.

우리는 이 부분에 대해서 남음이 있을 정도로 주석을 했다. 그러나 실수하지 말아야 할 것은 성경의 사분의 삼의 분량이 교리적으로 교회 시대의 그리스도인들을 대상으로 기록된 것이 아니라는 점이다. 성경의 사분의 삼이 이 땅의 어떤 침례교인이나 카톨릭이 나타나기도 전에 이미 기록되었다.

어떤 카톨릭이나 개신교인도 하나님의 성경 66권 중 단 한 권도 기록하지 못했다. 성경 기록자들 중에는 이방인이 없다. A.T. 로버트슨이 누가가 이방인이었다는 추측을 사실인 것처럼 유포하였지만 사실이 아니다. (야고보나 요한도 베드로나 도마처럼 유대인의 이름은 아니다. 그러나 이들 다섯 명은 모두 안식일을 지키고 돼지고기를 먹지 않는 유대인들이었다.)

2:12 어린 자녀들아, 내가 너희에게 쓰는 것은 그의 이름을 인하여 너희의 죄들이 용서되었기 때문이라.

13 **아비들아, 내가 너희에게 쓰는 것은 너희가 처음부터 계신 분을 알
았기 때문이요, 청년들아, 내가 너희에게 쓰는 것은 너희가 악한
자를 이겼기 때문이며, 어린 자녀들아, 내가 너희에게 쓰는 것은
너희가** 아버지를 **알았기 때문이라.**
14 **아비들아, 내가 너희에게 쓴 것은 너희가 처음부터 계신 분을 알았
기 때문이요, 청년들아, 내가 너희에게 쓴 것은 너희가 굳세고** 하나
님**의 말씀이 너희 안에 거하며 너희가 악한 자를 이겼기 때문이라.**

이 구절들은 대가족에게 초점을 맞춘 것처럼 기록되었다. 사도 요한 자신이 결혼해서 가족을 거느렸는지 아닌지에 대한 증거 자체가 없다. 이 말씀은 영적인 가족을 말하는 것이며, 이 부분이 문자적인 나이를 말하는 부분이라면 여기서 우리는 성경이 말하는 인생의 단계들을 볼 수 있다. "아기들"(고전 3:1), "어린 자녀들," "자녀들"(엡 4:14), "청년들," "아비들," "장로들"(벧전 5:1), "나이 많은 자"(몬 9). 요한은 여기서 세 무리를 언급한다. 『**어린 자녀들**』(12,13절), 『**청년들**』(13,14절), 『**아비들**』(13,14절).

여기서도 묵상을 위한 영적인 적용을 할 수 있다. 그러나 왜 "어린 자녀들이 아버지를 알았고" 그들의 "죄들이 용서되었"는지에 대해서 교리적으로 접근하는 것은 매우 어렵다. 왜냐하면 구원받았다면 모든 "청년들"과 "아비들"이 아버지를 알기 때문이며, 모두가 죄들을 용서받았기 때문이다. 반대로 "청년들"은 "아비들"과 "어린 자녀들"에게 해당되지 않는 두 가지 부분에서 칭찬을 받는다. 그들은 "악한 자를 이겼고" "굳세기" 때문이다. 그들이 "악한 자를 이겼다"는 것은 한 번 더 언급이 된다. 그렇다면 우리는 "아비들"은 이기지 못했다고 생각해야 하는 것인가? 또한 "청년들"은 "처음부터 계신 분"을 아는 지식에 한 번도 도달하지 못했다는 말인가(13절)? 교리적으로 난해 구절에 속한다.

윌밍턴, 흄, 니체, 제임스 화이트, 알 카포네, 데이빗 코레쉬 등도 동일한 방식으로 생각한다.

이것이 "코스모스"(kosmos) 즉 "세상 제도"(world system)이다.

『**누구든지 세상을 사랑하면** 아버지를 **사랑함이 그 안에 있지 아니하니**』(15절).

위에 필자가 거명한 사람들 중에는 구원받은 배교자들도 있다. 그들은 구원받기 전에도 하나님의 원수들이었고(롬 5:10), 구원받고 난 후에도 세상을 사랑함으로써 하나님의 "원수들"이 되었다(약 4:4).

예수 그리스도께서는 다음과 같이 말씀하셨다.

『**내가 그들을 위하여 기도하나이다. 나는 세상을 위하여는 기도하지 아니하고 다만 아버지께서 내게 주신 자들을 위하여 기도하나이다. 이는 그들이 아버지의 사람들이기 때문이니이다**』(요 17:9).

『**내가 그들에게 아버지의 말씀을 주었더니 세상이 그들을 미워하였나이다. 이는 내가 세상에 속하지 아니한 것같이 그들도 세상에 속하지 아니하기 때문이옵니다**』(요 17:14).

『**내가 세상에 속하지 아니한 것같이 그들도 세상에 속하지 않사옵니다**』(요 17:16).

『**오 의로우신** 아버지**시여, 세상은 아버지를 몰랐지만 나는 아버지를 알았으며, 또 이들은 아버지께서 나를 보내신 것을 알았사옵니다**』(요 17:25).

한번 생각해 보라. 마호메트가 문맹자이고 음행을 일삼는 살인자라고 말했다고 해서 성경대로 믿는 그리스도인이 모슬렘에게 사과해야 하는가? 무슨 동기로 사과해야 하는가? 교황을 "죄의 사람" 혹은 "적그리스도"라고 불렀다고 해서 성경대로 믿는 사람이 사과해야 하는가? 사과해야 하는 이유가 무엇인가? 예수 그리스도께서 유대인 종교 지도자들을 "눈먼 소경"과

"위선자"로 부르신 것을 사과하셨는가? 주님께서 그들을 사랑하셨다고 한다면, 왜 그들에게 사과하지 않으셨는가?

현대의 그리스도인들은 "하나님은 사랑이시다"라는 말씀을 지겨울 정도로 남발한다. 또한 "그리스도의 사랑을 나눔"에 대해서도 신물이 날 정도로 우려먹는다. 그러면 사도 바울이 사람들을 "악한 짐승"이라 부르고 "게으른 탐식가"라고 불렀는데(딛 1:12-13), 바울은 왜 "그리스도의 사랑"을 나누지 않은 것인가? 예수 그리스도와 사도 바울을 거짓말쟁이라고 부르는 모슬렘들에게 사과한 제리 포웰처럼, 왜 사도 바울은 그들에게 사과하지 않았는가? 왜 예수 그리스도께서는 그분의 혹독한 질책에 대해서 사과하지 않았는가? 현대의 그리스도인들에 따르면 예수님은 이렇게 사과했어야 한다. "제가 그 말을 한 것을 유감스럽게 생각합니다. 그것은 민감한 질문이었고, 그것에 대해 답하지 말았어야 했는데 그렇게 말해 버렸군요."

"민감한 질문"이라고? 마태복음 22:17은 어떤가? 진리를 향한 순수한 갈구라고? 사도행전 1:7은 어떤가? 정보를 구하고 있는 누군가라고? 마가복음 14:61은 어떤가? "민감한 질문"이라고? "민감한 질문"을 받았다고 치자. 성경은 우리에게 어떻게 답변해야 하는가 말씀하고 있다.

『**만일 누가 말하려거든** 하나님**의 말씀처럼 말하고, 또 누가 섬기려거든** 하나님**께서 공급하시는 능력으로 하는 것처럼 하라. 이는 모든 일에** 예수 그리스도**로 말미암아** 하나님**께서 영광을 받으시게 하려 함이니, 그분께 찬양과 권세가 영원무궁토록 있느니라. 아멘**』(벧전 4:11).

『**사드락과 메삭과 아벳느고가 왕에게 대답하여 말하기를 "오 느부캇넷살이여, 우리가 이 일에 대하여 왕께 담대히 말하나이다**』(단 3:16).

(느부캇네살이 세 명의 유대인 청년들에게 그들의 생명이 달린 "민감한 질문"을 했다.)

포웰에 따르면 이런 질문을 받았을 때 자신의 입을 다물고 있어야 한다.

즉 묵비권을 행사하는 그리스도인이 되라는 것이다. 그러나 이것은 바알 숭배자들의 행동양식이다(왕상 18:21). 미국과 한국의 기독교 지도자나 유명인사는 그 누구를 막론하고 카메라나 마이크 앞에 섰을 때 "민감한 질문"에 대해 성경대로 답할 수 없다. 왜냐하면 그렇게 한다면 자신의 학교의 등록하는 학생수에 영향을 미치고 출석 교인수와 수입에 영향을 미칠 것이기 때문이다. 그들의 "이미지"를 손상시키기 때문이다.

현대 기독교 "유명인사들"은 뼛속까지 세속적으로 물든 자들이다.

바울이 민감한 질문에 답했을 때, 그의 모든 동역자들이 그를 떠났다(딤후 4:16). 바울은 세속적인 그리스도인이 아니었다.

〈킹제임스성경〉에 나온 그대로 진리를 말했다면, 누구에게도 사과하지 말라. 성경은 성경을 거부하는 모든 카톨릭과 모슬렘과 개신교인과 불교도와 근본주의자와 그리스도 정교도와 힌두교도와 복음주의자와 무신론자와 인본주의자의 "생각들과 의도들"을 밝히 드러낸다(히 4:12-13). 만약 당신이 세속적이라면 자신이 종교적인 사기꾼과 "그리스도인" 거짓말쟁이를 드러내는 하나님의 말씀을 전하는 설교를 회피하려 할 것이다.

셈은 『**생의 자랑**』에 해당한다. 야펫은 『**안목의 정욕**』에 해당하고, 함은 『**육신의 정욕**』에 해당한다. "인류의 어머니"인 이브가 받은 시험도 함께 비교해 볼 수 있다. 『**육신의 정욕**』은 『**먹음직하고**』에 연결되고, 『**안목의 정욕**』은 『**보기에도 즐겁고**』와 일치하며, 『**생의 자랑**』은 『**현명하게 할 만큼 탐스러운**』과 관련이 있다(창 3:6).

놀라운 우연의 일치이다, 그렇지 않은가? 이 세 가지 근본적인 죄들은 동양인과 백인과 흑인을 규정한다. 유대인들은 동양인이다. 아랍인들은 반은 동양인이고 반은 흑인이다(이스마엘과 하갈). 인간은 그 인종을 막론하고 세속적이다.

또한 이 말씀은 예수님께서 받으신 시험과도 일치한다. 『**육신의 정욕**』: 『**이 돌들에게 명하여 빵이 되게 하라**』, 『**안목의 정욕**』: 『**세상의 모든 나라들과 그것들의 영광을 주께 보여 주며**』, 『**생의 자랑**』: 『**뛰어내려 보라**』. 이 세상의 신이(고후 4:4) 우리 주님께서 히브리서 4:15을 성취하도록 도와준 것이다.

저 멋진 건물들 좀 봐! 새로 지은 캠퍼스! 새로운 "워십 센타"! 출석 교인수 최고 기록! 우수한 학과 성적! 멋진 학생회는 어떻고! 근사한 찬양대 가운! 12만 달러를 들여 준공한 종탑! 8천만 달러를 투자한 최신 시설의 스포츠 센타!

현대 그리스도인들은 "세상에 속하여, 세상에 의해서, 세상을 위해서" 사는 사람들이다.

본문은 말씀한다. 『**세상도, 세상에 있는 것들도 사랑하지 말라.**』

1901년부터 미국 역사를 공부한 사람이면 누구나 1933년 이후로 특히 1965년을 기점으로 그리스도의 몸에게 무슨 일이 일어났는지 설명할 필요가 없다. 교회는 세상 제도로 완전히 전향했다. 그리스도인들이 광고하고, 사고 팔고, 친구를 사귀고 "관계"를 형성하고, 권위를 행사하고, 성공을 판단하고, 성경대로 믿는 그리스도인들을 대하는 모든 면에서 세상과 똑같은 방식으로 한다. 심지어 성경을 보는 방식에 있어서도 세상과 일치한다.

배교다. 디모데후서 3:1-8과 디모데전서 4:1-8에 기록된 배교다.

미국에 있는 그리스도의 몸을 구성하는 그리스도인들 중 90%가 세속화되었다. 한국은 말할 것도 없다. 아무도 본 적 없는 "전문 축자 영감받은 무오한 원본"처럼 현대 그리스도인들에게 있어 하늘 나라, 지옥, 새 예루살렘, 삼위일체와 이와 같은 성경적 계시들은 그들에게 이상적이고 모호한 것이 되어 버렸다.

『**세상도, 세상의 정욕도 사라지지만**』(17절).

또한 세상과 항상 함께 동행하는 동반자인 "정욕들"도 사라질 것이다(벧후 3장). 여기서 "세상"을 특정한 "시대"에 있어서 세상의 "질서"를 말하거나 "지표면"을 의미한다고 성경을 다시 번역한다고 하여도 어떤 차이도 없다. 성경은 둘 다 없어질 것이라고 말씀하신다. 만약 당신의 세계관(weltanschauung)이 이사야 14:17; 18:3; 24:4; 13:11, 예레미야 25:26, 시편 73:12, 전도서 3:11, 요한일서 5:19, 요한계시록 12:9과 일치하지 않는다면, 당신의 세계관은 "세상을 더욱 살기 좋은 곳으로 만들려는" 구원받지 않은 죄인들과 동일한 세계관을 가지고 있는 것이다.

당신은 세상을 하늘 나라로 여기며 즐기며 사는 죄인들과 한통속이 된 것이다. 당신은 뉴욕을 새 예루살렘으로, 로마를 셋째 하늘로 착각한 것이다. D.L. 무디(1837-1899)는 이렇게 말했다. "이 세상은 그리스도인에게는 지옥의 가장 윗부분이며, 구원받지 못한 죄인에게는 하늘 나라의 가장 아랫부분이다."

당신이 여전히 "세상"을 사랑한다면 어떻게 거리 설교하는 것을 사모할 수 있겠는가? 그렇게 할 수 없다. 어떤 거리에서도 설교하기를 거부할 것이다. 당신이 세속적이라면, 어떻게 골프 치고 미식 축구 경기를 보는 것을 즐기는 만큼 전도지를 나눠 주는 것을 기뻐할 수 있겠는가? 그럴 수 없다. 세상 속에서 하나님의 원수로 사는 것이다(약 4:4). 연속극을 보는 것을 그리스도께 혼들을 이겨오는 것보다 좋아하는 그리스도인 안에는 "아버지를 사랑함"이 없다. "사랑"을 외치고 "증오문학"을 혐오한다 하고 "더 많은 사랑"과 "하나님은 사랑이시다"라고 떠벌이면서도 지옥으로 가는 죄인에게 경고하기를 거부하는 자야말로 가장 위선적인 자이다. 예수 그리스도께서는 죄인들에게 경고하셨다. 사도 바울도 경고했다. 다윗과 모세도 경고했다. 베드로와 유다도 경고했다. 이사야와 에스겔도 경고했다. 미국에는 빙고 게임이나 밤마다 방영되는 연속극을 끊어 버리지 못할 뿐더러 구원받지 않은 모슬렘에게 그가 지옥으로 가고 있다고 담대하게 전하지 못하는 그리스도인들이 5백만 명이 넘는다.

그들이 하나님을 사랑한다고 한다면, 그것은 유다가 예수님을 사랑한 정도를 말한다.

『하나님**의 뜻을 행하는 자는 영원히 거하느니라**』(17절).

하나님의 직접적인 뜻이 다음 구절에 제시되어 있다. 바울은 우리가 그것을 알 수 있다고 말하며, 우리가 그것을 깨닫기를 기도했다(엡 5:17, 골 4:12).

로마서 12:2에는 하나님의 세 가지 뜻이 있다. 우리는 구원받지 않은 사람들처럼 많은 선한 일들을 할 수 있다. 그러나 선한 일들이 그리스도의 심판석에서 받아들여지는 것은 아니다. 이는 주님을 위해서 한 것이 아니라, “스스로에 대해서 더 좋게 느끼기” 위해 한 것이기 때문이다. 또한 당신을 향한 하나님의 직접적인 뜻에 따른 것은 아니지만, 하나님께서 받아들이실 만한 일들을 할 수도 있다. 당신을 향한 하나님의 직접적인 뜻을 하나님의 “온전한 뜻”이라고 한다. (로마서 12:2 주석을 참조하라.) 정의하자면 이렇다. 하나님의 직접적인 뜻은 하나님께서 당신을 세상에 데려오셔서 하게 하시려는 일을 말하며, 그것을 하나님께서 원하시는 방식으로 하나님께서 원하실 때 이루는 것을 말한다.

『**이 세상의 형체가 사라져 감이라**』(고전 7:31). 데이비 크로켓이 누구인가? 그는 사라졌다. 루돌프 발렌티노는 어떤가? 그가 누구인지 아무도 모른다. 그는 엘비스 프레슬리와 시나트라처럼 여자들을 흥분시킨 자였다. 브론코 내고스키와 짐 똘프는 어떤가? 이들도 사람들의 망각 속에 사라져 버렸다.

또한 "마 퍼킨스," "백스테이지 와이프," "갱버스터즈," "더 쉐도우," "빅과 세이드"와 조 페너는 어떤가? "스텔라 달라스"는 어떤가? "에이모스와 엔디" 혹은 "럼과 애브너"는 어떤가?

위에 필자가 열거한 것은 1930년대와 1940년대에 모든 세속적인 그리스도인들이 즐기며 자신의 시간을 허비한 프로그램들이다. 프로그램 이름만 바꿨지 똑같은 사람들이 나와서 똑같은 사랑을 말하고 똑같은 세상에 대한 애착을 전달한다. 똑같은 "중산층" 이야기다.

『**너희 보물이 있는 곳에 너희 마음도 있느니라**』(마 6:21). 이것이 NKJV, ASV, NASV, NIV 등의 200개가 넘는 변개된 성서들이 골로새서 3:1-3에서 "마음"(affection)이라는 단어를 삭제하고 "생각"(mind)이라는 단어로 대체한 이유다. NIV 번역위원회에 몸 담았던 세속적인 배교자들은 모두 "분별이 없고" "자만하는" 자들이며 그들 중 95%가 그들의 마음을 세상에 둔 자들이다. 그들의 마음은 양키 스테디움과 슈퍼 볼에 있다. 이것이 왜 성경변개자들이 하늘 나라를 사랑하거나 그곳에 있기를 사모하지 않고 단지 그곳에 대해서 생각만 하도록 주문한 이유다.

또한 이것은 TV와 라디오와 설교단에서 전파되는 현대 미국 기독교의 핵심이다. 미국 기독교는 처음부터 끝까지 세속화된 인본주의를 따르고 있다.

"하나님의 뜻"을 행하는 자는 먼저 요한복음 6:29에 순종한다. 그것이 베드로후서 3:9에 나와 있듯이 하나님의 뜻이기 때문이다. 하나님께서는 어떤 죄인도 그분의 아들을 거부하거나 그렇게 하여 멸망하기를 원하시지 않는다. 그리스도인은 자신이 산 시대보다 훨씬 더 오래 살 것이다. 왜냐하면 그리스도인은 영원히 거하기 때문이다.

또한 그리스도인이 영원히 거할 것이라는 말씀은 그가 현재의 하늘과 땅이 없어져 버린 뒤에도 존재할 것임을 의미한다(계 21:1-4). 그는 "새 하늘과 새 땅" 가운데 영원히 거할 것이다(계 21,22장).

2:18 어린 자녀들아, 이것이 마지막 때라. 적그리스도가 올 것이라고 너
희가 들었던 대로 지금도 많은 적그리스도가 일어났으니, 이로써
우리가 마지막 때인 줄 아느니라.
19 그들이 우리에게서 나갔으나 우리에게 속하지 아니하였나니, 만일
그들이 우리에게 속하였더라면 분명히 우리와 계속 함께하였을 것
이나 그들이 나감으로 그들 모두가 우리에게 속하지 아니함을 나
타내었느니라.

『**마지막 때**』를 보라. 히브리서 1:2의 "마지막 날들"을 보라. 유다서 18절의 "마지막 때"와 베드로후서 3:3의 "마지막 날들"을 보라. 야고보서 5:3의 "마지막 날들"을 보라. 이중 적용이 다시 등장한다! 바울이 "마지막 날들"이라고 말할 때(딤후 3:1), 그것은 교회 시대와 그리스도의 몸의 마지막 날들을 의미한다. 그러나 야고보가 이 표현을 쓸 때, 그것은 대환란의 끝에 가까이 온 이스라엘의 열두 지파를 대상으로 쓴 것이다. 또한 히브리서 9장의 기록자가 "세상의 끝"이라고 말했을 때(히 9:26) 그는 초림을 말한 것이다.

유명 목사들과 기독교 지도자들은 단 한 명도 이러한 본문들을 다룰 수 없었고, 앞으로도 그럴 일은 없을 것이다. 불쌍한 로젠달(Rosenthal)은 그리스도의 몸을 대환란으로 데리고 들어가 22개월 동안 짐승의 표를 받을 수 있도록 만들었다. 그는 "주의 날"(the day of the Lord)을 재림에 한정시킨 것이다(살후 2장, 살전 5장). 순진한 사람들은 로젠달을 추종하여 심지어는 그리스도의 1,000년간의 지상 통치가 없는 것으로 여겼다. 그는 베드로후서 3:10,12과 재림을 연결하여 해석한 것이다. 그는 데살로니가전후서에 기록된 "주의 날"은 천년왕국 이전을 말하고 베드로후서 3장의 "주의 날"은 천년왕국 이후를 말한다는 기초적인 진리를 보지 못한 것이다.

이렇게 무지한 자가 20세기와 21세기가 낳은 가장 위대한 "히브리인-그리스도인" 성경학자라는 것이다.

"주의 날"은 휴거, 그리스도의 탄생, 그리스도의 죽음, 예루살렘 파괴(B.C. 6세기), 북왕국 열 지파의 포로됨(B.C. 9세기), 대환란, 재림, 천년왕국, 큰 백보좌 심판 전체를 아우른다.

로젠달과 같은 자들이 간과하거나 고의적으로 무시한 "주의 날"에 관한 구절들은 다음과 같다 : 사 2:12; 3:18; 4:1,2; 10:3; 11:10,11; 13:6,13; 17:4,11; 19:18,23,24; 22:12; 23:15; 24:21; 25:9; 30:26; 31:7; 37:3; 63:4, 렘 46:10; 50:31, 겔 7:10,12; 13:5; 24:27, 호 2:16,18,21, 욜 1:15; 2:1,2,11, 암 3:14; 5:18,20; 6:3; 8:13, 옵 1:15, 미 2:4; 3:6, 습 1:7,9,10, 슥 2:11, 말 3:2.

〈킹제임스성경〉의 본문을 뜯어고치는 그리스도인 보수주의 학자들의 지식과 신학체계가 이와 같은 것이다. 그들은 성경을 믿지 않는다. 그들은 소경이 되어 소경을 인도한다고 하는 자들이다.

요한의 경우, 그는 재림 이전의 "마지막 때"를 겨냥하여 말한 것이다. 계시록 11-13장에 의하면 마지막 때는 42개월의 기간을 의미한다.

이 『**마지막 때**』는 예수 그리스도의 부활 후의 어느 시점이 될 수 있었다. 왜냐하면 사도 바울은 『**때가 얼마 남지 않았으니**』라고 말하면서 바울 자신이 휴거에 동참할 것으로 여겼기 때문이다. 휴거에 대해 말하면서 사도 바울은 자신을 포함시켜 "우리"(we, us)라는 대명사를 고린도전서 15장에서는 6회, 데살로니가전서 4장에서는 5회 사용했다(고전 15:49-57, 살전 4:13-18).

소위 훌륭하다고 하는 성경교사들과 헬라어 학자들과 대단한 영적 "거인"이라고 일컬어지는 자들이 실족한 것은 요한일서 때문이다. 그들은 "마지막 날들" 혹은 "마지막 때"가 십자가와 함께 시작하여(히 9장) 2,000년이 넘는 기간 동안 지속되며 동시에 이 기간이 "그리스도의 통치"라고 하며, 그리스도께서는 현재 "왕국을 가져오고 있다"고 주장했다.

이것은 A.D. 400년 이후로 모든 로마카톨릭 교황들의 공식적인 교리였으며, A.D. 1500년 이후로 모든 후천년주의자들의 공식적인 입장이었다. 또한 남침례교단(Southwide Baptist Fellowship)에 소속되어 "구약에서도 신약에서와 똑같은 방식으로 구원받는다"고 믿고 대환란과 천년왕국에서도 교회 시대와 같은 방식으로 구원받는다고 믿는 모든 침례교인의 교리이기도 하다. 50여 개의 신학원들과 300여 개에 달하는 기독교 대학들과 모든 도서관들에 보관된 신학서적들이 있음에도, 또한 1800년부터 현재까지 〈킹제임스성경〉의 본문을 60,000군데 이상 수정하고서도, 그들은 "마지막 날들"과 "마지막 때"에 대해 사람들에게 진리를 밝혀줄 수 없었던 것이다. 이들은 야고보서, 히브리서, 요한일서, 이사야, 예레미야, 에스겔, 다니엘, 호세아, 미카 등에 기록된 "마지막 날들" 혹은 "마지막 때"에 대해서 전적으로 무지한 것이다.

그렇다면 "마지막 날들"에 대한 성경적인 진리는 무엇인가? "마지막 날들"은 예수 그리스도의 오심과 더불어 시작했다가 사도행전 7장에서 공식적인 언급 없이 취소되어 휴거 이후로 연기된 것이다. (사도행전 1장과 7장 주석을 참조하라) 교회 시대의 끝이 왔다는 표시는 바울이 디모데후서 3-5장에 기록한 대로 예수 그리스도의 몸, 곧 "하나의 진정한 교회" 안에서 완전한 배교가 일어나는 것이다.

A.D. 90년경 사도 요한은 이미 "적그리스도들"이 존재함을 보았다. 『**많은 적그리스도**』(요일 2:18) 『**마지막 때**』가 이제 가까워 옴에 따라 다시 『**많은 적그리스도**』가 다시 등장하는 것이다. 그러므로 요한은 두 대상을

적으로 구속, 고문, 살인 등을 명령할 수 있는 권세를 가졌다고 주장한다.

6. 마호메트는 달 신을 섬기지 않겠다고 하는 국가에 대해서 선전포고를 할 수 있는 권세와 권위가 있다고 주장한다.

7. 이들은 둘 다 자신의 종교만이 유일하고 참된 종교라고 주장한다.

8. 교황은 하나님께서 자신의 교회를 사람에게 은혜를 주시는 통로 혹은 수단으로 사용하시는 유일한 교회로 선택하셨다고 주장한다.

9. 마호메트는 예수 그리스도께서 그분의 탄생과 그분의 계보와 그분의 죽음과 그분의 부활에 대해 거짓말을 했다고 주장한다.

10. 교황은 하나님의 신성에 속한 세 개의 속성을 탈취하여 죄인인 마리아에게 주었다. 마리아는 그녀의 불결함으로 인하여 정결례를 행해야 했던 죄인이었다(눅 2:21-23). 교황은 이러한 마리아가 죄가 없으며, 죄인들을 위해 중보할 수 있고, 900만 명의 기도를 동시에 들을 수 있을 만큼 전능하다고 주장한다.

이 두 종교적인 미치광이 중 하나는 총각이었고, 다른 하나는 일부다처론자였다.

교황은 또한 아동성추행을 자행하는 800명이 넘는 성직자들을 거느린 "양 무리"의 "한 목자"임을 자처했으며, 마호메트는 아홉 살 된 여자 아이를 자신의 궁으로 불러들여 열두 살이 되자 자신의 침대로 불러들였다.

이들이 "적그리스도"가 아니라면 누가 적그리스도이겠는가?

그리고 많은 사람들을 미혹한 "라마크리쉬나"와 "데디" 그레이스, "디바인" 신부와 이들과 유사한 부끄러운 줄 모르는 사기꾼들도 있었다. 이들은 경건하게 말하고 자기 선전에 성공하여 상당한 영향력을 행사했다. 인간의 본성은 B.C. 4000년, 3000년, 2000년에나 A.D. 1900년, 2000년, 2010년이나 변한 것이 없다.

그러나 단수로서의 『**적그리스도**』가 있음을 알아야 한다. 그리고 이것은 "부활한 로마 제국"이나 로마카톨릭이나 "로마 교회"를 말하는 것이 아니다. "죄의 사람"은 한 인간을 말하며, "멸망의 아들"도 마찬가지다(살후 2:3). 이것은 뉴스코필드주석성경에 있는 계시록 17-18장과 데살로니가후서에 대한 주석은 다 쓰레기통에 던져 버려야 함을 의미한다. 이들은 스코필드가 죽은 지 수십 년이 지난 후 스코필드가 결코 용인하지 않을 주석들을 달았으면서도 뉴"스코필드"주석성경을 만들어 팔아먹은 것이다. 신종 쓰레기일 뿐이다.

"뱀의 씨"는 인간이며, 그는 『**악한 이스라엘의 통치자**』라고 불린다(겔 21:25).

페리 락우드, 팀 라헤이, 할 린지, 에드 힌드슨, 해롤드 윌밍턴과 은사주의자들은 이러한 진리들을 깨닫지 못했다.

1611년 〈킹제임스성경〉의 번역자들은 오늘날의 예언 해석자들보다 훨씬 앞서 있었던 것이다. 그들은 모든 교황들을 "죄의 사람"이라고 부를 수 있는 "적그리스도들"로 인식했으며(요일 2:18). 〈킹제임스성경〉의 헌사를 보라. 적그리스도의 미래의 명칭은 "멸망의 아들"이 될 것이다. (이에 관한 자세한 설명은 저자의 〈요한계시록〉과 〈창세기〉 주석을 참조하라)

어떻게 우리가 사는 지역에서 활동하는 "적그리스도"를 분별할 수 있는가? 세상에서 제일 쉬운 일이다. 〈킹제임스성경〉을 한 권 구하라. 당신의 이웃이 예수 그리스도께서 그분 자신에 관해 말씀하신 것에 대해 어떻게 믿고 있는지 살펴보라. 정말 쉽다. 주님께서는 그분 자신에 대해 요한복음 14:9; 8:58, 마태복음 11:27; 28:18 등에서 말씀하셨다. 또한 이러한 주님의 말씀을 믿지 않은 종교 지도자들에 대해 말씀하신 것은 마태복음 23장에 나와 있다. 주님께서 "미사"에 대해 말씀하신 것은 요한복음 6:63에 나와 있다. 주님께서 구원에 대해 말씀하신 것은 요한복음 4:22에 나와 있다. 주님께서 지옥에 관해 말씀하신 것은 마태복음 13:40; 25:41, 누가복음 16:19-23에 나와 있다. 만약 여러분의 이웃 혹은 친구가 이러한 점들에 있어서 주님께서 말씀하신 것과 다른 것을 말한다면 그는 예수 그리스도를 대적하는 자다. 즉 그는 마호메트, 이디 아민, 간디, 테레사 수녀, 칼 마르크스, 찰스 다윈만큼이나 예수 그리스도를 대적하는 자다. 만약 여러분이 주님께서 말씀하신 것을 반대한다면, 여러분이 "적그리스도"가 되는 것이다.

마호메트는 역사상 가장 사악한 적그리스도 중의 하나였다. 그가 예수 그리스도를 "선지자"로 인정하는 것은 위선적인 쇼에 불과했다. 아랍인 학자와 코란을 가르치는 울라마와 임맘과 코란을 읽는 므프티나 칼리프 등은 모두 발작을 일으키고 문맹자였으며 음행을 일삼는 살인자인 마호메트가 하나님의 "선지자"라고 여겼다. 그들은 요한복음 1:25의 『**그 선지자**』로 여긴 것이다.

신약에 등장하는 의사였던 누가는 시몬 베드로가 그 선지자는 예수 그리스도라고 말했다고 기록하고 있다(행 3:22). 동일한 역사적인 예수 그리스도께서는 마호메트가 태어나기 500년 전에 하나님의 『**사도**』라고 불리셨다(히 3:1). 마호메트는 이 "사도"라는 호칭을 날개가 600개 달린 천사에게 받았다고 맹세했다. 이 천사는 마호메트에게 자신의 며느리와 함께 놀아나도 좋다고 말하기도 한 존재다. (레 18:15을 보라. 또한 〈코란〉의 수라 4:23에 대한 모슬렘 울라마와 임맘들의 해석을 찾아보라. 수라 4:23은 아들의 아내에게 들어가는 것을 금하고 있다.)

이 사실에 대한 모든 아랍인 학자들의 공식적인 가르침은 〈"거룩한 꾸란," Holy Qur'an〉의 아랍어 본문(1951)에 대한 마울라나 무하마드 알리의 설명으로 알 수 있다(pp.810-812).

그는 한 입에 두 말을 하며 모순되는 주장을 작은 글씨로 3페이지 가량 떠벌리며 얼버무린다. 요는 알라는 양자가 결혼하였다가 이혼하면 그 이혼한 며느리와 결혼해도 좋다고 허락했다는 것이다.

그들은 이에 맞춰 수라 4:23을 "너의 허리에서 나온 자들"이라고 고쳤다. 그러나 같은 구절에서 "양녀"(step-daughters or foster sisters)는 고치는 것을 깜박 잊어버렸다.

이슬람교 학자들은 예수 그리스도를 거부했던 바리새인들만큼이나 불경건하고 교활하며 간교하며 자기 의로 가득 찬 자들이다. 지난 400년 동안 그들 모두가 그러해왔다.

『**그들이 우리에게서 나갔으나 우리에게 속하지 아니하였나니**』(19절).

사도 바울은 "이단들"이 신약 지역 교회들 내에서도 등장하여(고전 11:19) 진리를 가르치는 교사들이 드러나게 될 것이라고 말했다. 즉 이단자가 대조에 의하여 드러나게 되는 것이다. 가짜 달러는 진짜 달러를 드러내고, 진짜 달러는 가짜 달러를 알아볼 수 있게 한다(골 2:15). 요한의 시대의 가능성 있었던 "적그리스도들"은 회중을 떠나는 것으로 그들 자신을 드러냈다. 그들은 건전한 교리를 견디지 못한 것이다(딤후 4장). 오늘날도 똑같은 일이 벌어지고 있으며, 대환란 때에도 마찬가지일 것이다. 요한이 서신을 기록한 A.D. 90년부터 지금까지 항상 그러해왔다.

배교자들은 로마의 이교도들이 콘스탄틴 치하에서 세운 "유일하고 참되고 거룩한 사도들의 교회"를 떠난 것이 아니다. 그들은 성경대로 믿는 지역 모임들을 떠난 것이다. (즉 A.D. 325년 전에 있었던 노바티안들, 몬타니스트들, 도나티스트들의 모임들을 말한다.) 이들은 그리고 로마로 들어간 것이다. 로마카톨릭 역사가들은 물론 역으로 설명한다. (〈반카톨릭 신약 교회사〉를 참조하라)

즉 양의 가죽을 쓴 늑대들이 양 무리를 떠나 늑대 무리에게 합한 것이다. 탕자가 돼지와 함께 아버지의 집으로 돌아온 비유를 역으로 생각하면 된다(눅 15장). 돼지가 진창 속에 살다가 매일 목욕을 하고 쓰레기 대신 캐비어를 먹는 게 힘들어져서 이렇게 말하는 것이다. "나는 굶어 죽어가는도다! 내가 일어나서 내 아버지께로 돌아가리라..." 그리고 돼지는 다시 진창과 쓰레기로 돌아가는 것이다.

NCCC와 바티칸에는 이러한 소위 "그리스도인들"로 넘쳐난다.

2:20 그러나 너희에게는 거룩하신 분**으로부터 기름부음이 있으니, 너희가 모든 것을 아느니라.**

21 내가 너희에게 쓴 것은 너희가 진리를 알지 못하기 때문이 아니라, 너희가 진리를 알며 또 어떤 거짓말도 진리에서 나오지 아니하는 것을 알기 때문이라.

22 예수**께서** 그리스도**이심을 부인하는 자 외에 누가 거짓말쟁이냐?** 아버지**와** 아들을 **부인하는 자가 곧 적그리스도니라.**

23 누구든지 아들을 **부인하는 자에게는** 아버지**가 없으나** 아들을 **시인하는 자에게는** 아버지**가 있느니라.**

『거룩하신 분**으로부터 기름부음**』(20절)은 27절의 『**기름부음**』이다. 세상에 있는 모든 그리스도인은 구원받았을 때 기름부음을 받았다. 고린도후서 1:21을 보라. 이때 성령께서 믿는 자를 그리스도의 몸 안으로 넣고 인치셨는데(고후 1:22), 이 인치심은 영원하다(엡 4:30). 은사주의자의 "성령세례"나 "성령 안에서 죽임당하는 것"이나 "옛 본성의 제거"나 "두 번째 축복"이나 "성화"는 성경적인 기름부음과는 무관하다. 안수하는 것도 성경적인 기름부음과는 무관하다. 로마카톨릭의 견진성사도 마찬가지다.

믿는 자의 몸 안에(고전 12:13) 성령께서 영원히 거하심은(엡 4:30) "모세와 같은 선지자"께서 친히 예언하신 것이며(행 3:22), 그리스도인이 영원히 향유할 권리다(요 14:16).

〈코란〉을 가르치는 모든 모슬렘 교사들은 이 "위로자"가 바로 마호메트 자신이라고 말한다. 우습지도 않은 억지다.

일부다처제와 노예제도와 암살과 전쟁을 정당화하는 이 미신적이고 타락한 기회주의자들은 모든 하나님의 자녀가 마태복음 28장에 따라서 "아버지와 아들과 마호메트의 이름으로" 침례를 받아야 한다고 주장하고 있는 것이다. 에베소서에서도 마찬가지다. "마호메트로 충만하라"가 되는 것이다. 지난 400년 동안 코란을 믿었던 모든 이슬람 학자들에 따르면 마호메트가 요한복음 14-16장에서 말씀하시는 "위로자"라는 것이다.

물론 독자들은 이런 허무맹랑한 주장을 믿지 않을 것이다. 현 세대는 "원거리통신망, 사이버공학, 인터넷 정보"의 세대다. 즉 대부분의 사람들이 성경 자체에 까막눈일 뿐만 아니라, 마호메트가 열네 명의 아내를 거느렸고 아동성추행자였으며 그의 적들의 혀를 잘라냈고 모든 유대인들과 그리스도인들을 죽여 달라고 알라에게 기도한 자였다는 역사적 사실에 대해 무지하다. 마호메트는 기도 모임에서 조는 사람은 마귀가 와서 그의 귀에 오줌을 눈다고 믿었다고 필자가 말한다면, 필자가 이슬람교를 비방한다고 생각할 것이다. 배교한 미국의 기독대학과 신학원에 소속된 교수진들도 그렇게 생각할 것이다. 그러나 그것이 있는 그대로의 사실이다.

『**또 어떤 거짓말도 진리에서 나오지 아니하는 것을 알기 때문이라**』(21절).

마호메트는 아담은 키가 90피트이고 예수 그리스도는 십자가에서 죽은 것이 아니라고 거짓말을 했다. 그의 아비가 거짓말쟁이였기 때문이다(요 8:44).

이제 누가 거짓말쟁인지 밝혀진다. 『예수**께서** 그리스도**이심을 부인하는 자 외에 누가 거짓말쟁이냐?**』(22절)

예수님은 여러 명 중의 "한 그리스도"(a Christ)나 "한 메시아"(a Messiah)가 아니다. 주 예수 그리스도는 단 한 분밖에 없는 참된 메시아다. 주님은 "한 선지자"(a prophet)가 아니라 "그 선지자"(THAT prophet)시다(행 3:22-23). 모슬렘들이 마호메트가 "그 사도"라고 믿듯이 예수님은 단순한 한 사도가 아니라 『**우리의 고백하는 바** 사도**이며** 대제사장』이시다(히 3:1).

『**예수**』(JESUS)라는 이름은 "여호와께서 구원하신다"는 뜻이다. (저자의 〈마태복음〉 주석을 보라. 1800년부터 시작하여 모든 구원받지 않은 자유주의자들은 하나님의 성호 "여호와"를 "야훼"(Yawheh)라고 부르며, "야훼"는 단지 히브리인들의 "부족 신"의 이름에 불과하다고 말한다.) 모슬렘들이 말하듯이 단지 "인자"나 "마리아의 아들"이 죽은 것이 아니다. 바로 여호와(JEHOVAH)께서 찔림을 당하셨던 것이다(슥 12:10). (모슬렘들은 때때로 마리아를 위시하여 로마카톨릭과 밀접한 관계를 맺는데, 아라팟의 아내가 로마카톨릭이었으며, 사담 후세인의 대사 또한 로마카톨릭이었다.) 예수 그리스도께서 곧 "요드-헤-와우-헤"(하나님의 성호 네 글자)의 하나님이시기 때문에 겟세마네 동산에서 강력하게 자신의 "I AM" 선포를 하셨을 때 주님을 체포하려던 자들이 엎드려진 것이다(요 18:6). 예수 그리스도께서는 자신이 여호와 하나님임을 선포하셨을 때 얼굴을 붉히거나 몸을 비비 꼬며 어색해하지도 않으셨다(요 8:58). 주께서 사랑하시던 제자도(요일 5:20) 사도 바울도 분명하게 예수 그리스도께서 여호와 하나님이심을 명확하게 말하고 있다(골 1:15-17).

모슬렘들이 말하듯이 "알라"가 "그리스도인들의 하나님의 또 다른 이름"이라면, 알라는 그의 손과 발에 구멍이 있을 것이다(요 20:27). 그러나 코란에 따르면 알라는 손도 없고 발도 없으며 앞으로도 그럴 일이 없을 것이다. 불쌍하고 세뇌당한 이교도 모슬렘들은 하나님에 관한 관념에 있어서 요한복음 4:24 이상을 넘어서 본 적이 없는 것이다. 그들의 신은 눈도 발도 심장도 머리도 손도 위도 없으며, 육신도 없어서(요 1:14) "우리 가운데 거할" 수 없는 자다(요 1:14; 14:9, 히 1:6; 2:14-17). 알라는 단 한 번도 어떤 죄인을 위해서도 고통을 당한 적이 없다. 알라는 어떤 죄인을 위해서도 죽은 적이 없고, 자신이 창조한 피조물이 과연 어떤 존재인지 알고자 그 중 하나가 되어 본 적도 없는 자다(히 5:5-9). 알라는 피조물들로부터 격리되어, 사람들과 어떤 경험도 공유할 수 없으며, 사람들이 겪는 어떤 일에도 동참할 수 없는 신이다.

아랍인이 "모슬렘"이 되기 1,000년 이전에 선지자 이사야가 이사야 53장을 기록한 목적은 예수 그리스도께서 마태, 마가, 누가, 요한복음에서 그분 자신에 관해 말씀하신 모든 말씀이 진리임을 보여 주기 위함이었다. 이것은 모슬렘들은 그들의 달 신과 관계에 있어서 "사랑"이란 단어가 무엇을 의미하는지 도무지 짐작조차 못한다는 뜻이다. 모슬렘들의 달 신인 알라는 그들과 다른 모든 사람을 위해서 어떤 것도 이뤄놓은 일이 없을 뿐더러, 누구를 먹이거나 입힌 적도 없으며 간혹이라도 자비를 베푼 적도 없다. "사랑"은 로마서 8:39, 창세기 22:1-2, 요한일서 4:9; 3:16 등에 그 정의가 내려져 있으며, 알라나 마호메트가 감히 할 수도 없으며 알지도 못하는 개념이다. 그들은 진정한 사랑과 동떨어져 있는 자들이다. 이것이 중동에 있는 아랍인 국가교회들이 왜 그렇게 무자비하고 피에 굶주린 자들인지 잘 설명해 준다 하겠다. 그들의 "메시아" 자체가 전문적인 살인자이며 군사 독재자였던 것이다.

필자는 새로운 시도를 해보려 한다. 마호메트의 관점에서 "거룩한" 코란이 말하는 것과 일치하도록 요한일서를 써보는 것이다. (즉 필자는 모슬렘들과 에큐메니칼주의자들이 말하듯이 잠시 동안 "알라"가 창세기, 출애굽기, 레위기, 민수기, 신명기 등의 성경에서 계시되신 하나님의 또 다른 이름인 척할 것이다.)

“알라와 그의 아들을 부인하는 자가 곧 적그리스도니라. 누구든지 아들을 부인하는 자에게는 알라가 없으나 아들을 시인하는 자에게는 알라가 있느니라.”

독자들은 위의 변개된 구절에서 무엇이 이상하다고 생각하는가? 그렇다. “알라”에게는 아들이 없다! “거룩한” 코란의 114개의 수라 어디를 찾아봐도 알라에게는 아들이 없다.

“알라”가 성경의 “하나님”과 같다고 했을 때 이슬람교 자체가 얼마나 끔찍한 모순을 일으키는지 보라. “또 증거는 이것이니, 알라께서 우리에게 영생을 주신 것과, 이 생명이 그의 아들 안에 있다는 것이라.” 이슬람교 자체가 무너진다! 이것은 어떤가? “알라의 아들이 오셔서... 우리는 참되신 그분, 곧 그분의 아들 예수 그리스도 안에 있노라. 이분은 참 알라시며 영원한 생명이시니라.”(요일 5:20) 어떤가? 알라가 성경의 하나님인가?

이것을 읽고도 “알라”가 성경의 하나님과 조금이라도 연결된다고 생각하는 몰지각한 그리스도인이 있겠는가? 예수 그리스도께서는 “나로 말미암지 않고는 알라께로 올 사람이 아무도 없느니라”고 말씀하신 것이 된다(요 14:6). 『아버지』(THE FATHER)는 신약에서 항상 아버지 하나님에 대한 명칭으로 사용된다. “아버지 아브라함”과 같은 어떤 “아버지”가 아니라 유일하신 참된 아버지(THE Father)를 말함이다.

교황 요한 바오로 2세는 마호메트의 신이 예수 그리스도의 “하나님이시요 아버지”시며, 단지 이름만 다를 뿐이라고 했다. “알라”는 메카의 카바에 있는 베드윈 달 신의 이름이다.

또한 교황 요한 바오로 2세는 2002년에 예루살렘을 이스라엘의 수도로 유대인들에게 주는 것이 부도덕하며 불법적인 일이라고 말했다.

"알라"와 이스마엘이(갈 4:30) 그 반을 가져야 한다는 것이다.

교황도 유럽 경제 연합(EEC)도 틀렸다. 그들은 100% 반유대주의자들이다. 배교는 치료 불가능한 병이다.

2:24 그러므로 너희는 처음부터 들은 것을 너희 안에 거하게 하라. 너희가 처음부터 들은 것이 너희 안에 있으면 너희도 아들 **안에, 또** 아버지 **안에 계속 거하리라.**

25 그가 우리에게 약속하신 약속이 이것이니, 곧 영원한 생명이니라.

26 너희를 미혹케 하는 자들에 관하여 내가 이런 것들을 너희에게 썼노라.

27 그러나 너희가 그분께로부터 받은 기름부음이 너희 안에 거하나니, 아무도 너희를 가르칠 필요가 없고, 오히려 그 동일한 기름부음이 너희에게 모든 것을 가르치며, 또 그것은 진리요 거짓말이 아니니, 그 기름부음이 너희를 가르친 그대로 너희는 그분 안에 거할지니라.

28 어린 자녀들아, 이제 그분 안에 거하라. 이는 그가 나타나실 때 우리가 담대함을 가지며, 그가 오실 때 그의 앞에서 수치를 당하지 않게 하려 함이라.

29 만일 너희가 그분이 의로우신 것을 안다면, 의를 행하는 자는 누구나 그에게서 난 것을 아느니라.

요한이 교리적 적용의 경계선을 넘나드는 것을 보라. 24절에서 다시 "~하면"(if)이라고 말하며 조건절을 사용하는 것을 보라. 여기서의 조건절은 히브리서 3:6,14과 10:26의 그것과 일치한다. 본문은 『**영원한 생명**』의 『**약속**』이 조건적임을 증명하는 완전한 증거 구절이다.

침례교인들과 장로교인들이 이 구절에서 교회 시대의 교리와 상치되는 진리를 피해가는 표준적인 방법은 본문에서의 『**것**』(that)이 사람들이 들은 메시지이며, 이 메시지는 21절의 『**진리**』와 관계된 것이라고 말하는 것이다. 그러나 설령 그렇다고 해도 "그것이 너희 안에 거하지 않으면" 예수 그리스도 안에 계속 거할 수 없다는 의미가 된다(『**너희도** 아들 **안에, 또** 아버지 **안에 계속 거하리라.**』). 이 문제를 어떻게 해결할 수 있는가? 이 시대를 사는 그리스도인들은 누구나 예수 그리스도 안으로 너무나 깊이 들어가서 "그분의 뼈 중 뼈요 살 중 살"이 되었고(엡 5:30), 그분과 영원히 연합하여 "한 영"이 되었다(고전 12:13). 여전히 이러한 문제를 직시하지 못하는 자들은 어떻게 하는가? 그들은 "아들 안에 계속 거한다"는 것이 실제로는 "너희가 그리스도인이 마땅히 살아야 할 것처럼 계속해서 살다"와 유사한 의미라고 설명한다. 이것이 BJU, PCC, BBC 등의 진지하게 성경을 연구하지 않는 교수들과 그들이 추종하는 신학자들과 주석가들이 항상 변명하는 방식이다.

그러나 이것이 바로 죄와 사망의 길이다. 다시 말하지만 배교는 치료불가능의 병이다.

1880년 이후로 출간된 모든 현대 영어 성서들은 〈킹제임스성경〉이 말하는 본문 그대로의 문자적인 의미를 이해하지도 못하고 믿지도 않는 어리석고 교만하고 눈멀고 불경건한 자들에 의해서 번역되었기 때문에 위의 본문이 말하는 그대로가 아닌 다른 의미로 변개되었다.

이제 성경을 믿지 않는 현대 기독교 학자들의 사사로운 해석을 뒤로 하고 성경이 무엇이라 말씀하시는지 찾아보자(롬 1:2).

모세(율법)와 엘리야(선지서)가 돌아올 때(계 11장, 말 4장), 구약 시대가 다시 도래한다. 즉 모세의 율법 아래의 구약 시대가 되는 것이며, 믿음과 행위들로 구원받는 때이며, 이는 야고보가 말한 그대로며(약 2장), 바울 또한 구약 시대의 이방인들에 대해서 동일한 것을 말했다(롬 2:6-8). 구약에서는 성령께서 사람들 안으로 들어오시기도 하며 그들을 떠나시기도 했으며, 때로는 그들에게 돌아오시기도 하셨고 돌아오시지 않을 때도 있었다. (스코필드주석성경도 미국에 있는 명망있는 기독대학과 신학원의 교수진은 이 부분에 있어서 틀렸다.) 이 진리는 대부분의 성경 교사들과 신학자들과 신학대학 교수들에 의해 간과되어 왔는데, 이 진리를 말하는 본문은 다음과 같다: 창 41:38, 출 31:3, 사 63:11, 단 5:14, 삼상 16:14, 시 51:11, 판 16:20, 벧전 1:11.

구약에서는 율법 아래서 구원받은 죄인이 자신의 구원을 잃어버릴 수도 있었다.

당신의 목사가 이 진리에 대해서 설사 무지하다 할지라도 다윗은 분명하게 알고 있었다(시 51:11).

대환란 기간에서는 구원받은 사람들이 "끝까지 견뎌야" 하고(마 24:13), 히브리서에서는 세 차례에 걸쳐서 "끝까지 견뎌야" 함을 말하고 있다(히 3:6,14; 10:26-30). 또한 요한계시록도 세 차례에 걸쳐서 대환란 기간에는 행위들이 구원의 일부라고 말하고 있다(계 12:17; 14:12; 22:14). 마태복음과 야고보서에서도 다섯 번이나 동일한 것을 말하고 있다(마 25:8,30,40, 약 2:20,24,26).

율법 아래 구약에서 에스겔은 의인이 자신의 죄들로 돌아가면 그는 자신의 죄악으로 인해 죽을 것이라고 말하고 있으며(겔 18:26), 예수 그리스도께서도 당대의 구약 시대를 사는 유대인들에게 동일한 것을 말씀하셨다(요 8:24).

오직 성경만이 요한일서에서 구사하는 요한의 서신의 기록 양식(style)을 설명할 수 있다. 즉 요한은 두 개의 관점에서 서신을 기록하고 있는 것이다. 500,000명에 달하는 거듭나고 구원받았으며 "경건하고" 헌신되고 인정받는 학자들이 부인한다 할지라도 이것이 있는 그대로의 하나님의 진리다.

성경에서 구원의 영원한 보장에 대한 가장 위대한 본문들 중에 하나가 요한일서에 기록되어 있다. 바로 요한일서 5:9-13이다. 잊지 말아야 할 것은 동시에 요한일서 2:24; 3:6,15; 4:20; 5:16,17 등은 교리적으로 대환란 시대에 구원받은 유대인들에게 적용됨을 유념해야 한다.

〈킹제임스성경〉의 모든 본문을 1611년에 번역된 그대로 둬야 한다. 죽었거나 살았거나 어떤 헬라어 학자가 뭐라고 말했다고 해서 성경 본문을 바꾸지 말라. 권위를 인정받은 〈킹제임스성경〉의 본문은 모든 구절에서 1884년 영어개역본(RV) 이후로 어떤 학자가 번역한 어떤 수정 본문보다도 뛰어나다.

우리는 27절에 대해서 이미 주석을 달았다. 여기서 『**기름부음**』(anointing)이 사도 바울이 성령을 『**친히**』(itself)라고 지칭한 것처럼 중성인 것을 주목하라(롬 8:16). 이번에는 요한이 『**너희는 그분 안에 거할지니라.**』고 말하고 있다. 그러나 사도 바울과 예수 그리스도께서 말씀하신 것(요 14:16)에서 약간은 조건적인 의미가 부가되어 있다. 『**오히려 그 동일한 기름부음이 너희에게 모든 것을 가르치며, ...그 기름부음이 너희를 가르친 그대로**』(AS the same anointing teacheth you... even AS it hath taught you...) 그리고 그리스도 안에 『**거할지니라.**』는 명령이 이어진다. 이것은 그리스도께서 요한복음 15장에서 신약이 효력을 발생하기 전에(히 9:16,17) 제자들에게 하신 말씀과 동일하다.

이번에는 그리스도 안에 "거하는 것"의 목적이 영생을 얻거나 하늘 나라에 가기 위해서가 아니다. "그가 나타나실 때"(28절) 그리스도인이 수치를 당치 않기 위해서다. 또한 이 구절은 대환란 기간에 적용되는 구절이기도 하다. 그러나 본문과 조화를 이루는 구절은 교회의 휴거에 대한 구절이 아니라 대환란 기간에 지상 재림을 위한 오심에 관한 것이다(계 16:15).

우리는 쉴새없이 교회 시대의 교리들과 대환란 기간의 교리들을 넘나들고 있으며, 이것은 히브리서에서 계시록에 이르는 "일반서신"의 전형적인 특징이다. 독자들 중 누군가가 "그러면 어떻게 차이를 알 수 있지요?"라고 물을 수도 있다. 간단하다. J.C. 오헤어(O'Hare)나 코넬리우스 스템(Stam)이나 에델버트 벌링거(Bullinger) 등의 극단적 세대주의자들이 한 것보다 더 열심히 『**자신이** 하나님 **앞에 부끄럽지 않은 일꾼으로 인정받도록 공부**』하면 된다. 극단적 세대주의자들은 스스로 진리의 말씀을 "올바로 나누었다"고 생각하면서 사도행전을 임의로 구분지어 완전히 구획을 만들어 단절시켜 버렸다. 또한 그들은 히브리서에서 계시록에 이르는 히브리인-그리스도인의 서신들을 그들의 사역에서 완전히 배제시켜 버렸다.

그들이 해 놓은 것은 사실 어린아이 장난이다. 성경은 그렇게 무 자르듯 뭉뚱그려서 나눌 수 없는 것이다. 성경을 올바로 나누어 공부하는 것은 우리가 수차례 보여 준 대로 때로 한 문장 안에서 쉼표(콤마와 세미콜론)를 기준으로 문장의 앞뒤를 나눠야 하는 정밀한 작업이다.

29절을 예를 들어보자. 이 구절은 바울 서신과 전혀 어울리지 않는다. 바울은 『**의를 행하는 자는 누구나 그에게서 난**』 것이라고 말할 법하지 않다. 또한 바울은 『**그분 안에 거하는 자마다 죄를 짓지 아니하나니**』라고 말하거나(요일 3:6) 『**의를 행하는 자는 그분께서 의로우신 것같이 의로우나**』라고 말할 법하지도 않다(요일 3:7). 바울은 어떤 독실한 유대인보다도 의로웠지만 지옥으로 가고 있었다고 말했다(빌 3장). 그는 미국에 있는 그리스도인의 90% 이상을 능가하는 의를 행했지만(눅 18:11,12) 그는 그의

서 설명한 것이다. 물론 이중 적용에 해당할 수도 있으며, 이는 환란 성도들의 휴거도 있기 때문이다. 다음의 구절들을 찾아보라: 시 50편, 욥 37장, 사 26:20, 마 24:31, 계 14:16. (저자의 주석서〈요한계시록〉에서 계 11:12 주석을 찾아보라.)

환란 성도들의 휴거는 모든 라오디케아 시대의 배교자들이 오해한 것으로 그들은 이 구절들을 보고 그리스도인들도 "대환란을 통과한다"고 가르친다. 그들은 어리석고 게을러서 영적 무지와 기만에 머물기를 선택했기 때문에 이처럼 이단 교리를 가르치는 것이다.

『하나님**의 아들들**』이라는 표현은 요한복음 1:12에 대한 구절이며, 물론 이 시대에 예수 그리스도를 구주로 믿어 은혜로 구원받은 모든 이방인들을 포함한다. 이 부분에서 본문은 로마서 8:14,17, 갈라디아서 3:26; 4:6처럼 바울 서신과 일치한다. 모든 주석가들이 놓친 부분은 이 구절이 고린도전서 6:3, 요한계시록 20:13, 욥기 1:6과 놀라운 정도로 서로 연결되어 있다는 사실이다. 그들은 이 세 구절 모두를 놓쳐 버렸다. 〈킹제임스성경〉에는 지금까지 밝혀지지 않은 적어도 네 가지 위대한 진리가 감추어져 있으며, 이는 예루살렘의 파괴(A.D. 70년) 이후로 어떤 헬라어 학자도 어떤 "헬라어 원본"에서도 찾아내지 못한 것이다.

1. 그리스도께서는 창세기 6장의 대홍수 이전에 여자의 씨로 오실 수도 있다. 왜냐하면 에녹은 "주께서 수만 성도들과 함께 오실" 것이라고 전했기 때문이다(유 14). 그러나 주님은 오시지 않았다.

2. 이것이 왜 "노아의 날들"이 다시 등장하는가 하는 이유다(마 24:37).

3. 창세기 6장의 "하나님의 아들들"은 천사들이었으며(욥 38장), 따라서 "노아의 날들"은 베드로후서 2:4의 타락한 천사들의 날들로 주어졌다.

4. 이러한 타락한 천사들은 "하나님의 아들들"에 의해 심판받을 것이다(고전 6:3). 그러나 그 "아들들"은 교회 시대에 살고 있다.

5. 왜냐하면 부활 때 교회 시대의 "하나님의 아들들"은 "하늘에 있는 천사들처럼" 될 것이다(마 22:30).

6. 이는 그리스도의 몸이 창세기 6장의 "하나님의 아들들"을 대체하게 될 것임을 의미한다.

20세기 동안 오리겐 이래 어떤 그리스도인 헬라어 학자나 성경교사도 어떤 원문의 어떤 판본에서도 〈킹제임스성경〉에서 나타난 위와 같은 향상된 계시를 밝혀내지 못했다.

『**아직 나타나지 아니하였으나**』(2절).

우리의 진정한 모습(state)은 아직 나타나지 않았다. 이것이 바울이 로마서 8:19-22에서 말한 바이다. 『**우리가 ... 아노니**』(2절) 단순한 추측이나 "어쩌면"하는 짐작이 아니다. 자신이 보지도 못한 코란을 천사가 불러줘서 받아 썼다는 마호메트가 가르쳤듯이 "아마도"가 아니다. 마호메트는 알라가 무엇을 말했는지 한 구절도 스스로 확인할 수 없었다. 마호메트 자신이 코란을 읽어 보지 못한 것이다.

『**우리가 그와 같이 되리라는 것을 아노니... 우리가 그분 그대로 그분을 볼 것이기 때문이라**』(2절).

얼마나 멋진 날일까 생각해 보라! 『**그와 같이**』라는 말씀은 우리가 단단한 고체를 통과할 수 있고 빛의 속도보다 더 빨리 이동할 수 있는 33세의 남성의 몸을 가지게 될 것임을 의미한다. (저자의 주석서 〈마태복음〉에서 마 28:9을 참조하라.) 죄 없고 썩지 않는 영원한 몸, 곧 고통과 슬픔과 죽음을 경험하지 않는 몸이 되는 것이다(계 21:1-4).

"오, 주님처럼 되기를 원하나이다, 복되신 구주여, 주님께서 순결하신 것처럼 되기를 원하나이다!"

『이 소망을 가지는 사람은 누구나』(3절).

바울은 이 소망을 **『그 복된 소망』**(that blessed hope)이라고 부른다(딛 2:13). 그가 **『소망』**이라고 부른 것은 우리의 물리적인 몸이 **『구원』**받을 때까지(롬 8:24), 우리에게 아직 일어나지 않은 뭔가를 기다리기 때문이다. 이것이 고린도전서 15:49-56에 기록되어 있다.

그리스도인의 소망은 모든 로마카톨릭 신자나 모슬렘이나 그리스도의 교회 교인들이나 은사주의자들이 말하듯이 "구원받기를 소망합니다"를 의미하는 것이 아니다. "우리의 복된 소망"은 장차 나타날 것이며, 이 **『소망』**은 한 사람이다(갈 5:5, 히 6:18,19). 이것이 **『소망』**이라고 불리는 이유는 아직 보여지지 않았기 때문이다(롬 8:24,25).

성경을 똑바로 보라. 카톨릭 신부나 주교에게 가서 성경의 바른 진리를 배울 수 있다고 착각하지 말라. "헬라어 원본은 이렇게 말한다"고 하는 정신나간 헬라어 학자들의 말을 들으면서 시간 낭비하지 말라. 어떤 성경에도 원본은 없다. "성경"(Bible)이라는 말 자체가 "책"(Book)을 의미한다. 그리스도께서 나사렛의 회당에서 펼치신 책도(눅 4장) 원본이 아니었으며 창세기부터 말라키를 포함하는 필사본을 포함한 것도 아니었다. "원본 히브리어 원문"이라는 것은 B.C. 1500년 이후로 지구상에 존재한 적이 없다. (전능하신 하나님께서는 원본 자체를 보존하신 것이 아니라, 순수한 필사본들과 자국어 성경들을 통해서 하나님의 말씀들을 보존하신 것이다.)

만약 당신의 목사가 "헬라어 원본은 이렇게 말한다."고 하거나 "헬라어 원문은 이렇게 말한다."고 하거나 "원본은 이렇게 말한다."고 하거나 "원문 헬라어는 이렇게 말한다."고 하거나 "원본 헬라어 원문은 이렇게 말한다."고 하면 그는 두 얼굴을 가진 거짓말쟁이임을 알라.

본 주석가가 지금 말한 것을 결코 잊지 말라. 그리스도의 심판석에서 모든 거짓말들이 심판받는 것을 보게 될 것이다.

우리는 라오디케아 시대에 살고 있다. 가장 선한 자도 찔레나무 같고 가시울타리 같은 것이다(미 7:4).

정결함(purification)은 지속적으로 "복된 소망"을 고대하는 것으로 얻는 유익들 중 하나다(3절). 예수 그리스도께서 나타나심을 사모하는 그리스도인들이 얻는 유익들을 몇 가지 들자면 "인내"(약 5:8), "원수를 용서함"(약 5:9)과 "위로"(살전 4:18)이다.

열역학 법칙들과 생물발생 법칙들은 더 이상 성도들의 영광스럽게 된 몸에 적용되지 않을 것이다. 성도들의 몸의 체계 안에는 "엔트로피"가 없을 것이며, 그 몸이 "마모되지도" 않을 것이다. 모든 열역학 법칙에도 불구하고 성도들의 몸은 완전한 상태로 유지될 것이다. 이는 그들이 하나님께서 만드시고 하나님께서 주신 초자연적인 몸을 받을 것이며, 이 몸은 절대 영도의 지점에서 곧 어떤 분자 활동도 일어나지 않는 곳으로부터 온 것이기 때문이다(사 57:15). 시간도 이러한 몸에게는 멈춰 버린 것이 된다. 바울은 이것을 『**손으로 짓지 아니한 하늘들에 있는 영원한 집**』으로 표현했다(고후 5:1).

"우리가 결코 늙지 않는 그곳에서!" 할렐루야! 영광!

하나님께서는 시작도 끝도 없으시며, 따라서 열역학 법칙들이 하나님께 적용되지 않는다. 하나님의 아들들인 우리들에게도 언젠가 열역학 법칙들이 적용되지 않을 날이 온다(롬 8:14). 여러분의 "배터리"가 결코 닳지 않을 것이다. 마치 220볼트 전기의 연결된 것처럼, 끊임없이 기쁨의 최고 수준을 유지하는 것과 같을 것이다. 『**주의 면전에는 충만한 기쁨이 있고 주의 오른편에는 즐거움이 영원무궁토록 있나이다**』(시 16:11).

"영원의 시대들이 지나는 동안, 나는 여전히 주님을 찬양하리라. 내 목소리도 피곤치 않고 늙지도 않으리! 내 노래는 언제나 '나를 위해 죽으신 어린양을 찬양하라'가 되리라. 시대들이 지나는 동안, 나는 그 노래를 계속 부르리라!"

물론 마호메트와 교황들은 이러한 일과는 아무런 관계가 없다. 이들은 구원의 영원한 보장을 가지지 못했으며, 테레사 수녀와 아라팟도 마찬가지다.

코란에 따르면 『**어린양**』께서 마호메트를 위해서는 죽지 않으셨다고 한다. 코란은 『**어린양**』께서 누구를 위해서도 죽지 않았다고 말하고 있다. 예수 그리스도께서 평범한 사람들이 죽듯이 늙어 죽었다고 한다.

어떤 모슬렘이 영원에서 입을 다물지 못하고 영원히 주님을 소리치며 찬양하기 원하는 그리스도인을 잠잠케 할 수 있겠는가? 가령 그 그리스도인이 땅에서 불구자로 5년에서 60년 정도를 고생하다가 영원을 향유하게 되었다면 누가 그를 잠잠케 할 것인가? 또한 눈멀어 평생을 못 보며 살다가 그가 보게 되는 첫 번째 사람이 그를 위해 죽으실 정도로 그를 사랑한 구주라면 어떻게 그가 소리치며 찬양하는 것을 막을 수 있겠는가? 마호메트와 그의 신이 이런 일에 대해서 아는 게 뭐가 있는가?

마호메트가 만의 하나 낙원에 가게 된다면 그는 성도들이 찬양하는 소리가 듣기 싫어서 낙타 배설물로 자신의 귀를 틀어막고, 그것도 모자라서 찬양하는 성도들의 혀를 자르려 들 것이다. 혹시라도 한 모슬렘이 영광 중에 수억의 성도들이 그룹들과 스랍들과 더불어 죄인들을 위해 죽으신 하나님의 아들을 찬양하며 노래하는 소리를 듣고 있어야 한다고 생각해 보라! 어떻게 되겠는가? 전 세계 오대양 육대주 어디에 있는 모슬렘도 하나님께 아들이 있다고 믿지 않거니와, 그분이 사람들을 위해서 죽었다고도 믿지 않는다! 마호메트는 자신이 쓰지도 않은 코란을 인용하면서 이와 같이 찬양하며 노래부르는 것이 죄라고 신성모독이라 말했다(수라 2:116; 72:3; 83:91).

모슬렘은 차라리 지옥에 가야 더 행복할 것이다.

그때 모슬렘들은 자신의 의지를 거슬러 자신이 거짓말쟁이라고 믿는 이를 찬양해야 하며(수라 9:30) 예수 그리스도께서 행했다고 믿지 않았던 일들에 대해서 주님의 이름을 영원히 찬양해야 한다(계 5:12-14). 이것이 마지막 심판 혹은 마지막 날이 지난 후 이뤄질 일이다. 즉 불경스러운 코란이 아니라 거룩한 성경을 따른다면 그렇다는 것이다. 죄인들은 코란을 경전이라 부르지만 사악한 신성모독이다.

하나님의 아들께서 하나님의 뜻을 이루시고 그분의 사역을 갈보리에서 완수하셨기 때문에 귀머거리나 벙어리였던 사람이 들을 수 있게 되고 말할 수 있게 되었다고 생각해 보라! 그가 어떻게 반응하겠는가? 어떤 무기를 들이대고 어떤 방법으로 그의 입을 막으려 한다 해도 그의 찬양을 그치게 하지 못할 것이다.

『**그러하옵니다.** 주 예수**여, 오시옵소서.**』

3:4 죄를 짓는 자마다 또한 율법도 범하는 것이니, 죄는 곧 율법을 범하는 것이라.

5 그분이 우리의 죄들을 없애려고 나타나신 것을 너희가 아나니 그분 안에는 죄가 없느니라.

6 그분 안에 거하는 자마다 죄를 짓지 아니하나니, 죄를 짓는 자는 누구나 그분을 보지 못하였으며 알지도 못하였느니라.

이제 우리는 종파와 교파에 관계없이 현대 "기독교" 학자들이 완전히 망가지는 "경기장"으로 들어가고 있다. 즉 로마카톨릭, 보주주의, 복음주의, 근본주의, 은사주의 학자들이다. 이들은 "범하다"라는 단어의 헬라어상의 "현재, 능동, 선적인 시상"의 의미 뒤에 숨어서, 결국 "지속적으로 실행"하지 않는다고 한다면 살인하고, 거짓말하고, 욕하고, 죽이고, 사기치고, 음행하고, 낙태시키고, 변질시키고, 과장하고, 탐욕을 부리고, 과식해도 좋다는 식으로 해석한다. 무디성경신학원, 밥존스대학, 휘튼, 테네시템플, 풀러신학원, 리버티대학, 스텟슨, 저드슨, 세다빌, 퍼만, 크라운대학 등의 배교한 교수진들은 6절에서 10절의 본문을 다음과 같이 해석한다.

"그분 안에 지속적으로 거하는 자마다 지속적으로 죄를 짓지는 아니하나니," "아무도 너희를 속이지 못하게 하라. 지속적으로 의를 실행하는 자는 그분께서 의로우신 것같이 의로우나," "지속적으로 죄를 실행하는 자는 마귀에게 속하나니," "하나님께로부터 태어난 사람은 누구나 지속적으로 죄를 실행하지 아니하나니... 지속적으로 죄를 지을 수 없는 것은," "지속적으로 의를 실행하지 아니하는 자나(바울도 베드로도 지속적으로 의를 실행하지 못했다. 행 22:18, 갈 2장) 자기 형제를 지속적으로 사랑하지 아니하는 자는 누구나 하나님께 속하지 아니하니라."

한 구절의 동사가 "현재, 능동, 선적인 시상"이라 하여 사사로운 해석을 첨가한다면, 위에서 보여 준 바와 같이 본문의 모든 동사와 분사가 "현재, 능동, 선적인 시상"임으로 동일하게 해석해야 할 것이다.

물론 새로운 영어 성서들도 사전적 정의를 고수하는 "형식 일치"의 원리에 따라 번역하였다고 하지만 이러한 동사들의 시제를 살리지 않았다.

새로운 영어 성서들의 번역 위원회들은 새로운 역본들을 번역할 때마다 자신이 좋아하는 대로 번역할 뿐이다. 그들은 자신이 심판자의 자리에 앉아 『**성경**』을 판단하는 자들이다.

율법 중 얼마나 많은 것을 범해야 죄인이 되는 줄 아는가? 아니면 얼마나 자주 계명들을 범해야 죄인이 되는 줄 아는가? 만약 십계명 중 하나만 범해도 모든 계명을 범한 자가 된다. 어떤 계명을 "지속적으로" 범해야 "무법자"가 되는 것이 아니다. 모든 정통주의적 보수주의자들이 9절에서 진땀을 빼는 것은 그들 스스로 하나님의 자녀가 지상에서 죄 없는 완전함을 이룩할 수 없음을 알기 때문이다. 그래서 어떻게 하는 줄 아는가? 그들은 자신의 지식에 맞추어 거룩한 성경을 공격하는 것이다. 이것이 (플라톤, 오리겐, 클레멘트, 필로 등의) 알렉산드리아의 첫 번째 "기독교" 학교부터 린치버그에 있는 리버티대학의 "주석가"와 머프리스보로에 있는 〈주의 칼〉지의 본부에 이르기까지 모든 고등 "기독교" 교육기관에서 자신의 지식과 어긋나는 성경 본문을 처리하는 알렉산드리아의 표준처리 절차이다. 이들은 똑같은 무리이며, 성경을 똑같은 자세로 대하고, 모두 똑같은 결과를 낳는다.

오리겐도 전문 축자 영감받은 "원본"의 절대적이며 오류가 없는 무오성을 믿었다. (필자의 〈The Christian Liar's Library〉을 참조하라, 1998)

〈킹제임스성경〉을 믿지 않는 신학교들의 교수진들은 똑같은 배교자로부터 배워서 똑같이 성경을 변개하고 왜곡하는 짓을 계속하는 것이다.

히브리인-그리스도인 서신은 20세기와 21세기 기독교 학자들에게 걸려 넘어질 수밖에 없는 돌이다.

"오순절"이든 "하나님의교회" 교단이든 성결교회 신자든 은사주의자 한 명이 구원받았다고 치자. 그는 "거듭났고," 요한일서는 그가 죄가 없다고 말한다(9절). 그러다가 그는 지미 배커나 지미 스와거트나 이들과 유사한 "성령운동" 한다 하는 은사주의자들처럼 육신적이고 방탕한 죄들을 지었다고 하자. 그는 "하나님, 저는 그것을 잃어버렸어요."라고 말할 것이다. (마 25:30; 24:13, 히 3:6,14; 6:1-6, 약 5:20 등의 말씀은 문자 그대로 구원을 잃어버릴 수 있다는 내용이다. 그리고 갈 5:4과 고전 9:27은 또 어떤가?) 의심이 간다면 카톨릭 신부에게 이런 경우 구원을 잃어버리지 않느냐고 물어보라. 그렇다고 말할 것이다.

문제가 있다! 요한은 당신이 거듭났다면 당신은 구원을 절대로 잃어버릴 수 없다고 말한다. 그런데 죄를 짓지 않고 어떻게 구원을 잃어버릴 수 있는가? 9절은 당신이 죄를 지을 수 없다고 말한다. 성경이 무척 혼란스러운 것처럼 보이지 않는가? (필자가 이전에도 말했지만 성경은 세상에서 가장 위대한 책일 뿐만 아니라 동시에 가장 교묘하고 사람들을 잘 속이며 위험한 책이다.) 그러면 우리가 앞에서 예를 들었던 죄지은 은사주의자가 히브리서 10:26을 보고 어떻게 하겠는가? 그에게는 "죄들을 위한 희생제가 더 이상 남아있지 않고"(히 10:26), 재림이 일어날 때 또는 마지막 심판인 큰 백보좌 심판에서 무섭게 하나님을 만날 것을 두려움 속에서 기다리는 것 밖에 없다(히 10:30-31). 그가 구원을 실제로 잃어버렸다면, 구원을 다시 찾는 것은 불가능하다. (저자의 주석서 〈히브리서〉에서 히 6:4-6에 해당하는 주석을 공부하라.)

왜 유독 많은 기독교 교파 중에 오순절이나 은사주의 교회에 속한 그리스도인들 중에 더 많은 병자들이 있는지 곰곰이 생각해 본 적이 있는가? 이 구절을 보라. 『**이 때문에 너희 가운데 많은 사람이 약하고 병들었으며 상당수가 잠들었느니라**』(고전 11:30). 왜 그들 중 반이 아픈 줄 아는가? 물론 우리는 사도 바울이 평생 그러했듯이 그리스도인이 아프고 병 걸릴 수 있음을 안다. 이는 그의 유익을 위해서며 그를 겸손하게 만들고 그가 열매를 맺고 동정심을 가지게 하기 위해서다. 그러나 은사주의자들의 경우는 다르다. 은사주의자들은 육신적인 죄들을 짓고도 자백하고 심판하고 그 죄들을 버리지 않는다. 성경이 자백하고 심판하라고 말씀하는데도 말이다. 어리석은 은사주의 설교자들과 목사들과 성경교사들이 그들에게 그들이 죄를 지으면 그것은 "고의적인 죄"가 아니라고 말하기 때문이다. "거듭났기" 때문에 고의적으로 실제로 죄를 지을 수는 없다고 가르치는 것이다. 그들은 이러한 괴상한 교리를 요한일서 3:9의 본문에서 추출한 것이다.

펜사콜라에서 가장 큰 장애인 주차 공간을 할애하는 교회는 1997년부터 1999년까지 은사주의 운동을 전개했던 브라운스빌에 있는 교회다. 은사주의 교회들은 "기적적인 치유"를 믿지만 여전히 병으로 고생하는 교인들로 넘쳐나고 있다.

필자의 개인적인 의견으로는 지금까지 살았던 그리스도인들 중에 존 웨슬리가 가장 거룩한 그리스도인들 중 하나가 아닌가 한다. 즉 베드로와 야고보와 요한과 바울과 같은 거룩한 그리스도인들 말이다. "죄 없는 완전함," "성화," "진정한 거룩함"에 대한 웨슬리의 견해는 그의 칼빈주의 대적들이 묘사하는 그런 것이 아니다. 웨슬리가 실제로 가르친 것은 다음과 같다. "생각이 하나님께 고정되어 있고, 마음이 기도에 열중하며, 행동의 동기가 사랑이라면, 어떤 죄도 지을 수 없다." 죄는 분명 여전히 성도 안에 있지만(요일 1:8, 롬 7:25), 웨슬리가 말하듯이 실행하는 동안만큼은 죄 없는 삶이 가능한 것이다. 즉 지속적인 기도 혹은 기도하는 자세로 열두 시간 혹은 열여덟 시간 동안을 "깨어 있는 하루"로 사는 것이다. 그러나 이러한 영적 수준에 도달하는 것은 쉽게 말해서 "아무나 하는 것이 아니다."

한번 시도해 보라. 일 분 60초, 한 시간 60분 동안 "기도하는 자세"를 견지하는 것이다. 분명 필자보다 훨씬 더 영적인 그리스도인들이 많이 있으리라 믿는다. 솔직히 고백하건대 55년 이상 하나님의 자녀로 살면서 웨슬리와 같은 삶을 한 번에 9시간에서 10시간까지, 또한 한 달에 며칠 이상 지속하며 살지 못했다. 필자가 이와 같은 삶을 살고자 하는 그리스도인 형제들에게 하고 싶은 말은 "형제님, 파이팅! 형제와 같은 그리스도인들이 더 많으면 좋겠다!"는 것이다. 그러나 필자가 에큐메니칼 은사주의자들을 만날 때마다 이상한 것을 느낀다. 그들은 큰 소리로 말하고 악수하기 좋아하고 미소 짓고 등을 두들기며 연신 "주를 찬양하라!"를 되뇌이지만, 이들을 만날 때마다 장례식장에 있는 관에 인위적으로 반질반질하게 칠해져 있는 니스 냄새 같은 것을 느낀다.

『하나님**께로부터 태어난 사람은 누구나 죄를 짓지 아니하나니 이는 하나님의 씨가 그 사람 안에 거함이요, 또 죄를 지을 수 없는 것은 그가** 하나님**께로부터 태어났기 때문이라**』(요일 3:9).

이제 "선하고 경건한 기독교 학자들"의 모든 소장 도서가 쓰레기통으로 들어갈 차례다. 이들은 독자들을 그들 자신의 무지로 끌어내기 위해서 "원본 헬라어"를 운운하다가, 이제 어떤 헬라어나 히브리어나 영어 성서로도 해결되지 않는 구절을 만난 것이다.

본문이 말하는 바는 당신이 죄를 "짓든" "실행하든" "행하든" 아니면 "지속적으로 행하든" "지속적으로 실행하든," 죄를 지으면 당신은 잃어버린 자기 때문에 지옥에 간다는 말씀이다. 즉 당신이 하나님을 보지 않았다면(6절과 주석을 보라), 당신은 그분을 알지 못하는 것이다(6절)! 이것이 디모데전서 2:4을 기록한 사도 바울의 방식인가? 이것이 요한복음 10:16을 기록한 요한의 방식인가?

오래전에 제미엣슨, 포셋, 브라운이 이 구절을 만났을 때, 그들은 완전히 성경이 말하는 바에서 빗겨가 버렸다. 그들 앞서 살았던 300명의 주석가들도 그들 후에 등장한 300명의 주석가들도 진리에서 빗겨갔다. 물론 린치버그 버지니아의 제리 포웰이 출간한 〈리버티성경주석〉도 마찬가지다. 1700년부터 2000년까지 이 부분에 관해 성경이 무엇이라고 말하는지 제대로 배운 학자가 없는 것이다.

필자가 무슨 말을 하는지 그리고 왜 필자가 기독교 학자들을 이렇게 맹렬하게 비평하는지 알고 싶은가? 그러면 제미엣슨, 포셋, 브라운의 주석서에서 포셋이 본문에 대해서 코란만큼이나 말도 안 되는 헛소리를 두 단락에 걸쳐서 주석해 놓은 것을 보라.

"이상적인 그리스도인의 직관적인 지식이 제시되어 있다."

"모든 죄는 거듭난 자의 관념과 차이가 있다." (그렇다면 죄를 '실행하다' 대신 '짓다'가 바른 용어가 되는 것이다.) 포셋은 계속 말한다. "그것이 의미하는 바는 죄가 존재하는 한, 그 정도에 한해서, 하나님을 인식하는 영적인 직관이 그 안에 존재하지 않는다는 것이다."

"영적 직관"이 죄짓는 그리스도인 안에 존재하지 않는다고?

지구상에 출현한 모든 혼은 하나님께 대한 "영적 직관"을 가졌으며, 심지어 마귀들도 가지고 있다(약 2:19, 요 1:8-10, 롬 1:20,21).

포셋의 학자적인 우매함을 보라. "영적으로 본다는 것은 아는 것보다 진일보한 것이다. 왜냐하면 아는 것을 통해 우리는 생생한 경험적인 현실로 보게 되기 때문이다." 포셋은 자신이 무슨 말을 하는지 모른다.

『**오직 그분만이 불멸하시며, 어떤 사람도 접근할 수 없는 빛 가운데 거하시며, 어떤 사람도 보지 못하였고 또 볼 수도 없는 분이시니, 그분께 영원한 존귀와 능력이 있기를 원하노라. 아멘**』(딤전 6:16).

신약성경이 무엇이라 말하는가? 잊어버렸는가? 포셋은 제임스 화이트, A.T. 로버트슨, 케네스 웨스트, 해롤드 윌밍턴과 NIV 번역위원회처럼 성경이 말하는 바를 곡해했다.

이들은 성경이 무엇이라 말하는지 그들 자신이 이해하기 어려운 부분을 만나자. 성령께서 그 구절에 대해서 말씀하신 바를 전적으로 부정한다.

『**실로,** 하나님은 **참되시나 사람은 모두 거짓말쟁이라**』(롬 3:4).

『**만일 누가 말하려거든** 하나님**의 말씀처럼 말하고**』(벧전 4:11).

이 주석서를 읽는 사람 중 누구도 하나님이나 예수 그리스도를 본 적이 없다. 요한일서 3:6에 따르면 우리가 그분을 알지 못한다고 한다.

이런 엉터리 주석은 제미엣슨, 포셋, 브라운만 한 것이 아니다. J. 피터 랑케, 매튜 핸리, 드윗, 블리크, 그로티우스, 벌링거, 존 라이스, 아쳐 웨니거, 브루스, 캐드베리, 마로우, 래드, 아담 클라크, 〈강단주석〉, 덤멜로우, 메이첸, 케일, 델리취, 윌리암스, 〈위클리프 주석〉 등의 주석서에 이런 엉터리 주석을 5,000개 이상 발견할 수 있다.

우리는 또다시 1611년 이후로 이 땅에 살았던 "기독교" 학자들의 성경 해석 방식을 폐기해야만 하는 것이다. 그들은 사람을 영화롭게 하고 사람을 기쁘게 하는 자들이다. 우리가 요한일서 1:6; 2:8-11,19,28 등을 주석할 때 마태복음 24장, 히브리서 3,6,8,10장, 바울의 경험이 나와 있는 사도행전 22장으로 다시 독자들을 데리고 가고자 한다. 우리가 이러한 참조구절들을 제시함에 있어서, 우리는 처음부터 끝까지 성경을 성경으로 해석했으며, 배교한 기독교 학자들이 내렸던 결론과 정반대의 결론에 도달하게 되었다.

요한이 단수로서의 "죄"를 말하는 독특한 방식을 주목하라. 그것은 더 이상 요한복음 1:29과 요한일서 1:8에서의 의미가 아니다. 그것은 로마서 6:17처럼 당신의 본성을 말하는 것이 아니라 당신이 행하는 뭔가를 말하는 것이다.

본문에서 "죄"를 단수로서 모세의 율법을(4절) 범하는 어떤 범법이라고 정의내리고 나면, 본성으로서의 죄가 아닌 "사망에 이르는"(요일 5:16) 단수로서의 "죄"가 있음을 알게 된다. 이제 계시록 12:17을 읽고, 본문이 말하는 바가 대환란 중에서도 그 끝 근처의 시점을 말하는 것인지 아닌지 말해 보라(마 24:13, 단 12:6,8-9,13, 히 3:6,14; 6:8).

본문이 말하는 바는 누군가가 하나님을 볼 수 있는 기회가 있었는데(히 9:28; 12:14, 마 24:50), 그분을 보지 않은 것을 말하고 있다. 하나님을 실제로 본 에스겔(겔 1,10장), 이사야(사 6장), 모세(신 33:2; 34:10), 사도 바울(행 9:17)이 이들의 예표가 된다.

『**아무도 어느 때나** 하나님**을 본 사람이 없지만**』(요 1:18)

"영적 직관의 정도"인가?

헬라어 "능동, 선적 동작"이라고?

"영적 단계들에 있어서 더 멀리 보는 것"인가?

필자의 조언을 들으라. 〈킹제임스성경〉을 구해서 그것을 읽으라. 믿지 않고 사용하지만 말고, 이번에는 〈킹제임스성경〉을 읽는 그대로 믿으라. 그렇게 하면 성경이 말하는 진리를 조금씩 이해하게 될 것이다. 『**어린 자녀들아, 아무도 너희를 속이지 못하게 하라. 의를 행하는 자는 그분께서 의로우신 것같이 의로우나**』(요일 3:7).

야고보서 2:24, 마태복음 24:13, 히브리서 6:1-6; 10:26 등과 연결해 볼 때, 방금 무슨 구절을 읽었는지 알겠는가? 더 이상 "축자 전문 영감받은 원본"을 믿는다고 하는 "선하고 경건하고 자격있는 학자들"이 무엇이라 말하는지 신경쓰지 말라. 대환란 때 혹자가 "멸망의 아들"을 "하나님"으로 섬기겠다고 맹세하는 순간(살후 2:3-12, 단 11:36-38), 그는 출애굽기 20:3의 "율법을 범하는" 죄를 짓게 되는 것이다. 이것이 대환란 때 단수로서의 "죄를 짓는 것"의 정의이며, 여기에 짐승의 표나 짐승을 섬기겠다는 맹세를 거부하는 유대인들을 어떻게 대했는가 하는 것도 포함된다(마 25장, 약 5:12 등). 요한일서 2:8을 주석할 때 "가난하고 궁핍한" 사람들에 대해서 설명한 것을 찾아보라.

야고보가 이스라엘의 열두 지파에게 보내는 서신의 마지막 장에서 기록한 마지막 경고가 무엇인지 보라.

『**나의 형제들아, 무엇보다도 맹세하지 말라. 하늘로도 말고 땅으로도 말며, 어떤 다른 맹세로도 말지니라. 다만 너희는 '예' 할 것은 '예' 하고, '아니라' 할 것은 '아니라' 하여 정죄에 빠지지 않도록 하라**』(약 5:12).

이제 요한이 요한일서의 마지막 장의 마지막 구절에서 마지막 경고로 무엇을 말하는지 보라.

『**어린 자녀들아, 너희 자신을 우상들로부터 지키라. 아멘**』(요일 5:21).

우상들과 맹세들이다! 이것이 "죄"이며 "율법을 범하는 것"이다. 율법은 어떤 우상도 숭배하지 말며(첫 계명과 둘째 계명), 어떤 거짓 맹세도 하지 말라(아홉 번째 계명)고 말한다. 대환란 때 짓는 이 죄는 단수로 언급되며(요일 3:8-9; 5:16), 요한일서 3:9의 문맥은 "멸망의 아들"(카인)의 근본적인 원형에 대한 것이다. 12절에는 "뱀의 씨"에 대한 언급이 나온다(창 3:15, 요 8:40-44). 하나님께서는 사탄이 390년간 본문의 진리를 기독교 학자들로부터 가릴 수 있도록 허락하신 것이다.

항상 "의심스러울 때"는 모든 기독교 학자들의 의견을 던져 버려라.

3:7 어린 자녀들아, 아무도 너희를 속이지 못하게 하라. 의를 행하는 자는 그분께서 의로우신 것같이 의로우나

"의를 행하는" 모든 자가 의로운 것은 전혀 아니다. 로마서 3:9-19과 일반적인 사람의 경험을 보아도 전혀 그렇지 않다. 바울은 구원받기 전에 의를 충분히 실행했다(행 26:10,11). 수백 혹은 수천 명의 힌두교와 카톨릭 사제들도 "의"를 행하면서도, 성경을 믿지도 않고 새로운 출생을 경험하지도 못한다. 성경은 그들을 "의롭다"고 말하지도 않는다. 따라서 요한일서의 본문은 교회 시대에 적용하면, 교리적으로 역사적으로 모순을 일으키는 것이다.

이렇게 완전히 풀기 어려운 문제에 봉착했을 때, 여러분은 어떻게 하겠는가? 지구상에 있는 모든 사람이 죄를 지으면 "마귀에게" 속한 자가 되는 것인가?(8절) 그렇다면 무슨 의미에서 그런가? 요한복음 8:44의 의미에서?

마태복음 23:33의 의미에서 그런가?

미귀가 그 사람의 아비인가? 그러나 본문은 “의를 행하는” 자는 하나님을 아버지로 모시고 있다고 말한다. 요한일서 3:3-10; 2:23을 보라.

베드로가 죄를 지었을 때(마 26:74, 갈 2:11), 사탄이 그의 아비가 되었는가? 그러면 구원받고 나서 바울이 죄를 지었을 때는 어떤가?(행 22:18) 그가 “마귀에게” 속한 자가 되었는가?

우리는 요한일서 3:15을 이해할 수 있도록 준비를 해 가는 것이며, 요한복음 8:44을 문자 그대로 받아들인다면, 본문 중간에 그 “아비”가 “마귀”인 자가 나온다. 요한일서 3:12과 요한복음 8:44과 함께 고린도후서 11:2-3을 문자 그대로 받아들인다면 카인은 “뱀의 씨”다.

1900년부터 현재까지의 라오디케아 시대의 배교자들은 본문을 어떻게 다루는가? 그들은 이렇게 해석한다. “죄를 짓는 자는, 죄를 짓는 동안만큼은, 마귀에게 속한다.” “그가 죄를 짓는 한” 그렇다고?

7절에서 『**의로우나**』라고 말씀하신 것도 “실제로 이 의미가 아니라, 그리스도 혹은 하나님의 의에 대한 언급이다.”라고 설명한다.

사도 바울의 13개의 서신 어디에도 그렇게 말하지 않는다. “하나님의 의”는 그것이 나타날 때마다 “하나님의 의”를 의미한다(롬 3:21; 10:3). 어떤 신약 그리스도인도 의롭지(righteous) 않다. 최고의 그리스도인도 스스로를 “죄인들의 우두머리”라고 했다. 포셋은 그리스도인은 그가 의롭기 때문에 의를 행한다고 주석했다. 아니다. 모든 그리스도인의 육신은 그의 육신적이며 불의한 지체들 속에 있는 죄의 법에 순종한다(롬 7:25). 그리스도인들은 의의 종들로서 자신을 드려야 한다(롬 6:19). 그러나 우리가 “죄로부터 자유롭게” 되었다고 해서(롬 6:22), 우리가 의로운 것은 아니다. 우리는 “하나님의 종들”이 되어 “거룩함에 이르는 열매”를 맺어야 하는 것이다.

포셋은 이렇게 해석했다. "우리는 그리스도인이 의를 행한다는 것에서 그가 이미 의로운 사람임을 추론할 수 있다. 즉 그가 의를 행하는 유일하고 참된 원리를 소유했다는 것이며, 그것은 바로 믿음이다."

그럴 법하게 썼지만, 성경적이지 않는 엉터리 주석이다.

〈킹제임스성경〉의 본문을 복구 불가능의 수준으로 망쳐 놓고 난 뒤, 포셋은 "마귀의 자녀들과 하나님의 자녀들 사이에 중립 지대는 없다"라고 8절 주석을 달아 놓았다. 그러면 어떻게 되는가? 죄에 있어서는 죄인들과 그리스도인들을 구분할 수 없게 되는 것이다. 왜냐하면 요한은 우리에게 죄인들이 그러하듯이 모든 그리스도인들도 죄를 짓는다고 말하기 때문이다(요일 1:8,10). 즉 포셋에 따르면 고린도 교회의 모든 구원받은 그리스도인은 일순간 "마귀의 자식"이 되는 것이다. 『**다툼과 시기와 분노와 경쟁과 험담과 수군거림과 교만이나 소요가... 전에 죄를 지었으나... 부정과 음행과 색욕을 회개하지 않은 많은 자**』(고후 12:20,21).

3:8 죄를 짓는 자는 마귀에게 속하나니 이는 마귀가 처음부터 죄를 짓기 때문이라. 이 목적으로 하나님의 아들**이 나타나셨으니, 곧 마귀의 일들을 멸하시려는 것이라.**

『**죄를 짓는 자는 마귀에게 속하나니**』(8절). 현대 기독교 학자들은 완전히 본문에 대해서 손을 들었다. 그들에게는 어떤 조명도 지혜도 없다.

영적인 적용은 어떤가? 쉽다. 그리스도인이 죄를 지을 때 마귀가 그를 이끈다는 것이다. 그러나 이것이 실제로 사실이 아닌 것은 우리가 짓는 죄들의 대부분은 마귀가 우리에게 이리저리로 이끌고 압력을 가해서 짓는 것이 아니기 때문이다. 우리가 육신을 따르기 때문이다(롬 6,7장, 갈 5장).

모든 것을 마귀의 탓으로 돌릴 수는 없다.

많은 그리스도인들이 이렇게 말한다. "마귀가 제가 그렇게 하도록 시켰어요." 이런 변명은 무엇과 같은가? 어린 소년이 자신의 동생을 도랑에 빠뜨리고 동생에게 침을 뱉었다고 치자. 그의 어머니가 아들에게 소리치면서 이렇게 말했다. "마귀가 네가 그렇게 하도록 시켰니?" 소년은 대답했다. "동생을 넘어뜨리게 시킨 것은 마귀였고, 동생에게 침을 뱉는 것은 제 생각이었어요."

존 R. 라이스가 1953년쯤에 계단에서 굴러 떨어져 거의 목을 부러뜨릴 뻔한 사고가 있었다. 라이스는 "마귀가 나를 밀었다"고 했다. 나는 그것을 믿지 않았다. 내가 만약 계단에서 굴러 떨어졌다면 그것은 내가 잘 보지 않았거나 주의를 기울이지 않아서다. 그래서 균형을 잃은 것이다. 대부분의 "사고들"은 데이브 가드너가 말하듯이 "미리 결정된 부주의함"이다. 물론 당신이 스스로를 위대한 영적 거인이라고 여긴다면 문제나 사고가 생길 때마다 "마귀" 탓을 할 것이다. (쉘톤 스미스가 그렇다. 그가 발간하는 신문인 〈주의 칼〉에 자신을 미화하는 기사나 문구로 도배해 놓을 뿐만 아니라, 매 호마다 자신의 사진을 5개에서 9개 가량 실어 인쇄하게 한다.) 즉 당신이 마귀에게 너무나 위협적인 존재이기 때문에, 마귀가 당신을 해코지하려고 특별하게 역사한다고 믿는 것이다. 물론 나는 이러한 주장을 조금도 믿지 않는다. 당신은 그렇게 위대한 사람이 아니다. 나 또한 마찬가지다.

『**처음부터**』(8절). 여기서도 요한일서 1:1; 2:7,14,24에서처럼 "처음"이 나온다. 요한의 "처음"(beginning)은 때에 따라서 의미하는 바가 다르다. 어떤 사람들은 창세기 1:2 이전의 이사야 57:15의 상황이라고 생각하겠지만, 아니다. 왜냐하면 요한은 그의 복음서(요 8:44)와 그의 서신에서(요일

3:12) 동일 인물인 사탄에게 이 말을 적용했기 때문이다.

성령께서는 이러한 평행 구절들을 〈킹제임스성경〉을 믿지 않는 알렉산드리아의 주석가들로부터는 감춰버리셨다. 따라서 그들은 마귀가 아니라 "카인"이 첫 번째 살인자인 것을 인지하지 못한다. "카인"이 실제로 11,12절에 등장한다. 사탄은 아무도 살해한 적이 없다. 왜냐하면 하나님께서 그에게 "죽음의 권세"를 주셨기 때문이다(히 2:14과 그 주석). 『**그 악한 자로부터**』(12절)와 『**마귀에게**』(8절)는 요한복음 8:44의 『**너희는 너희 아비 마귀에게서 나와서**』와 연결된다. (모든 라오디케아 시대의 배교자들은 이 구절들을 놓쳐 버렸다. 그들은 이 구절들을 무시하고 지나간 것이다.)

〈킹제임스성경〉의 본문을 수정하는 "경건한" 학자들이 진리를 깨닫지 못하도록 성령께서 얼마나 섬세하게 역사하셨는지 보라. 성령께서는 1611년 이후로 이 작업을 계속해서 하셨다. 미국의 5,000개에 달하는 기독교 고등교육기관에서 가르치는 자들이나 배우는 자들이 성령의 조명을 못 받는 것은 그들이 〈킹제임스성경〉을 믿는 자들이 아니라 성경을 고치려 드는 자들이기 때문이다.

요한이 『**의를 행하는 자**』라고 말하고 『**죄를 짓는 자는 마귀에게 속하나니**』라고 말할 때 그는 마귀가 지상에 내려와서 카인처럼 육신을 입고 있는 상황을 말하고 있는 것이다. 이것이 필자가 계속해서 교회 시대를 벗어나서 요한일서를 교리적으로 적용하는 이유다.

그렇다면 이런 일은 언제 일어나는가?

『**이 목적으로** 하나님**의** 아들**이 나타나셨으니, 곧 마귀의 일들을 멸하시려는 것이라**』(8절).

사실 이 일은 예수 그리스도의 초림 때 지상에서 일어났어야 했다. 그러나 예수 그리스도께서 초림 때 마귀의 일들을 멸하셨는가? 그렇게 하시지 않았다. 지상에 있는 모든 구원받지 않은 죄인이 갈보리에서 심판을 받았듯이(요 3:36), 사탄도 심판받았다(요 16:11). 즉 그의 판결이 공포되었다는 것이다(요 5:24; 3:36; 16:11,12). 그러나 사탄의 역사나 그가 하는 일들이 초림 때 멸망당한 것은 아니다. 사탄이 행할 가장 큰 규모의 일들은 아직 미래에 속했다.

요한복음의 몇몇 경우들처럼(요 5:25-29) 요한일서에서 대환란에 속한 교리들을 제거하면 바울 서신에서 파선하게 되어 있다(딤전 1:19).

3:9 하나님**께로부터 태어난 사람은 누구나 죄를 짓지 아니하나니 이는 하나님의 씨가 그 사람 안에 거함이요, 또 죄를 지을 수 없는 것은 그가** 하나님**께로부터 태어났기 때문이라.**

본문에서 "그"(he)가 누구를 말하는지 유의해야 한다. 고린도후서 5:21에서도 마찬가지다.

우리가 다뤄야 할 것은 요한일서 3:9의 "씨"이며, 베드로전서 1:23은 이것을 "썩지 아니할 씨"라고 말한다. 이 참조 구절이 위험한 것은 예수 그리스도를 지칭하는 『하나님**의** 말씀』(the Word of God, 요 1:1,2)이 아니라 『하나님**의 말씀**』(the word of God)에 대한 것이기 때문이다(벧전 1:23). 그러나 고린도후서 2:17에 따르면 하나님의 말씀은 변개될 수 있다. (1880년 이후로 NIV, NASV, NKJV 등의 변개된 성서들은 이 구절에서 "변개하다"(corrupt)라는 단어를 삭제했다.)

25년간 정규 교육을 받았기 때문에 자신이 똑똑하다고 생각하면서 성경을 믿지 않는 학자들은 제쳐 놓고, 조금 더 깊이 들어가 보도록 하자. 우리는 성경 본문들을 다룰 때, 필자가 "부정적인 사고의 능력"이라고 부르는 것을 활용해야 한다. 고기에 해당하는 말씀이 나올 때마다 어떤 주석가든 자신이 바르다고 생각하는 해석을 말하기 위해서 그 구절에 기록된 단어 중 하나라도 바꾸는 자는 전혀 고려할 가치가 없다는 것이다. 성령께서는 우리가 이런 자의 의견에 주목하기를 원하시지 않는다.

이 "씨"의 "썩어지지 아니함"은 시편 12:6의 하나님의 말씀들에 적용된다. 동시에 그것이 하나님께서 하신 말씀들이라면 성경을 믿지 않는 기독교 학자들에 의해서 변개될 수도 있다. 그러나 카인(11,12절)과 그의 아비(요 8:44, 고후 11:2,3)가 이 문제와 관련된다면, 우리는 여자의 "씨"가(창 3:15) 사탄의 "씨"와 대립하는 구도를 가지게 된다. 그리고 "여자의 씨"는 완전히 또한 절대적으로 그의 피부까지 죄가 없고 썩지 않는다.

『**그가 미리 앞을 내다봄으로** 그리스도**의 부활에 관하여 말한 것은, 주의 혼이 지옥에 버려지지 아니하였으며, 또 주의 육신도 썩어짐을 보지 아니하였다는 것이라**』(행 2:31).

발설되고 기록된 말씀인 하나님의 말씀(the word of God)이 『하나님**의** 말씀』(the Word of God)으로 나타나 있다. 『하나님**의** 말씀』은 하나님의 자신의 본성에 대한 하나님의 표현이다(히 1:5,6, 딤전 3:16, 출 3:14, 사 9:6; 7:14).

이 죄 없는 씨는 우리의 본문에서 언급된 분일 수도 있다. 왜냐하면 성경이 그 "씨"가 죄지을 수 없다고 말하기 때문이다. 요한은 이 "씨"를 가지고 있는 사람 곧 거듭난 사람(『하나님**께로부터 태어난 사람**』)과 혼합하여 설명하고 있는 것이다. 즉 요한일서의 본문은 그리스도의 탄생과 우리의 새로운 출생을 밀접하게 연결하고 또한 비교하고 있는 것이다(요일 5:1,4-7).

이 구절이 매우 난해한 것은 요한이 이 "씨"를 거듭난 믿는 자의 외적인 행동과 함께 묶어서 설명하기 때문이다(7,10절). 야고보도 야고보서

1:23,24; 2:14-25에서 그렇게 했다. 마태복음 25장도 마찬가지다.

8절과 9절의 이상한 연결을 다시 주목해서 보라. 『하나님**의** 아들』께서 "하나님의 자녀들이 드러나기 전에" 처음 나타나셨다(10절). 『하나님**의** 아들』을 언급하자마자, 죄 없는 씨가 등장한다(9절). 9절에서 하나님께로부터 태어난 사람은 예수 그리스도 그분 자신에 관한 말씀일 수도 있다. 왜냐하면 그분 자신이 "육신으로 나타나신 하나님"이시기 때문이다. 그러나 RV, RSV, NRSV, CEV, TEV, NEB, NWT, ASV, NASV, NIV 등에서는 이러한 진리를 찾을 수 없다.

모든 "더 새롭고" "더 정확한" 역본들을 출간하는 목적은 거룩한 성경인 AV 1611의 위대한 진리들을 여러 군데에서 삭제한 책들을 팔아먹기 위함이다. 1881년 이후로 단 하나의 예외도 없다.

9절의 『**죄**』 또한 "거듭난" 죄인이 대환란에서 지을 수 없는 하나의 특정한 죄에 대한 언급이다. 사도 요한의 서신에 있어서 어려운 점은 그가 두 방향으로 서신을 기록했다는 것이며, 9절을 어떻게 해석한다고 하더라도, 10절은 한 사람이 형제들을 음식과 의복으로 채워 주지 않는다면 (16,17절) 그는 "하나님께 속한 자가 아니다"라는 뜻이 포함되어 있다. 요한이 "하나님께 속한다"거나 "마귀에게 속한다"라는 표현을 쓸 때, 그는 바울이 그의 사역에서 염두에 두지 않았던 뭔가를 염두에 둔 것이다. 바울이 말할 때 "마귀에게" 속한 사람들은, 요한복음 8:44과 요한일서 3:9과 달리, 모두 구원받지 않은 죄인들로 그렇게 태어난 자들이며(엡 2:1-4), 바울은 사탄이 그들의 『**아비**』라고 말하지 않는다. 요한의 서신에서 사탄은 누군가를 낳으며, 그들은 초자연적인 출생으로 태어난 자들이다. 고린도후서 11장을 보라. 그들은 그의 "씨"다. 평행 구절로 마태복음 13:38을 보라.

이 시대에 사는 그리스도인에게 있어 그의 존재 중 거듭난 것은 그의 영이다. 죄를 짓는 부분은 그의 육신이며(롬 7장), "육신의 정욕들이 혼을 거슬러 싸운다"(벧전 2:11). 할례받은 혼은(골 2:11) 육신이 뿌린 것을 거둘 수 없으나, 지리적으로 육신 안에 붙잡혀 있고(고후 10:3), 육신은 그것이 뿌린 것을 거두게 된다(갈 6장).

『**주와 합하는 자는 한 영이니라.**』(고전 6:17)고 하셨지 "혼"이 아니다. 그리스도 안에 있는 "**새 사람**"은(고후 5:17) 아담이 죄지었을 때 죽었다가 거듭나게 된 영이다. 성령에 의해 다시 살리심을 받은 이 영은 『**너희 안에 계신** 그리스도**시요, 곧 영광의 소망**』이시며(골 1:27), 이 영은 또한 『**마지막 아담**』이며 성경은 이를 『**살려 주는 영**』이라고 정의한다(고전 15:45). 당신은 『**그의 안에서 온전**』하며, 그는 당신 안에 있다(골 2:9,10). 옛 본성은 『**땅에서 나서 흙**』에 속하며(고전 15:47), 죄는 새 사람이 아니라 이 옛 본성 안에 역사한다. 로마서 7:15-25을 보면 더욱 분명하다.

즉 모든 그리스도인은 두 사람이 한 몸 안에 있는 일종의 정신분열환자다.

오직 우리의 영만이 거듭났다. 우리의 몸은 부활 때까지 "거듭나지" 않는다(행 13:33-35, 롬 8:23-25). "내 육신 안에는 선한 것이" 거하지 않으며, 육신은 썩은 것이다. 따라서 우리의 육신에 대해서 우리가 할 수 있는 것은 그것을 땅에 묻는 것이며, 이는 육신이 사는 동안 쉬지 않고 불평하고 칭얼대기 때문이다. 육신은 교육할 수도, 훈련할 수도, 교양 있게 만들 수도, 십자가에 못박을 수도 없다. 여전히 육신일 뿐이기 때문이다(요일 4:4과 주석을 보라). "이차적 성별"과 성화도 우리에게서 우리의 육신을 제거해 줄 수는 없다. 필자는 성별을 믿는다. ("성별"에 대해서는 고후 6:14-18과 롬 12:1-4과 그 주석을 공부하라.) 그러나 필자는 세 개의 교회를 담임하는 동안 집사와 회계와 성도들에게 어떤 규율을 만들어서 제약하지 않았다. 그럼에도 우리는 담배를 피는 집사나 주일학교 교사나 옷을 단정하게 입지 않는 찬양대 대원이나, 공개적으로 담배 피거나 술 마시는 회원도 없었다.

교회법이나 규정을 만들어서 "이것을 하지 말라, 저것을 하지 말라" 할 수 있다. (골 2:21,22과 그 주석을 보라.) 그러나 그런 것들로 성도들을 영적으로 만들 수는 없다. 예수님께서는 『**참으로 영은 원하지만 육신이 연약하도다.**』고 말씀하셨다. 사도 바울 또한 『**내 안에 (곧 내 육신 안에는,) 선한 것이 거하지 않는 줄을 내가 아노니**』(롬 7:18)라고 하였다. "육신"에 대한 해결 방법은 당신의 마음을 올바른 장소에 두고(골 3:1-3) 날마다 육신이 죽은 것으로 여기는 것이다(롬 6:11).

만약 9절을 평균적인 미국 남침례교회 성도나 독립침례교회 성도에게 적용한다면, 어떤 회중이든지 그중 8%에서 10%는 "형제들"에게 전혀 도움이 되지 않는다는 사실을 알게 될 것이다. 대부분의 침례교회는 "회의"를 열어 콩가루가 될 때까지 서로 싸우고 분열하기를 반복한다. 요한의 기준에 따르면(9절), 8~10%의 침례교회 회중들은 "마귀에게" 속한 자다.

요한이 교회 시대에 대해서 말하고 있는 것이 아님을 알기 원한다면, 형제들이 서로 어떻게 사랑해야 하는지 보여 주는 다음의 리트머스 시험지를 보라.

3:10 여기에서 하나님의 **자녀와 마귀의 자녀가 드러나느니라. 의를 행하지 아니하는 자나 자기 형제를 사랑하지 아니하는 자는 누구나** 하나님**께 속하지 아니하니라.**

11 이는 너희가 처음부터 들은 말씀이 우리가 서로 사랑해야 한다는 것이기 때문이라.

12 카인같이 되지 말라. 그는 그 악한 자로부터 나왔으며 자기 아우를 살해하였으니, 무슨 연고로 그를 죽였겠느냐? 이는 그 자신의 행위는 악하고 그 아우의 행위는 의로웠기 때문이라.

13 나의 형제들아, 세상이 너희를 미워하여도 이상히 여기지 말라.

14 우리가 사망으로부터 생명으로 옮겨간 것을 아노니, 이는 우리가 형제들을 사랑하기 때문이라. 자기 형제를 사랑하지 않는 자는 사망 안에 거하느니라.

15 자기 형제를 미워하는 자는 누구나 살인자요, 살인자는 누구나 영원한 생명이 그의 안에 거하지 않음을 너희가 아느니라.

16 이로써 우리가 하나님의 **사랑을 아노니, 이는 그분이 우리를 위하여 자신의 생명을 내어 놓으셨음이라. 따라서 우리도 형제들을 위하여 우리의 생명을 내어 놓는 것이 마땅하도다.**

『**처음**』(11절)은 요한의 회심자들이 혹은 그의 서신을 읽고 있는 대상이 처음으로 예수 그리스도께서 요한복음 13:34에서 하신 말씀을 들었을 때를 의미한다.

또한 『**마귀에게**』(8절)는 『**그 악한 자로부터**』(12절)와 연관되는 것을 볼 수 있다. 즉 그 사람의 아비가 사탄이라는 사실은 그의 믿음이 아니라 그의 행위들로 나타난다는 것이다. 카인은 아벨보다 더 많은 믿음이 있었다. 그는 아벨보다 먼저 자신의 제물을 가져왔다. (카인은 흑인, 유대인, 혹은 성경을 거부하는 자의 예표이며, 아벨은 예수 그리스도의 예표다. 저자의 주석서 〈창세기 I〉을 참조하라.) 고린도후서 11:2-3을 자세히 또한 면밀히 살펴보라.

『이는 내가 경건한 질투로 너희에게 질투를 느낌이라. 내가 너희를 한 남편에게 정혼시켰나니 이는 한 순결한 처녀로 너희를 그리스도께 **바치려**

는 것이라. 나는 뱀이 그의 간계로 이브를 속인 것같이 너희의 마음도 어떤 방법으로든 그리스도 **안에 있는 단순함에서 떠나 부패할까 두려워하노라**』(고후 11:2,3).

우리가 이해할 수 있든지 이해하지 못하든지 아벨과 카인은 쌍둥이였으며, 그 중 하나는 그 아버지가 아담이 아니었다. 카인은 "그 악한 자로부터" 났다. 그는 "마귀에게" 속한 자다(요일 3:9).

모든 것을 포괄하는 다음의 진술을 보라. 『**자기 형제를 사랑하지 아니하는**』(10절). 이 진술에 이어 요한은 당신이 만약 형제를 사랑하지 않으면 거짓말쟁이며(요일 1:10), 3:15과 3:10에 따라서, 당신의 아비가 사탄이라는 결론으로 이끌어가고 있다. 이것이 교회 시대에 해당하는 본문인가?

바울과 바나바가 심하게 다투고 서로 멱살을 잡을 지경이 되었을 때(행 15:39), 그들이 그렇게 했다고 해서 그들의 거듭남이 취소되고 갑자기 그들의 영적 아버지가 바뀐 것인가? 앞에서 우리가 말한 그대로다. 요한일서의 본문을 모두 바울 서신과 일치시켜 해석하면 큰 혼란에 빠질 수밖에 없다.

요한은 얼핏 보기에 명백한 이유 없이 13절을 삽입한 것처럼 보인다. 그러나 13절은 14,15절 사이에 넣으면, 또 하나의 대환란 기간에 적용되는 교리를 확인하게 된다. 즉 마태복음 24,25장, 야고보서 2장, 누가복음 16장, 산상설교와 요한일서 2:8을 주석할 때 제시했던 본문들과 연결되는 것이다. 세상은 거듭난 성도를 미워할 뿐만 아니라, 그를 죽일 것이며(계 11장), 그의 죽음을 보고 즐거워할 것이다(계 11:10; 6:9; 20:4).

14,15절도 "구약의 구원과 신약의 구원과 대환란에서의 구원이 같다"라고 생각하는 교육받은 멍청이들을 위한 무덤이다. 14절은 구원받은 사람도 그리스도 안에 있는 형제를 사랑하지 않으면 그가 "사망 안에 거한다"고 말씀한다. 그는 "사망 안에 거할" 뿐만 아니라, 그는 그의 아비처럼(요

8:44) 살인자다(15절). 만약 그가 영원한 생명을 가졌었다면, 그는 그것을 잃어버린 것이다. 왜냐하면 성령께서 신약 성도 안에 거하신다고 말씀하신 것과 달리(요 14:16, 엡 4:30), 그 안에는 영원한 생명이 거하지 않는다고 말씀하고 있기 때문이다(15절).

여기서 돕슨, 채프만, 윌밍턴, 크롤, 라이리, 힌드슨, 웸프, 맥기, 칼빈, 쿠티렉 등은 본문이 무엇을 말하는지 전혀 깨닫지 못한다. 변개된 시내사본, 바티칸사본, 알렉산드리아사본의 기록자들은 15절에서 "자기 형제"를 제거함으로서 문제를 해결하려 했다. 성경을 거부하는 모든 펑크들은 자신이 성경에 수정을 가하면서도 다른 사람들에게 성경을 가르친다고 한다. 다른 주석가들은 본문의 단어들에 걸려 넘어져서, 본문의 "형제"를 구원받은 그리스도인 형제로 만들었다. 포셋은 자기 형제를 미워하는 자는 처음부터 영원한 생명을 가진 자가 아니었다고 말한다. 즉 형제를 미워하는 자는 처음부터 "형제"가 아니었다고 한다. 그러나 성경은 "형제"라고 말한다.

신학교의 교수들이 일반적으로 어떻게 가르치는지 알고 싶은가? "경건한" 학자들이 어떻게 가르치는지 알고 싶은가? 다음의 엉터리 주석을 보라!

"그런 자는 사망 안에 거한다. 그의 미래의 상태가 아니라 현재의 상태를 말하는 것이다. 자기 형제를 미워하는 자는 현재 상태로 자신 안에 거하는 영원한 생명을 가질 수 없다."

구원받지 못한 자가 어떻게 처음부터 "형제"일 수 있으며, 미워할 "형제"가 있을 수 있는가?

따라서 시내사본과 바티칸사본은 "자기 형제"를 삭제해 버린 것이며, NASV와 NIV와 유사한 200여 개의 변개된 영어 성서와 〈개역한글판〉과 〈개역개정판〉도 이 변개된 필사본들을 "가장 오래되고 가장 좋은" 필사본으로 여겼기 때문에 똑같이 삭제했다.

마태복음 25:40을 읽어 보라. 이 구절에서 "형제들"은 예수 그리스도의 "형제들"이다. 대환란에서 이방인들은 이 "형제들"을 사랑했느냐 혹은 미워했느냐를 근거로 지옥에 가지 않을 수도 갈 수도 있다. 야고보서 1:9-11,27; 2:5-7을 공부하라. 부자들이 구원받은 유대인들을 미워하고(약 5:1-6), 만약 그들이 "그리스도인" 이방인들이라면, 그들은 지구상에서 모든 유대인들을 살해하느라 여념이 없는 "멸망의 아들" 때문에(계 13:6-18) 감히 그들을 도와주지 못할 것이다(약 2:14-16). 마태복음 25장에 나온 그리스도의 "형제들" 중 단 한 명도 구원받은 이방인이 아니다. 그들은 마태복음 23:8과 28:10에 따르면 그리스도의 육신에 따른 "형제들"이다.

만약 그들이 영적으로 예수 그리스도의 형제들이라면(눅 11:27,28, 마 12:46-50에서와 같이), 그들 중 누구도 거듭나지 않았으며, 그들 중 누구도 "그리스도 안에" 있지 않았으며, 그들 중 누구도 영적으로 할례 받지 않았으며, 그들 중 누구도 구속받지 못한 것이 된다(히 9:13, 골 1:14).

본문에 따르면 당신은 "형제들"을 위해 자신의 생명을 내어 놓아야 한다. 대환란 기간에는 "자신의 생명을 내어 놓고"(요일 3:16), 유대인 성도를 보호하거나 도와야 한다. 대환란에 들어가는 이방인은 "쉰들러리스트"처럼 행해야 하며, 아우슈비츠에서 히믈러와 헤스의 압제 아래 있었던 걸스타인처럼 행동해야 하는 것이다. (필자가 무슨 말을 하는지 모르겠다면 인터넷에 시간 쓰지 말고 책을 읽으라.)

미국 그리스도인들은 아직까지는 이렇게 "사랑"하지 않아도 된다. 그러나 수천 명의 그리스도인들이 루마니아, 불가리아, 러시아, 중국, 우크라이나 등과 같은 나라에서 이와 같은 형제 사랑을 보여 주었다. 16절은 우리가 어떻게 "진정한 사랑"에 접근해야 하는지 보여 주고 있다. 우리가 여러 번 말했지만, 힌두교인, 불교인 모슬렘 등이 "사랑"을 말한다 해도 그들은 실제로 "진정한 사랑"에 대해서는 전혀 알지 못한다(롬 5:8). 그들의 신

(들)은 결코 그들을 위해서나 누구를 위해서도 죽은 적이 없다. 이 위선자들이 "사랑"에 대해서 말할 때, 자신이 전혀 아는 바 없는 주제를 사랑으로 인한 고통을 한 번도 감내한 적도 없는 미숙한 거짓 선지자로서 떠벌이는 것이다.

중세 시대 전체를 거쳐서 로마카톨릭은 "형제들을 미워"했을 뿐만 아니라 그들을 체포하고 추방시키고 투옥하고 고문하고 살해하였다. 이슬람도 A.D. 600년부터 A.D. 2010년 현재까지 동일한 짓을 자행해 오고 있다. 만약 21세기의 어떤 그리스도인이 요한일서 3:14을 "교회 시대"에 적용되는 것으로 받아들인다면, 그는 또한 교회-국가 체계 내에 있는 모든 교인들 곧 영국국교회, 개혁교회, 카톨릭, 그리스정교, 모슬렘 등의 교인들이 사탄의 자녀들로 사망 안에 거한다는 사실을 시인해야만 하는 것이다(6,8,10,14,15절).

대환란 신학에 있어서 우리가 만나게 되는 가장 수긍이 잘 가지 않는 부분은 신자들 안에 있는 새 성품은 죄지을 수 없지만, 옛 성품은 죄지을 수 있고, "사망에 이르는 죄"를 짓는 경우 즉 우상 숭배(요일 5:21)와 맹세(약 5:12, 마 5:34)가 동반하는 죄를 범한 경우, 성령께서 "거듭난" 신자의 몸을 떠나실 수 있다는 것이다. "기름부음"과 그 "씨"의 생명과 빛의 거함이 계명들을 지키는가 그렇지 않는가에 따라 조건적임을 주목하라(계 12:1; 14:12, 요일 5:3; 2:4,22-24,29; 3:4,6,7,24).

"오버랩"이 있음을 유의하라. 대부분의 경우에 있어서 요한일서의 구절들은 요한일서 3:23에 적용할 수 있지만, 계시록 12:17; 14:12 등과 마태복음 5:34, 야고보서 5:12 등은 그렇게 할 수 없다.

이처럼 이중 적용이야말로 신학대학원의 교육을 무용하게 만드는 것이다. 이중 적용을 깨닫는 데 있어 제리 포웰의 〈리버티성경주석, 1982〉은 아무짝에도 소용이 없기 때문에, 쓰레기통에 집어 던지는 편이 낫다.

3:17 누가 세상의 재물을 가졌는데 자기 형제의 궁핍한 것을 알면서도 그를 동정하는 마음을 닫으면 어찌 하나님**의 사랑이 그 안에 거하겠느냐?**

18 나의 어린 자녀들아, 우리가 말이나 혀로 사랑하지 말고 행동과 진리로 하자.

19 이로써 우리가 진리에 속한 줄 알고 또 그분 앞에서 우리의 마음을 확고히 하리라.

17절은 야고보서 1:9-11,27; 2:5-7, 마태복음 25:40을 여는 열쇠다.

18절은 야고보서 2:5-7의 정확한 짝이다. 물론 요한일서를 이해함에 있어서 항상 그리스도인의 실행을 위한 영적인 적용을 할 수 있다. 그러나 교리적으로는 두 본문 다 믿음과 행위들로 구원받는 상황을 다루고 있다.

19절은 앞의 두 구절을 교회 시대에 적용하기에 좋게 만든다. 19절이 "거듭남"의 일부로서의 어떤 행동이나 "하나님께" 속하였음을 증명하는 것과 관련된 것이 아니기 때문이다. 이 구절은 단지 사람들을 도와주는 것이 그 성도에게 구원의 보장을 확신할 수 있게 한다는 의미다. 『**이로써 우리가 진리에 속한 줄 알고 또 그분 앞에서 우리의 마음을 확고히 하리라**』 (19절).

3:20 이는 만일 우리 마음이 우리를 정죄한다면 하나님**은 우리 마음보다 더 크시고 모든 것을 아시기 때문이라.**

21 사랑하는 자들아, 만일 우리 마음이 우리를 정죄하지 아니하면 우리가 하나님 **앞에서 담대함을 얻고**

22 무엇이든지 구하는 것을 그에게서 받나니, 이는 우리가 그의 계명

들을 지키고 그의 목전에 기쁨이 되는 일들을 행함이라.
23 **그의 계명은 이것이니, 우리가 그의** 아들 예수 그리스도**의 이름을**
믿고, 그가 우리에게 주신 계명대로 서로 사랑하라는 것이라.
24 **그의 계명들을 지키는 사람은 그분 안에 거하고 그분은 그 사람**
안에 거하시느니라. 이로써 우리에게 주신 성령**에 의하여 우리는**
그분이 우리 안에 거하시는 것을 아느니라.

요한은 다시 바울 서신의 맥락에서 서신을 기록하고 있다. (요한이 바울 서신을 다 읽었음을 기억하라.) 그는 우리가 올바로 산다면 우리의 마음이 우리를 정죄하지 않을 것이며, 기도의 응답의 약속을 능히 주장할 수 있다고 설명하고 있다. 『**무엇이든지 구하는 것을 그에게서 받나니**』 구원은 값이 없지만, 기도에 대한 응답은 대개의 경우 행위들에 달려 있음을 주목하라. 『**이는 우리가 그의 계명들을 지키고**』

기도 응답의 부정적인 조건과 긍정적인 조건이 있음을 유의하라. 특정한 행동들을 하지 않으면서 계명들을 지키는 것만으로 충분하지 않다. 성경은 『**그의 목전에 기쁨이 되는 일들을 행함**』이 필요하다(22절). 이것은 세상과 성별한 삶과 정결한 삶이 그리스도인의 삶의 전부가 아님을 의미한다. 많은 현대의 "율법적인" 근본주의자들은 그렇게 생각하는 경향이 있다.

우리가 행하여 하나님께 기쁨이 되는 일들은 하나님께서 직접적으로 명령하시지 않은 것도 많다. 예를 들어 보자. 당신의 수입의 35%를 하나님께 드리는 것, 헌금으로 해외 선교사들을 지원하는 일, 전도지 나눠 주기, 거리설교, 성경학교에서 성경 가르치기, 건전한 기독교 라디오 방송 지원하기, 교회에서 정치 놀이 하지 않는 것, 필요할 때는 입을 다물어 덕을 세우는 것 등이다.

『**그의 계명은 이것이니**』(23절)에서 『**이것**』은 사실 복수이다. 『**우리가**

그의 아들 예수 그리스도**의 이름을 믿고**』 또한 『**그가 우리에게 주신 계명대로 서로 사랑하라는 것**』이다. 따라서 다음 구절에서는 다시 복수의 『**계명들**』이 나온다(24절).

23절에서 『**우리**』는 아직 예수 그리스도를 믿지 않은 구원받지 않은 자를 가리킨다! 요한이 이 서신을 썼을 때 그는 구원받지 않았는가? 아니면 믿기를 중단한 것인가? 요한이 믿는 자에게 그리스도를 믿으라고 말하는 부분을 읽어 보라. 이제 누가복음 22장으로 돌아가서 믿는 자가 "회심"한다고 말씀하는 구절을 살펴보라(눅 22:32). 이제 믿는 자가 성령을 받지 않고 침례 받는 부분을 보라(행 8:12-16). (행 2:38에서는 성령을 받을 것이라고 말했다.)

이러한 상황에서는 구원의 공식(행 16:31)에 무섭기까지 한 부가적인 의미들이 있다. 즉 "네가 계속해서 믿는 한 너는 하나님께 속한 자이며 너는 그리스도 안에 거하는 것이다. 그러나 네가 만약 믿기를 중단하거나 죄를 지으면, 너는 잃어버린 자가 되고 처음부터 온전히 믿은 것이 아니다."

당신이 요한일서 4:21에 불순종하면 당신은 하나님께 속한 자가 아니다(요일 3:11).

당신이 형제를 미워하면, 당신은 영원한 생명을 소유한 것이 아니다(요일 3:10,11).

당신의 씨가 당신 안에 남아 있다면 당신은 죄짓지 않을 것이다. 그러나 죄를 지으면(요일 3:8) 당신은 "마귀에게" 속한 것이다.

당신은 죄 없는 씨를 잃어버렸는가?

반복한다. 이 구절들을 로마서, 에베소서, 갈라디아서, 골로새서에서 볼 수 있는 신약 교회 시대의 구원에 교리적으로 적용할 수 없다. 마태복음,

히브리서, 야고보서, 요한계시록에서처럼 계속해서 사람의 행위들이 그의 "새로운 출생"과 연관됨을 보는 것이다. 디모데후서 2:13이나 "행위들이 당신이 구원받은 것을 증명한다"는 식의 간단한 설명으로 요한일서 2:4,9,11,24; 3:4,6-10,14,15; 4:7,8,15,20; 5:3,16,18 등을 설명할 수 없다.

조디에이츠, 라이스, 라이리, 크롤, 프리억슨, 스윈돌, 띠엠, 붸스트, 브루스, 섬너, 커스터, 화이트 등의 가볍고 경건하고 부풀려 쓴 영적 적용으로 일관한 주석은 "심도 깊은 성경 연구"와는 전혀 관계없는 것들이다.

24절은 구원의 보장에 관한 것이다. 『**우리는... 아느니라.**』고 말하고 있다. 우리는 우리 안에 계신 성령께서(골 1:27, 고후 4:7) 우리의 새로운 출생에 대해 증거하시기 때문에(요일 5:9,10) 우리가 구원받은 줄 안다.

요한일서 4장

4:1 사랑하는 자들아, 모든 영을 다 믿지 말고 그 영들이 하나님께 속하
였는지 시험하라. 이는 많은 거짓 선지자들이 세상에 나왔음이니라.
2 하나님의 영을 너희가 이렇게 알지니, 예수 그리스도께서 육신으로 오
신 것을 시인하는 모든 영은 하나님께 속한 것이요
3 예수 그리스도께서 육신으로 오신 것을 시인하지 아니하는 모든 영은
하나님께 속한 것이 아니니, 이것이 곧 적그리스도의 영이니라. 그것
이 오리라는 것을 너희가 들었으나 지금 그것이 이미 세상에 있느
니라.
4 어린 자녀들아, 너희는 하나님께 속하였고 또 그들을 이겼으니, 이는
너희 안에 계신 분이 세상에 있는 자보다 더 크시기 때문이라.
5 그들은 세상에 속하였으므로 세상에 관한 말을 하나니, 세상이 그들
의 말을 듣느니라.
6 우리는 하나님께 속하였으니, 하나님을 아는 자는 우리의 말을 듣고

하나님께 **속하지 아니한 자는 우리의 말을 듣지 않느니라. 이로써 우리가 진리의 영과 미혹의 영을 아느니라.**

위의 구절들은 친숙한 내용이다. 즉 교회 시대의 그리스도인에게나 대환란 중에 모두에게 일반적으로 적용될 수 있는 구절들이다. 먼저 위에서 언급한 "영들"이 사람들과 연관되어 있음을 유의하라. 『**그 영들이** 하나님**께 속하였는지 시험하라. 이는 많은 거짓 선지자들이 세상에 나왔음이니라**』(1절).

우연으로 생각할지도 모르지만, 계시록 13:11-15에서 거짓 선지자를 보면 우연이 아닌 것을 확실히 알 수 있다. 또한 이 거짓 선지자가 거짓 아버지, 거짓 아들, 거짓 성령을 구성하는 사탄의 "삼위일체"와 관련이 있다는 것을 알 수 있다. "바알"은 거짓 아버지이며, "발락"은 거짓 아들이며, "발라암"은 거짓 영으로 각각 짝지워진다(민 22-23장, 왕상 18장, 왕하 10장을 보라).

계시록에서 거짓 "성령"은 한 선지자로 나타난다(계 13:11).

사람이 말할 때 그의 입에서 세 개의 영이 나올 수 있다. 욥은 당신이 사실을 있는 그대로 전했을 때 『**누구의 영이 네게서 나왔느냐?**』고 묻는다(욥 26:2-4). 『**영**』은 『**바람**』이다(요 3:8, 겔 37:9,14, 창 2:7, 욥 32:8).

이것은 설교자가 성경을 들고 성령의 능력으로 설교할 때 설교자와 회중 안에는 일종의 영적인 "교환"이 일어남을 의미한다(고전 2:1,4). 어떤 의미에서는 그는 안수나 물리적인 접촉 없이 청중에게 실제적으로 성령을 전달하는 것이다.

수년 전에 내 아들들이 모두 어렸을 때(1970-1990) 아이들은 내가 다른 설교자들의 설교를 열심히 듣는 것을 놀리곤 했다. 나는 레스터 롤로프, 휴 파일, 밥 그레이 등이 설교하는 것을 즐겨 들었던 것이다. 아들들이 내게 이렇게 말했다. "아빠, 아빠는 슈퍼볼 경기에 갈 수 있는 공짜 티켓이 생기고, 같은 날 밥 그레이 목사님이 강연회에서 설교한다면 어떻게 할 거예요? 슈퍼볼 보러 가실 꺼죠?" 나는 말했다. "아니, 밥 그레이 설교 들으러 갈 거야!" "아빠, 그러면 슈퍼볼이 아빠가 사는 이 도시에서 열리고, 몇 킬로미터만 운전해서 경기장에 갈 수 있다면 어떻게 하시겠어요?" 나는 대답했다. "그래도 밥 그레이 설교 들으러 갈 거야!" 나는 진심으로 그렇게 대답했다.

내 아들들은 내가 한 말을 믿을 수 없다는 듯한 눈치였다. 그러나 나는 진심을 말했을 뿐이다. 왜냐하면 성경을 있는 그대로 믿는 설교자가 죄들을 자백하고 주님과 깨끗한 관계에 있고 충분히 기도하고 설교단에 올라설 때, 그 예배에서는 분명 어떤 역사하심이 일어나기 때문이다. 이것을 『**기름부음**』이라 부르든 그렇게 하지 않든(요일 2:20,27), 결과는 동일하다. 분명한 영적인 "교감"(transaction)이 설교자의 입과 청중의 귀로 전달되는 것이다(마 13:9, 눅 8:8, 막 4:23, 계 3:6,13,22).

필자는 설교를 했는데 예배가 끝날 때 아무도 구원받지 않았는데도 회중이 나를 둘러싸고 감사하다고 말하면 그리 달가워하지 않았었다(1952-1992). 사람들은 줄을 서서 나와 악수를 하고 어디에다가 내 사인을 해달라고 요청하며 이렇게 말했다. "럭크만 형제님, 설교가 정말 제게 축복이 되었습니다." 나는 이를 꽉 깨물고 머리를 흔들면서 혼잣말로 이렇게 중얼거렸다. "그러셨군요." 왜냐하면 나는 무슨 영화배우처럼 다른 사람들의 존경이나 칭송을 원한 것이 아니었기 때문에 언짢았던 것이다. 필자는 성인들이 구원받는 것을 보길 원했다.

그리고 나는 혼자서 이렇게 말했다. "도대체 '축복'이 뭐지?"

설교자인 필자 스스로는 "축복"을 얻지 못했던 것이다. 성도들은 제대로 기도하지도 않는 것 같았고, 나는 다가오는 한 주를 살 수 있는 사례도

받지 못할 때가 있었으며, 가정사로 문제를 겪고 있었고, 설상가상으로 죄인들도 주님께로 인도하지 못했던 것이다. 예배가 끝나면 파도처럼 많은 사람들이 나를 둘러쌌지만, 나는 때때로 그림설교를 할 때 쓰는 쵸크나 설교노트를 잃어버리기도 했고 내 안경이나 펜을 분실하기도 했으며, 성경을 잃어버렸을 때도 있다.

나는 그런 회중들의 반응에 "언짢아"했다. 그런데 어느 날 주님께서 내게 깨우침을 주셨다. 42년쯤 전에, 필자는 매우 어려운 시기를 지나고 있었다. 한번은 프리쯔 팔썸(Fritz Folsom)이라는 감리교 설교자가 담임하는 한 작은 시골 교회를 방문했다. 그는 구원받은 감리교 설교자였고, 성경대로 믿는 그리스도인이었으며, 구식 감리교 설교자였다. 그는 이제 막 다섯 번째 아기의 출산을 위해 아내를 병원에 데려다주고 돌아왔었다.

그의 아내는 정상적으로 아기를 낳았고, 건강한 사내아이였다. 그 설교자와 네 명의 자녀들과 친구들과 친척들이 대기실에서 기다리다가 모두 하나님께서 기도에 응답해 주셨음을 기뻐하면서 하나님을 찬양하고 있었다.

모두들 기뻐하고 있는데, 위층에서 누가 내려와서 소스라칠 소식을 전해주었다. 출산 후 산모가 수혈이 필요해서 수혈을 했는데, 알고 보니 혈액형이 다른 피였다는 것이다. 그래서 아기가 태어난 지 30분도 안 되서 산모가 죽었다는 소식이었다. 그 설교자는 순식간에 아내를 잃어버리고 홀아비로 다섯 명의 자녀들을 돌보게 된 것이었다. 큰 아이가 그때 열여섯이었다.

내가 그의 설교를 들은 것은 그 사고가 있고 2주가 지나서였다. 그는 "믿음으로 사는 것"과 "하나님을 믿으라"는 주제로 설교를 했다.

그가 그 설교를 했을 때 눈물을 훔치지 않은 성도가 없었다. 나 또한 내게 닥친 힘든 일들로 기진맥진한 모습으로 왔다가, 그의 설교를 듣고 으르렁거리는 사자처럼 용기를 되찾게 되었다.

예배가 끝나고 자리에서 일어났을 때, 나는 스스로에게 "가서 저 목사에게 설교가 얼마나 내게 축복이 되었는지 말해줘야겠어!"라고 중얼거렸다. 바로 그때였다. 주님께서 내 주의를 환기시키시고 이렇게 말씀하셨다. "너, 뭐하는 거냐? 너는 사람들이 설교가 끝난 후에 네게 와서 악수하고 설교가 얼마나 축복이 되었는지 감사하는 것을 언짢게 생각지 않았니?"

나는 주춤거리며 일어섰다. 짧은 순간이지만 깊이 생각해야 했다. "내가 뭘 하려는 거지? 왜 내가 다른 사람들이 하면 싫어하는 것을 하려는 거지? 설교를 들을 때 분명 뭔가 내게 일어난 것은 알겠는데, 그게 뭔지 설명할 수는 없단 말이야?!"

이제 필자는 그것이 무엇인지 안다. 설교자가 충분히 기도하고 바른 성경을 믿고 설교단에 서서 두려움이나 어떤 치우침 없이 설교할 때, 그것은 단지 말의 전달이 아니라 어떤 일이 일어난다. 그 회중 안에 영적인 "교감"이 일어나는 것이다. 설교자가 성령으로 섬기는 자가 된 것이다. 성령께서 그를 통해서 말씀하시는 것이다(벧후 1:21).

만약 성경의 "정경 밖에서의 영감"(Extra-canonical Inspiration)이라는 것이 있다면 바로 이것이 그것이다. (성경의 정경 외에 영감이 존재할 수 있다는 말이 아님을 모든 독자들이 알 것이라 믿는다.)

하나님께서 버려 버리셨고 설교나 성령님의 능력에 대해서 간단한 진리조차도 이해하지 못하는 "근본주의자들"은 그들이 가르치는 학생들과 회중의 무지를 이용하여 성경의 진리를 가린다.

하나님께서 이 고등교육만 받았지 도무지 성경을 깨닫지 못하는 이 자들에게 무엇이라 말씀하시는지 보라.

『**예언은 예전에 사람의 뜻에서 나온 것이 아니요 오직** 하나님**의 거룩한 사람들이** 성령**으로 감동을 받아 말한 것이니라**』(벧후 1:21).

성령께서 사람들을 감동시키셔서 그들로 말하게 하셨다는 것이다. 쓰게 하신 것이 아니다. 성령께서 사람들을 통해서 말씀하신 것이다(렘 36:4). 이것이 왜 "영감"(inspiration)이 기록자의 펜이 아니라 "호흡"과 연관되는가 하는 이유다(요이 1:12의 주석을 참조하라). 성령께서는 사람에게 기록할 말씀을 주실 수 있다. 그러나 베드로후서를 포함하는 모든 헬라어 필사본을 다 점검해 봐도 그렇게 말하지 않는다. 그런데도 그리스도의 몸 안에 있는 모든 라오디케아 시대의 배교자들은 『**말한**』(SPOKE)이라는 표현을 "기록했다"(WROTE)로 해석한다(벧후 1:21). 진리에서 100% 빗겨간 것이다. 100% 오류다(요일 4:6을 보라).

한번 생각해 보라. 만약 요나가 성령께서 감동케 하셔서 말하도록 하신 대로 말했다고 한다면, 요나서가 성령께서 요나에게 영감을 주셔서 말씀하게 하신 모든 것이겠는가? 똑같은 배교한 근본주의자들에게서 똑같은 교육을 받은 근본주의자들은 하나님께서 아모스 선지자에게 영감을 주셔서 말씀하게 하신 모든 것이 아홉 장의 아모스서에 다 기록되어 있다고 믿는 것이다.

독자도 스튜어트 커스터, 제임스 화이트, 해롤드 윌밍턴, 척 스윈돌, 데이빗 클라우드, 존 라이스, 프레드 아프만, 쉘톤 스미스, A.T. 로버트슨 박사처럼 비정상적인 견해를 가지고 있는가? 이 가련하고 무지하며 성경을 비평하는 자들은 이사야서의 66장이 이사야가 성령의 감동을 받아 말한 모든 말씀들을 담고 있다고 생각한다(벧후 1:21). 이사야는 네 명의 왕들 아래서 약 60년간 선지자로 사역하며 말씀을 전달했다(림머의 연대기로 B.C. 770년부터 B.C. 710년까지다).

무뇌증에 걸린 이 자들에게 성경을 가르치는 것은 불가능하다. 성경 어디에서 성령께서 당신이 "정경 외의 문학"을 "영감"받은 것으로 받아들여야 한다고 말씀하시는가?

오해하지 말라. 성경은 하나님께서 우리가 갖기 원하시는 모든 영감받은 말씀들을 포함하고 있다. 확실히 알겠는가? 이해했는가? 그러나 또한 분명한 것은 하나님께서 선지자들이 말했으며 어떤 "원본"만큼이나 "축자적으로 영감받은" 최소 90만 이상의 단어들을 이사야에서 말라키에 이르는 성경에서 제외하셨다는 사실이다. 하나님께서는 거룩한 사람들을 통해서 말씀하셨을 뿐만 아니라(벧후 1:21), 파라오를 통해서도 말씀하셨고(출 3-5장), 느부캇네살을 통해서도(단 1-4장), 아탁세르세스를 통해서도(에스더), 아라비아인 게셈을 통해서도(느 6:1-8), 다윗을 통해서도(삼하 12:1-14), 빌라도를 통해서도(요 19:37), 헤롯을 통해서도(막 6:20), 아그립파왕을 통해서도(행 26:26,27) 말씀하셨다.

성령께서 그들에게 그분의 말씀을 "영감"(inspiration)으로 주신 것이다.

필자 자신의 사역에서 적어도 네 번은 이런 일이 있었다. 즉 내가 무엇을 말할까 "추측"하여 시험 삼아 던져 말을 던져 본 것으로 설명할 수 없는 일들이 있었던 것이다. 내가 집어내지 못하지만 하나님께서 그렇게 역사하신 것이 적어도 40번은 되는 것 같다. 하나님께서 부르신 설교자들이 이 주석서를 읽는다면 내가 무슨 말을 하는지 알 것이다. 즉 설교자가 말하려고 준비한 것이 아닌 뭔가를 발설하게 되고, 그것이 평소에는 그 자리에 없었던 사람이 마침 그날 참석하여 하나님께서 자신을 강타하는 말을 듣게 되는 것이다.

그것이 더러운 영이거나 그 설교자 자신의 영의 역사이겠는가?

아니다. 그것은 바울 서신만큼이나 "바울적"인 현상이다.

『**내가** 예수 그리스도**로 인하여 너희에게 주신** 하나님**의 은혜로 항상 너희를 위하여 나의** 하나님**께 감사하노니 이는 너희가 그로 인해 모든 일, 곧 모든 말과 모든 지식에 부요해져서**』(고전 1:4,5).

아마 이것이 머리만 크고 교만하며 아는 척하는 근본주의자들이 필자가 지금까지 주석한 10개의 단락을 이해하지 못하는 이유일 것이다. 그들은 전혀 바울을 닮지 않았다. 그들은 강력하고 성령으로 충만한 설교와 그 영향력에 대해서 아는 것이 전무한 것이다.

만약 당신의 "성경"이 영감받았다면, 하나님의 숨이 그 위에 있는 것이다(욥 33:4). 영감이라는 주제로 기록된 모든 책들은 디모데후서 3:16의 관련 구절들을 제시하기를 주저한다. 존 R. 라이스도 찾을 수 없었다. J.G. 메이첸도 찾을 수 없었다. A.T. 로버트슨도 찾을 수 없었다. 밥 존스 3세도 찾지 못했다. 제리 포웰도 찾지 못했다. 제임스 화이트도 찾지 못했다. 마이크 렌달과 제임스 콤즈도 찾지 못했다. 가우센(Gaussen), 빈센트, 떼이어, 키텔도 찾지 못했다. 헬라어와 히브리어는 고사하고 그들은 그들의 자신의 말로 기록된 성경에서 관련 구절을 찾지 못했다.

아담의 경우(창 2:7)와 에스겔이 본 환상에서와 같이(겔 37장), 몸에서 살과 뼈와 장기와 모든 구성 요소들이 완전히 형성되고 결합되고 나서야 "하나님의 호흡"이 생명이 없는 몸 위에 임했다. 이처럼 하나님께서 세상의 모든 언어들로 "영감으로 주어진" 말씀을 전달하기 위해서(딤후 3:16), 하나님께서는 특정한 언어로 번역하는 번역자들이 단어를 선택하는 것을 인도하시고 완성된 결과물 위에 숨을 불어넣으시면 되는 것이다.

이 절대적인 진리가 미국의 모든 기독교 "고등" 교육 기관의 모든 교수진들에게는 일종의 금기가 되어왔다. 전 세계에 있는 주요한 기독교 대학과 신학대학원의 교수진은 사탄에게 미혹당하여 성경을 직시하지 못하게 되었고(욥 32장, 겔 37장, 창 2장), 성경이 이중 영감(렘 36장)에 대해서 가르치는 것과 "하나님께서 숨 쉬셨다"는 것이 실제로 무엇을 의미하는지 면밀하게 묘사하는 부분(딤후 3:16, Θεόπνευστός)을 깨닫지 못하게 된 것이다.

신학교의 교수진들은 학생들에게 그들의 최종권위가 그들의 신학적인 의견과 선호라는 것을 주입시켜야 먹고 살 수 있기 때문에, 현재의 배교는 (1900-2010년) 100% 확고하며 돌이킬 수 없는 것이다. 그들의 의견과 선호는 또한 그들처럼 성경을 비평한 학자들의 의견과 선호에 근거를 둔 것이다. 따라서 그들은 스스로를 "평신도"를 지배하는 엘리트 "레위 지파 서기관" 계급으로 만들고(계 2:6), 설교자로 부르심을 받아 신학을 공부하는 학생들을 자유자재로 조종하는 것이다.

결과적으로는 미국에 있는 기독 대학이나 신학대학원이나 종합대학 중 단 하나도 지난 400년 동안 실제로 『**성경**』(the Scriptures)을 보거나 들은 적도 없다고 고백하기에 이르렀다. 다시 말해 그들에게는 그 어떤 성경도 최종권위가 아니며, 사실상 최종권위로서의 성경이 없는 자들이 된 것이다.

무오하고 오류가 없는 성경에 따르면 세상에 역사하는 네 가지 영이 있다.

1. 짐승들의 영이다(전 3:21).
2. 사람의 영이다(고전 2:11).
3. 주의 영이다(고전 2:12,14).
4. 사탄의 영이다(막 3,5장, 계 13:11; 16:13-14, 행 5:3).

"영적 분별력"은 "영들을 시험하기" 위해 필수적인 것으로서, 이것은 영들이 어떤 장소에 있거나 있었으면서도 거짓 선지자를 통해 실제로 말을 하고 있지 않을 때에도 그것을 분별할 수 있어야 한다. 고린도전서 12:10에서 "영들을 분별함"은 이스라엘에게 해당되는 표적으로서의 은사가 아니다(고전 12장과 그 주석을 참조하라). "믿음"과 "지혜의 말씀"(고전 12:8)처럼, "영들을 분별함"은 교회 시대의 은사다.

이 분야에서 전문가는 아니지만, 필자는 다섯 살 때부터 열여섯 살 때까지는 더러운 영들과 어울렸고, 젊었을 때는 곧 열일곱에서 스물일곱까지는 거짓의 영들과 어울렸기 때문에, 그리스도인으로서 예전에 어울렸던 이러한 영들의 역사를 단박에 인지할 수 있게 되었다. 내가 구원받았을 때 조금 과장을 보태서 말하자면 달빛이 없는 밤에도 오십 마일이 떨어진 곳에 "사기꾼"이 있는지 없는지도 알 수 있었다. 종교적인 사기꾼들이나 거짓말하며 성경을 수정하는 자들이나 경건하고 성별된 직업적인 거짓말쟁이들이 나타날 때마다, 나는 옛날 댄스 밴드가 불렀던 친숙한 노랫가락이 들리는 듯한 느낌을 받는다. 해리 제임스가 아티 쇼의 가수였던 헬렌 포레스트와 함께 부른 곡이다. 이런 가사였다.

"아, 그 노래 어디선가 들은 적이 있는 것 같은데" "그 옛날 친숙한 악보에서 들리는 노래" "나는 그 멜로디를 잘 알지" "그 노래는 내가 제일 좋아하는 꿈을 생각나게 하지" "너를 나에게로 불러들인 바로 그 꿈이지."

샌 안토니오와 텍사스와 데이톤과 오하이오의 영적인 "분위기"는 같지 않다. 비행기에서 내리면 그 차이를 느낄 수 있다. 물론 온도나 습도의 차이를 말하는 것이 아니다. 영적인 차이를 말하는 것이다. 이것은 시애틀, 잭슨빌, 솔트 레이크 시티, 멤피스, 시카고, 모빌 등의 공항에 들어설 때도 마찬가지다. 과거 1970년대와 1980년대에 서독과 동독의 경계선을 넘어설 때 영적으로 매우 무서운 느낌이 들고 경계선을 넘어서면 안 될 것 같은 두려움을 준다. 이것은 당신이 영적인 분별력이 조금이나마 있다고 할 때 얘기다. 수천 명의 미국 그리스도인들은 전혀 영적 분별력이 없다. 오랄 로버츠, 존 킬패트릭, 베니 힌, 태미 배커 등과 같은 사기꾼들을 지원하기 때문이다.

비행기를 타고 내가 영국해협이나 프랑크푸르트로 가면서 알자스로렌의 상공을 지날 때면 지상으로부터 20,000피트 상공을 날아가면서도 지상에서부터 물결처럼 올라오는 일종의 "위협"을 느낀다. 기압이 일정하게 유지되고 창문이 닫힌 기내에서 그런 느낌을 받는 것이다. 그 비행기는 디데이

노르망디의 교두보, 됭케르트, 아쟁쿠르트, 워털루, 아르덴스 숲, 아르곤 숲, 후르트젠 숲, 라이히슈발트와 그 외에 다른 격전지들과 제1차 세계대전과 제2차 세계대전과 백년전쟁의 격전지 위를 지나간 것이다. 내가 타고 있었던 비행기가 지나간 땅에는 2,000만 명의 시신이 묻혀 있었던 것이다. 『**그가 죽었으나 믿음으로 아직 말하고 있느니라**』(히 11:4). 『**네 아우의 핏소리가 땅에서부터 내게 부르짖느니라**』(창 4:10). 『**이는 피로 인해 그 보복이 그 땅을 더럽힘이니, 그 땅은 피를 흘린 사람의 피에 의하지 아니하고는, 그곳에 흘려진 피에 대해 깨끗해질 수 없느니라**』(민 35:33).

내가 비행기를 타고 발칸 반도를 지나갈 때, 나는 동부 프랑스와 서부 독일을 지날 때만큼은 아니지만 더럽고 차갑고 음산한 느낌을 받는다. 그러나 확실히 위협적인 느낌이다. 나는 트랜실바니아에 내리고 싶지 않았다.

한번은 펜사콜라에 있는 기독교서점에 들렀었다. 공교롭게도 그날 아침은 그 서점에서 자매들이 모여서 성경공부를 하는 날이었다. 강사는 PCC의 베카 홀튼이었다. 스무 명 정도의 자매가 그 자리에 있었다. 나는 서점에 오래 있을 수 없었다. 내가 거기에 성경공부가 진행되고 있는 줄 모르고 들어갔을 때 나는 장례식을 집전하러 장례식장에 들어갈 때 받는 그런 느낌이 들었던 것이다. 영적인 분위기가 장례식과 동일했던 것이다. 나는 그런 것을 어느 곳에서나 느낄 수 있다.

또 한번은 내가 구원받고 2년 후에 그 전에 자주 가던 클럽에 간 적이 있다. 구원받기 전에 그곳에서 컨추리 웨스턴 밴드와 째즈 콤보를 위해 드럼을 연주했었다. 나는 주머니 네 개에 전도지를 가득 채우고 테이블마다 전도지를 놓았다. 나올 때만 사람들에게 전도지를 나눠 줬다. (그렇게 해야만 내가 전도지를 다 놓고 난 뒤에야 그 사람들이 내가 한 일을 알기 때문이었다. 누가 불평한다고 해도 나는 이미 밖으로 나가고 없을 테니까 문제가 되지 않았다.)

테이블과 칸막이들과 춤추는 사람들을 지나가면서 나는 태어나서 가장 이상한 느낌을 받았다. 내가 악어굴에서 허벅지까지 오는 진흙탕 가운데를 허우적거리며, 악어떼와 독사들이 나를 둘러싼 것 같았다. 댄스장을 지나가자 커플들이 나를 보지도 못했는데도 자동적으로 서로 떨어져 앉았다. 그들은 악어와 독사처럼 움직였다.

독자들은 어쩌면 "아, 럭크만 형제, 제 정신이 아니군요."라고 말할지도 모른다. 그러나 대부분의 사람들은 특히나 성경을 수정하고 개정하는 배교자들은 나이트클럽에서 전도지를 나눠 준 경험이 없다. 전혀 내가 무슨 말을 하는지 모르는 것이다. 그들의 영적 분별력은 마이크 타이슨이나 프랭크 시나트라 정도밖에 안 되는 것이다.

필자가 사우스캐롤라이나 찰스톤에서 구제 사역을 하는 한 기관을 방문했을 때의 일이다. 술 취한 폭주족 한 명이 경찰에게 붙들려서 정신을 좀 차리자, 자리에 앉더니 진지하게 나에게 이렇게 말하는 것이었다. "목사님, 시내에 있는 빌딩들을 구렁이들이 휘감고 있는 것을 보신 적이 있으시죠? 구렁이들이 얼마나 큰지 두께가 3m는 되고 온몸에 털이 나 있더라고요."

독자들은 "환각증세잖아요. 술을 먹었으니 당연하죠"라고 말할지도 모른다.

정말 그런가? 그러면 열왕기하 6:17과 욥기 41:9을 한번 설명해 보라.

내 질문에 답해 보라. 지금 TV 드라마를 시청하고 있는가? "아니오, 지금 TV는 꺼져 있어요."라고 할 것이다. 그런데 꼭 그런 것이 아니다. 지금 바로 이 시각에도 수십 개의 TV 채널과 20개도 넘는 FM 라디오 방송국과 40개가 넘는 AM 방송국과 2,000개도 넘는 단파 방송의 전자기장의 파동이 당신의 몸을 통과하고 있다. 이것은 종교적인 얘기가 아니고 지금도 휴대용 TV나 휴대용 라디오를 켬으로써 확인할 수 있는 과학적인 사실이다. 악어들과 구렁이들과 뱀들과 벌거벗은 여자들과 전쟁이나 폭발로 인한 죽음과 피가 낭자하고 머리 없는 시체들과 홍수들과 로봇들이 바로 당신이 있는 방 안에 있는 것이다. 당신이 "환각상태"에 있는 것이 아닌데도 말이다.

만약 우리 머리에 콘덴서, 오실레이터, 가감저항기, 증폭기, 스위치, 소리조절기 등이 달려 있다면 보이지 않는 것들을 볼 수 있게 될 것이다. 이것이 사람들이 LSD, 코카인, 헤로인 등을 복용했을 때 보는 것들이다. 속어로 "트립"(trip)이라고 부른다. 그들이 보는 것은 라디오와 TV 등의 다중의 소리와 영상이 왜곡되어 수신된 것으로, 통제되지 않고 무차별적으로 섞여서 인식되는 것이다.

사람들이 생각할 때 이전부터 존재했던 어떤 것들을 자신의 생각인 양 받아들이고 사고하게 된다는 것은 유쾌하지 않은 사실이다. 그런 것들이 수일, 수주, 수개월을 둥둥 떠다니는 것이다. 베토벤, 브람스, 슈베르트, 모짜르트, 바흐 등의 작곡가들은 자신의 음악을 쓰기 전에 그 음악을 들었다.

이 말은 40억의 구원받지 않은 사람들 중에 단 한 사람도 이러한 영적인 현실을 극복할 수 없다는 뜻이다. 죄인은 이러한 거대한 해일처럼 밀려드는 사탄적인 쓰레기를 검증하고 저항할 수 있는 것이 그 자신 안에 전혀 없다. 따라서 사탄은 언제나 그 죄인을 자신의 마음대로 조종할 수 있다(딤후 2:26). 성령 하나님께서 개입하셔서 그가 구원받도록 압력을 가하지 않는다면 그는 그렇게 평생을 살다 죽는 것이다(롬 2:4, 요 16:8,9). 『**지금 불순종의 자녀들 안에서 역사하는 영**』은 『**높은 곳들에 있는 영적 악**』의 통치자다(엡 2:1-4, 요 16:11, 엡 6:12). 그는 『**이 세상의 신**』이기 때문에, 이 세상에 있는 모든 주요한 뉴스 방송국을 점유하고 있다. 왜냐하면 이러한 방송들은 "세상에 속하고," "세상에 의해 돌아가며," "세상을 위해” 운영되기 때문이다(요일 4:5).

모든 TV와 라디오의 전자기파는 원자, 양자, 중성자, 퀘이사의 단계로 방출된다. 이 말은 이 전자기파들이 보이지 않는 영적 세계에 잘 들어맞고 부합함을 뜻한다.

사람들은 마귀들이 자신을 점유하지 못한다고 말한다. 왜 못한다고 생각하는가? 그것들은 당신을 둘러싸고 있고, 당신 안에 당신을 통과하여 그리고 당신 옆에 있다. 단지 보지 못할 뿐이다.

무서운가? 바울은 무서워해야 한다고 말한다(빌 2:12, 히 12:28). 1절이 어떻게 적용되는지 보고 싶은가? 열왕기상 22:22을 읽어 보라. 누가 거짓 말하는 영을 보냈는가? 주께서 보내셨다(23절). 사백 명의 설교자들이 완전한 에큐메니칼 연합을 이루어 긍정적인 사고방식, 즉 인본주의적 긍정주의를 설파했을 때 아합은 그들을 믿으려고 억지로 노력하지 않았다.

『**적그리스도의 영**』은 부활이 이뤄졌을 때 즉시 나타날 수 있었고, 부활은 과학적이며 역사적 사건으로 500명의 목격자가 증명할 수 있는 실제 사건이었다(고전 15장).

물론 예수님 당시의 바리새인들은 “적그리스도들”이었다. 그들이 예수 그리스도를 반대한 주된 이유가 주님께서 자신이 “하나님께서 육신으로 나타나신 분”이라고 주장하셨기 때문이다(요 14:9; 8:58; 20:28, 마 14:33을 읽어 보면 분명하다). 이것이 왜 요한이 항상 현재 시제를 사용했는지를 설명해 준다. [『**시인하는**』(confesseth, 2,3절), 『**오신 것**』(is come, 2,3절), 『**있느니라**』(is it in, 3절) 등.]

즉 진정한 그리스도인의 신앙의 시금석은 간단하다. ‘전능하신 하나님께서 이 땅에 육신으로 오셔서 살과 피가 있는 인간으로 나타나셨는가?’이다(사 9:6, 눅 1:35, 롬 1:3-4, 히 2:14-16). 그렇게 하셨든지 하지 않으셨든지 둘 중 하나다. 이렇게 간단한 것이다. 더 복잡하고 말고 할 것이 없다. 신학으로 상업적인 장사를 하고, 이슬람교나 로마카톨릭이나 그리스정교처럼 거대한 종교적인 체계를 이룩하여 세계를 정복하려는 시도는 완전히 "핵심을 빗겨간" 것이다. 중요한 것은 누가 우주를 만들었는가이다. 어머니 자연인가? 전자기장인가? 빅뱅인가? 알라인가? 하나님인가? 하나님이면 어떤 신을 말하는 것인가? 엘로힘, 여호와, 제우스, 죠브, 쥬피터, 크로노스, 라, 오시리스, 바알, 미키 마우스, 마돈나, 수지 큐, 프린세스 디, 마리아, 릴 아브너, 브라마, 타오, 테드 터너 중 누구인가?

성경은 창조주는 자신을 『**예수**』(JESUS)라고 이름 붙이신 분이라고 말씀한다(마 1:21, 눅 1:31). 그분은 이 지구에 창조주(요 1:3,10, 골 1:15-17)와 주인(마 21:33-46, 사 40-44장)으로 나타나셨다.

마호메트와 그를 추종하는 수백만 명의 모슬렘들이 틀렸다. 고타마 싯타르타와 수백만 명의 불교인들도 틀렸다. 힌두교도들과 진화론자들과 공산주의자들과 인본주의자들과 무신론자들도 모두 틀렸다.

이것은 뉴욕의 UN으로 모인 191개의 국가들의 인구 안에 약 20억의 적그리스도들이 있다는 의미다.

4절은 은사주의자들이 다음의 세 가지 거짓말을 증명하기 위해 써먹는 구절이다.

1. 성령과 사탄의 영은 동일한 "그릇" 안에 거할 수 없다. 두 영이 한 사람 안에 거할 수 있고, 실제로 그렇게 한다(행 5:1-5, 고전 5:5, 딤전 1:20).

2. 그리스도인은 "마귀에게 시달리거나"(demon obsessed) "마귀에게 억압될"(demon oppressed) 수 있어도 "마귀들릴"(demon-possessed) 수는 없다. 물론 이것도 거짓말이다. 그리스도인들은 마귀로 인해 그의 상

급, 유업, 기쁨, 간증, 재산, 확신, 건강과 생명까지도 잃어버릴 수 있다(고전 3:17; 11:30, 롬 8:13).

사탄은 당신이 가진 모든 것을 소유할 수 있다. 이것은 당신의 지성과 몸을 포함하며, 사탄이 앗아갈 수 없는 것은 당신의 혼밖에 없다. (이 일이 어떻게 이루어지는 욥기 1장을 보라.)

3. 고린도전서 14:27-37에서 "방언들"에 관한 하나님의 명령들에 불순종하면서도, 그리스도인은 자신 안에 계신 분이 그를 위해 마귀를 패배시키실 것이다. 이것도 순전한 거짓말이다. 그리스도께서 사탄보다 더 위대하시다라는 사실이 당신이 사탄을 이기는 것을 보장하지 않는다. 이 구절은 그리스도인의 힘이 어디에 있으며, 우리의 무기가 어디에 있고, 사탄을 이기기 위해서 자신이 아니라 누구를 의지해야 하는지를 보여 주는 것이다(빌 3:3). 영적 전쟁을 위한 공급원을 적절히 활용하지 않으면(엡 6:10-17, 고후 10:4), 당신은 쉽게 말해서 "끝장"이다.

아마 미국의 은사주의 그룹 안에는 다른 네 개의 교단들을 묶어 놓은 것보다 훨씬 더 많은 마귀들린 그리스도인들이 있을 것이다. 이들은 베니 힌, 지미 배커, 지미 스와거트, 모리스 세룰로, 오랄 로버츠, 존 킬패트릭, 로버트 틸튼, 윌리엄 브랜햄, A.A. 앨런, 마이클 브라운, 샴바크 목사, 마릴린 히키, 캐써린 쿨만, O.L. 재거스, 애이미 샘플 맥펄슨, 세이무어, 케네쓰 코플랜드, 크림 목사, 존 아르놋, P.H. 해이몬드, 르우벤 존즈, 돈 노리, 데이빗 르우벤, 하긴, 에윙, 오스본 등이다. 예수님께서 "그들의 열매로" 그들을 안다고 말씀하신 것이 진리라면, 1901-1905년에 아주사 거리와 베델 대학에서 시작하여 2002년 베니 힌과 킬패트릭에 이르는 은사주의 운동은 현대 미국에서 일어난 어떤 종교적인 운동보다도 더 악한 손상을 가했다. 은사주의 운동보다 더 악한 것이 있다면 유럽에서 이뤄졌던 카톨릭 종교재판밖에 없을 것이다.

필자가 이 부분에 관해서 권위를 가지고 말할 수 있는 것은 55년간 미국 국내와 해외로 다니며 하나님의 사역을 수행하며 관찰해 왔기 때문이다. 필자는 미국뿐만 아니라 인도, 필리핀, 한국, 일본, 중국, 남아프리카, 우크라이나, 독일, 오스트리아, 영국, 이탈리아, 그리스, 스페인, 멕시코, 시실리, 하와이, 캐나다 등에서도 부흥회와 성경강연회에서 하나님의 말씀을 전파해 왔다. 미국 내에서는 매년 24곳에서 이러한 사역을 50년간 지속했다. 또한 필자가 직접 가르친 젊은이들 61명이 해외 선교지로 나가 죄인들을 그리스도께로 인도해 오고 있다. 나는 오스트렐리아, 스코틀랜드, 뉴질랜드, 브라질 등의 18개국에서 선교 보고를 받고 있다. 미국에서도 50개주에서 편지가 오고 있으며, 40개의 교화시설에서도 편지가 온다.

이러한 사역에 근거하여 필자는 현대 그리스도인들의 그룹 안에서 가장 육신적이고 능력 없는 미치광이들이 바로 은사주의자들이라고 결론내리게 되었다. 은사주의자들은 어떤 그룹보다도 더 많은 그리스도인들에게 구원의 확신을 잃어버리게 하고, 그들을 거짓 교사들과 거짓 종교와 영합하도록 하였다. 심지어 미국에서는 은사주의자들은 로마카톨릭보다 구령과 진실된 회심에 있어서 더 많은 악영향을 끼쳤다.

필자는 지난 1998년에 〈은사주의자들의 광란〉이라는 책을 썼다. 필자는 담임 교회에서 15마일도 되지 않는 곳에서 일어난 소위 "브라운스빌 부흥"이라 불리는 가짜 부흥을 조목조목 심도 깊게 분석해 놓았다. 의심할 바 없이 이 운동은 지금까지 인기를 모았던 것 중에 가장 추악하고 비성경적이며 육신적이고 세속적인 서커스이며, 전적으로 돈을 벌기 위한 것이다. 이들이 가장 잘 써먹는 구절이 바로 요한일서 4:4이다. 이들은 수박과 개미떼를 사탄과 마귀들로 착각할 만큼 영적 분별력이 없는 자들이다.

그 영들은 (곧 1절의 거짓 선지자들은) 세상에 속했다(5절). 세상이 그들의 말을 듣는 것은 그들이 세상에 속하며 세상에 의해서 세상을 위해서 살기 때문이다. 그들의 복음은 사실상 "채찍기둥 신학"과 "번영의 복음"이라 불려진다. 전혀 "건전한 교리"와 관계없는 것이다(딤후 4:3). 그들은 좋은 건강과 부를 거머쥐는 비결은 은사주의 목사들에게 재산을 갖다 주는 것이라 가르친다. 그들은 모두 "씨앗 믿음"이라는 수법을 쓴다. 그러나 바울은 한 번도 그런 것을 쓴 적이 없으며 질병을 갖고 살다가 죽었다(딤후 4:11, 골 4:14). 그는 교회도 학교도 버스도 재산도 의료보험도 복지도 사회 보장도 보험도 집도 무덤도 없이 죽었다. 은사주의 목사가 일 년에 5만 명이 자신의 사역으로 회심했다고 떠벌인다 해도, 사도 바울은 그를 성경대로 믿는 그리스도인으로 착각하지 않을 것이다.

요한은 스스로를 6절에서 세속적이지 않은 사람들로 분류하며 『**우리는** 하나님**께 속하였으니**』라고 말한다. 그런 후 바울은 미국의 유치원부터 대학원에 이르는 교육체계에서 말하는 바와 정반대로 진리는 상대적이지 않다고 말한다. 진리는 오류의 반대말이며, 그리스도인은 누구나 진리와 비진리를 분별할 수 있다. 『**이로써 우리가 진리의 영과 미혹의 영을 아느니라.**』 그러나 50만 명에 달하는 상원의원들, 하원의원들, 연방 판사, 교수들, 물리학자들, 단일세계 선행주의자들, 인본주의자들은 진리와 비진리를 분별할 수 없다.

예수 그리스도께서 직접 이러한 개념을 요한 안에 심어 주셨다. 다음의 구절들을 보라.

『**세상이 너희를 미워하면 그것은 너희를 미워하기 이전에 나를 미워한 것임을 알라. 만일 너희가 세상에 속한다면 세상은 자기 사람들을 사랑할 것이라. 그러나 너희는 세상에 속한 자가 아니요 내가 너희를 세상으로부터 선택하였느니라. 이로 인하여 세상이 너희를 미워하느니라**』(요 15:18,19).

『내가 그들을 위하여 기도하나이다. 나는 세상을 위하여는 기도하지 아니하고 다만 아버지께서 내게 주신 자들을 위하여 기도하나이다. 이는 그들이 아버지의 사람들이기 때문이니이다』(요 17:9).

『내가 그들에게 아버지의 말씀을 주었더니 세상이 그들을 미워하였나이다. 이는 내가 세상에 속하지 아니한 것같이 그들도 세상에 속하지 아니하기 때문이옵니다. 내가 기도하옵는 것은 아버지께서 그들을 세상에서 데려가시라는 것이 아니옵고 그들을 악에서 보호해 주시라는 것이옵니다. 내가 세상에 속하지 아니한 것같이 그들도 세상에 속하지 않사옵니다』(요 17:14-16).

1절에서 3절까지의 본문에서 우리는 거짓 선지자가 말할 때 그의 입에서는 세 가지 영 중 하나가 나올 수 있음을 배웠다. 그중 하나는 더러운 영이며(막 5:8,12,13) 또한 더러운 새라고 불리기도 한다(계 18:2, 막 4:4,15). (모든 주석가들은 이 진리에 대한 모든 관련 구절들을 놓쳐 버렸다.) 또 하나는 인간의 영이다(행 18:25; 19:21, 고전 14:15, 빌 1:27, 골 2:5). 마지막으로 성령이다(갈 3:5, 삼하 23:2). 첫 번째 영의 창시자는 사탄이며, 두 번째의 주체는 인간의 본성이고, 세 번째 영의 창시자는 성령이시다.

본문에서는 이 중 두 가지 영에 대해서 다루고 있다. 2절에서 제시하는 성령을 분별하는 방법은 예수 그리스도께서 육신으로 오신 것을 시인하는가이다. 예수 그리스도라는 이름은 "여호와께서 기름부음받은 메시야로서 구원하신다"는 뜻이다. 종교적인 거짓말쟁이를 분별하는 방법이 그들이 디모데전서 3:16에 관해 무엇이라 믿는지 확인하는 것이다. 마호메트, 부처, 조셉 스미스, 마담 블라바츠키, 로버트 슐러, 유진 카슨 블레이크, 해리 에머슨 포스딕, 노만 빈센트 필, 아브라함 링컨이 어떻게 했는지 확인해 보라. 또한 모든 이신론자들과 유신론자들 또한 거짓말쟁이이며, 모든 인본주의자들과 범신론자들과 무신론자들과 "단일세계 선행주의자들" 또한 마찬가지다.

『이것이 곧 적그리스도의 영이니라... 지금 그것이 이미 세상에 있느니라』(3절).

이 "적그리스도들"과 경쟁이라도 하듯이 밥 존스 대학의 NASV와 은사주의자들의 NIV는 성경에서 유일하게 하나님께서 "육신으로 오셨다"고 말씀하는 구절을 변개했다. 그들은 디모데전서 3:16에서 『하나님』을 삭제했다. 이 구절은 『말씀』께서 육신이 되셨을 뿐만 아니라 『하나님』께서 육신이 되셨다고 하는 유일한 구절이다. 이들은 성경을 변개하여 이 진리를 제거했다.

문제는 이것이다. 사복음서에 묘사된 "그리스도"께서 하나님이시라고 말하지만, NIV는 주님께서 "육신으로 오시지" 않았다고 말한다. 요한일서 5:20과 요한복음 20:28을 보라. 만약 『하나님**께서는 육신으로 나타나**』신 것을 믿지 않는다면(딤전 3:16), 당신은 『예수 그리스도**께서 육신으로 오신**』 것을 부인한 것이다.

게일 립링거(1993)는 최근 100여 개의 20세기의 영어 "성경들"을 "뉴에이지 성경 역본들"이라고 부름으로써 그 정체를 백일하에 드러냈다. 더러운 영이 ASV, RSV, NASV, NRSV, NEB, NWT, CEV, TEV, NIV 등의 모든 번역 위원회를 통제한 것이다. 『**많은 거짓 선지자들**』은 "많은" 성경 변개자들과 부합한다(고후 2:17). (NIV와 NASV는 이 구절 또한 변개했다.) 『**많은 거짓 선지자들**』은 많은 사람들을 미혹할 것이며(마 24:11), 『**많은 사람들이 그들의 파멸의 길을**』 따를 것이다(벧후 2:2).

20세기와 21세기에 번역된 "성경"이 1600년에서 1900년에 이르는 필라델피아 교회 시대에 마지막 때의 세계어로 번역된 성경보다 향상될 수 있다고 믿는 것 자체가 비정상이다. 또한 이는 마태복음 24장, 누가복음 17,21장, 마가복음 13장, 디모데후서 3,4장, 데살로니가후서 1장, 데살로니가전서 4장, 고린도전서 15장, 로마서 11장과 요한계시록의 전체적인 예언의 내용을 부인하고 역행하는 발상이다.

이런 주장을 하는 자는 마귀들렸으며, 예언에 있어서 진화론자이다. 즉 다원적인 "복음주의자"이다.

현재 2010년의 바벨 건설자들은 "단일세계"를 만들려고 노력하고 있으며, 만약 성공한다면 100% 적그리스도이며 비성경적이고 반유대주의와 비진리로 이뤄진 세계가 될 것이다.

"세상의 사람들"은 그들의 동료들과 그들의 원리들과 그들의 애정과 그들의 선택과 그들의 목표로 알 수 있다.

그들의 동료들이 세속적이며, 그들 중 그 누구도 영적이지 않다. 그들의 원리들은 사도 바울이 "세상의 유치한 원리들"이라고 부르는 것이다(골 2:8). "우리는 항상 이렇게 해 왔어. 모든 사람들이 그렇게 하잖아. 조금 한다고 해가 되지는 않을 거야. 내 양심은 전혀 거리끼지 않는데. 먹고살고, 결혼도 해야 하잖아. 그게 뭐가 잘못된 거지. 언제 그만둘지 알고 있어." 등이다.

그들은 자신의 가족들과 보트와 수입과 집과 재산과 장래에 애정을 둔다. 『**사람들이 자기를 사랑하고**』(딤후 3:2). 그들은 결코 성경, 하나님, 그리스도, 하늘, 순결함 등에 마음을 두지 않는다. 그들은 항상 사리사욕과 자기 보존만을 염두에 두고 모든 일을 결정한다. "나 먼저, 너는 그 다음!" 그들의 목표는 세상의 정의에 따른 성공을 이룩하는 것이다. 즉 부유하고, 영향력을 발휘하며, 안정을 이루고, 권력을 거머쥐며, 존경받고, 완벽한 건강을 유지하는 것이다.

자신의 죽음 뒤에 즉각적으로 무슨 일이 일어날지도 모르는 이 세속적인 죄인들은 그들이 하는 말로 찾아 낼 수 있다.『**이는 마음에 가득한 것을 입이 말하기 때문이라.**』『**이는 마음에 가득한 것을 입이 말하기 때문이라.**』

오늘날 미국에서 그들은 NEA 강의실과 뉴스미디어, 광고주, 아마추어 심리학자, 사회주의자들과 공산주의자들, 신학적인 "자유주의자"나 "현대주의자"의 종교적인 허튼소리들을 반복하며 다음과 같은 용어들을 쓴다.

1. "나뉘다"와 "나눔" 2. "대처하다"와 "대처함" 3. 의미심장한 "관계" 4. 초점과 "강력한 충격" 5. "이 분야들에서는" 6. 지옥 대신에 "하데스"라는 용어를 쓴다. 7. 음행이라 말하지 않고 "부도덕"이라고 말한다. 8. "간음" 대신 "성 인간의 동의"라고 말한다. 9. 음행이라 말하지 않고 "혼전성관계"라고 말한다. 10. 노숙자를 "거리의 사람들"이라고 부른다. 11. 감옥을 "팟"(pods)이라고 부른다. 12. 술주정뱅이를 "고질적인 알콜중독자"라고 부른다. 13. 죄수를 "고객"이라고 부른다. 14. 소년원 혹은 감옥을 "교화시설"이라고 부른다. 15. 마약중독자를 "마약 남용"이라고 부른다. 16. 변태 대신 "게이"라고 말한다. 17. 부흥 대신 "회복"을 말한다. 18. 영적인 학교와 교회 대신 "흥미진진한 환경"을 광고한다. 19. 성경 대신에 "신뢰할 만한 역본들"을 말한다. 20. 성경 대신 "보존된 하나님의 말씀"이라는 용어를 쓴다. 21. 혁명적인 암살자들을 "정치적 활동가들"이라고 부른다. 22. 이스라엘의 2/3에 해당하는 땅을 "웨스트뱅크"이라고 부른다. 23. 울스터를 "북아일랜드"라고 부른다. 24. 원래 30만이었다가 현재 400만이 된 여섯 개의 테러집단들을 포함한 모슬렘 아랍인들을 "팔레스타인들"이라 부른다. 25. 헌법에 규정된 권리 대신 "시민의 권리"를 운운한다.

부수적으로 몇 가지 용어들을 더하자면 다음과 같다 : "영적 가치들," "효과적인 의사소통," "긍정적인 생각 패턴," "지역사회의 힘," "지위를 추구함," "선택들," "초점," "성별," "생활방식" 등이다.

4:7 **사랑하는 자들아, 우리가 서로 사랑하자. 이는 사랑이** 하나님**께 속한 것이기 때문이라. 사랑하는 사람은 누구나** 하나님**께로부터 태어났으며 또** 하나님**을 아느니라.**

8 **사랑하지 아니하는 자는** 하나님**을 알지 못하나니,** 하나님**은 사랑이시기 때문이라.**

9 **우리를 향한** 하나님**의 사랑이 이렇게 나타났으니, 곧** 하나님**께서 그의** 독생자**를 세상에 보내신 것은 우리로 그를 통하여 살게 하려 하심이라.**

10 **여기에 사랑이 있으니, 우리가** 하나님**을 사랑한 것이 아니요 그분이 우리를 사랑하시고 그의** 아들**을 우리 죄들을 위하여 화목제물로 보내신 것이라.**

7,8절은 성경을 거부하고 그리스도를 거부하는 죄인들이 기어이 지옥에 가기 위해 써먹는 구절이다. 죄인들은 산상설교와 고린도전서 13장과 더불어 본문을 인용하면서 예수 그리스도의 피를 짓밟고 끝없이 깊은 구렁 속으로 파들어 간다. 왜냐하면 이 구절들이 긍정적이기 때문이다. 동성연애자들은 그들이 서로 사랑하면 그것이 그들이 거듭난 증거라고 말하는데 써먹는다. 필자가 뭔가를 오도하는 것이 아니다. 본문을 보라. 『**사랑하는 사람은 누구나** 하나님**께로부터 태어났으며**』(7절). 정말 제격이지 않는가?

현대 미국인이 사랑이 무엇이라고 말하는지 아는가? 간단하다. 그들은 저주하고 거짓말하고 욕하는 것, 게으름, 도둑질, 변태 성욕, 음악, 상스러운 말, 고의적인 무지, "성적 오리엔테이션" 등을 참아 줌으로써 자신의 가족과 지역사회가 부패하는 것을 허락하는 것이 사랑이라고 믿는다. 현대의 "사랑"은 모든 사람이 "하나님의 자녀"이며 "하나님께서 그들 모두의 아버지이시기" 때문에, 모든 거짓말쟁이들과 신성모독자들을 받아들이고, 모든 강도들과 간음자들과 도둑들과 살인자들에게도 "권리"와 "소수민족 우대 정책," "사회적 진급," "할당량 고용" 등을 부여하고, 결국에는 감옥에서 가능한 빨리 출소하도록 하여 그들의 "생활방식"을 유지할 수 있는 또 다른 기회들을 주는 것을 말한다.

당신이 미국인이라면 이러한 자들을 용인할 뿐만 아니라 받아들이고 존경하며 그들을 자랑스럽게 여기고 지원해야 하고, 더 나아가 그들의 인품이나 정직성이나 충실성과 도덕성과 종교적인 믿음과 신뢰성을 문제시하지 않고 그들을 격려해 줘야 한다. 만약 농구 스타나 축구 스타가 음행을 일삼는 마약중독자면, 미국인들은 게임에서 이기는 한 그 자를 높여 줘야 한다. "이런 분야에서" "심도 깊은" "전적 신뢰"를 실천하는 자들은 그들이 써먹는 이 구절들의 문맥이 어떤 것인지도 확인하지 않는다. 9절과 10절은 당신이 당신의 아내나 "섹스 파트너"를 사랑하는 것이나 남편이나 남자친구를 사랑하는 것과는 전혀 관계가 없다. 본문은 이디 아민, O.J. 심슨, 등의 흑인 살인자들과 마틴 루터 킹 주니어나 윌트 더스틸트 챔벌레인, 매이어 마리온 배리, 제시 잭슨 등의 흑인 간음자들이나 마호메트나 폴팟과 같은 흑인혼혈자들을 사랑하는 것과도 전혀 관계없다.

본문의 문맥은 "사랑"이라는 단어가 구약과 신약에 처음 등장한 구절의 의미와 일치한다.

『**이 일들 후에** 하나님**께서 아브라함을 시험하시며 그에게 말씀하시기를 "아브라함아" 하시니, 그가 말하기를 "보소서, 내가 여기 있나이다." 하더라. 하나님께서 말씀하시기를 "네 아들, 곧 네가 사랑하는 네 독자 이삭을 이제 데리고 모리아 땅으로 가서, 산들 중에서 내가 네게 알려 줄 한 산에서 그를 번제로 드리라." 하시더라**』(창 22:1,2).

사랑은 주는 것이다. 완전한 사랑은 죄 없는 분이 죄인인 우리를 사랑하셔서 우리의 죄들을 위해 죽기까지 하시는 것을 말한다. 이 "러브 스토리"에 빗대어 보면, 헐리우드와 드라마에서 말하는 러브 스토리들이나, 로미오와 줄리엣, 그레이스 더 겜블러(모나코), 웰리와 윈저의 공작, 프린세스 디와 그 남편, 마티 하리, 클레오파트라, 돈 주앙, 엘비스 프레슬리, 프랑크 시나트라, JFK와 빌 클린턴과 관계를 가진 여인들 사이의 이야기는 불못으로 떨어지는 구원받지 못한 죄인들의 감각적이고 육신적인 로맨스 밖에 안되는 것이다.

그들은 사랑에 대해서 아무것도 아는 것이 없다.

하나님께서 그들의 "연인"에 대해서 아시듯이 그들이 모든 것을 안다면 그들은 아마 연인들과 즉시 헤어질 뿐만 아니라 구토를 할 것이다.

사랑은 주는 것이다. 사랑하지 않고 줄 수 있지만, 주지 않고 사랑할 수 없다. 만약 한 남자가 한 여자를 사랑한다면, 그는 자신의 몸과 가진 재산보다도 더 많은 것을 주려 할 것이다. 만약 그가 정말 그녀를 사랑한다면, 그는 그 여인에게 자신의 생명과 자신의 이름까지도 주려 할 것이다. 집이나 차나 그의 영예와 존귀와 보호를 마련해 주며, 아내와 아이들이 아플 때면 의학적인 치료를 제공하는 것은 당연할 것이다.

그러나 변태 성욕자들은 사랑 없이 음행하며, 그들은 "연인"을 사랑하는 척 꾸밀 수도 있고, 그래서 "아내"나 "남편"이나 "생의 동반자"가 되기 원한다고 거짓말하기도 한다.

당신의 정부는 당신을 사랑하는가? 세금을 납부하는 시민을 사랑하는 정부가 세상에 있는가? 유다는 사람들을 사랑하는 것처럼 가장했다(요 13장). 선행을 강조하는 다른 모든 인본주의자들처럼 유다 또한 자신의 이익과 선한 이미지를 갖기 위해 그렇게 한 것이다. 그는 자신을 사랑한 자였다

(딤후 3:1). “나 먼저, 당신은 그 다음!” 사회주의적인 연방 정부가 된 미국은 계속해서 “가난한 사람들” 곧 “소수 민족들”을 돕는다는 미명 아래 시민들의 돈을 착취한다. 그런 다음 한 번에 50,000,000달러를 다른 국가들에게 주면서 그들의 우정을 사려고 한다. 그들은 눈 하나 깜짝하지 않고 여전히 미국을 증오하는데도 말이다. 사실 이 국가들은 미국에 대한 빚이 늘어나는 셈이므로 미국을 더 증오하게 될 뿐인데도 말이다. 그런데도 이 국가들은 친애하는 “손님”으로 뉴욕 시에 초청을 받는다. 191개국이 모인 UN이 쓰는 비용 중 25%를 미국 시민이 부담하고 있음에도, 미정부는 미국 시민들을 계속 통제하려 든다. (필자의 〈The Damnation of a Nation〉과 〈Discrimination, the Key to Sanity〉와 〈UFO를 둘러싼 음모〉(Black is Beautiful)를 참조하라.)

매리 베이커 에디는 “하나님은 사랑이시라”를 “사랑은 하나님이라”로 역으로 읽었다. 지구상에 있는 모든 부패한 것은 선한 것을 왜곡한 것이다. (“사랑”에 관해서 더 공부하기 원한다면 필자의 〈하나님은 사랑이시라〉를 참조하라) “사랑이 하나님께 속하지 않았는가?” 그러면 “평화”(peace)는 어떤가? “평화”도 하나님께 속한 것이 아닌가?(눅 2:14, 요 14:27) 사실 “평화”라는 말은 그 어떤 단어보다 지상에서 전쟁을 일으키기 위해 많이 사용되었다. 마호메트는 모슬렘들이 시작하고 수행하는 모든 전쟁이 전 세계적인 평화를 가져오기 위한 방어적 전쟁이라고 했다. 그래서 그들은 이것을 “성전”(聖戰, jihad)이라고 부른다. 사실 그것은 이슬람교나 마호메트를 조롱하는 자는 누구라도 처단하기 위한 침략전쟁이며, 이는 울라마들과 이맘들과 므프티들이 모든 국가가 마호메트의 “달 신”에게 복종할 때까지 세상에서 지속적으로 전쟁이 있을 수밖에 없다고 가르치기 때문이다.

마틴 루터 킹의 평화 행진은 500명의 죽음을 야기했고, 400,000,000달러 이상의 재산 파괴를 가져왔다. UN의 평화유지군은 이미 보스니아, 세르비아, 그라나다, 아프가니스탄, 이라크 등지에서 5,000명 이상의 시민들을 죽였다. 또한 뉴스 미디어가 도입한 말도 안 되는 용어인 평화 정착 과정(peace process)은 이스라엘과 레바논에서 10,000여 명의 무장하지 않은 사람들을 죽게 했다. "팍스 로마나"(PAX Romana, 로마의 지배에 의한 평화)는 군사력을 투입하여 방해자들을 모두 죽여 "평화"를 이룩하겠다는 의미였다. 왜곡된 의미의 "평화"는 멸망의 아들이 UN을 접수하는 모토가 될 것이다. 다니엘 11:21,24을 읽어 보라!

지상에 있는 모든 악한 것은 선한 것이 왜곡된 것이다. 음악, 미술, 평화, 자유, 평등, 친교회, 안전, 사랑 등 모두가 그렇다.

『하나님**은 사랑이시기 때문이라**』(8절)

왜 여기서 멈추는가? 성경이 말씀하는 나머지 내용은 쳐다보지도 않고, 왜 이 하나의 긍정적인 진술에만 집착하는가?(빌 2:12)

이런 말씀은 어떤가? 『**우리** 하나님**은 소멸케 하시는 불이심이라**』(히 12:29).

이 말씀은 도저히 받아들일 수 없는가? 왜 양면을 보지 못하고 한쪽만 보는가? 왜 긍정적인 면만 보는가? 이 구절도 보라. 『**나 주 너의** 하나님**은 질투하는** 하나님**임이니**』(출 20:5).

"하나님은 사랑"이신가? 그렇다면 그분은 잔인한 분이시기도 하다는 말씀이다. 『**사랑은 죽음처럼 강하고 질투는 음부처럼 잔인하니**』(솔 8:6). 동일 저자가 동일 저서에서 한 말씀이다(딤후 3:16).

『**주 우리** 하나님**께서는 거룩하시기 때문이라**』(시 99:9). 하나님은 사랑이시라고 되뇌이면서도 어떻게 이 구절은 놓칠 수 있는가? 시력이 나빠졌는가? 돋보기가 필요한가? 사랑 타령만 하고 긍정적인 사고를 외치는 선행을 강조하는 자들은 어떻게 성경을 들 때마다 진리의 오분의 일 이상을 깨닫지 못하는가?

『**주는 복수하시는도다**』(나 1:2).

선행을 강조하면서도 구원받지 않은 죄인들은 큰 백보좌 심판에 처해지게 될 것이며, "책들이 펼쳐져 있을 것이며"(단 7:9,10), 그들은 자신이 이용해 먹은 성경 본문들에 의해 심판받게 될 것이다. 그들은 요한일서 4:7,8을 하나님께서 성경을 거부하는 죄인들도 구원해 주신다는 말씀으로 써먹었다. 그날 그들은 모두 졸도하고 말 것이다.

성경의 하나님은 그들에게 성경을 여셔서 그분이 완전한 사랑이실 뿐만 아니라 완전한 질투시며, 완전한 증오, 완전한 분노, 완전한 자비, 완전한 지식, 완전한 복수이심을 성경의 장과 절을 대시면서 보여 주실 것이다(신 32장, 애 2-4장). 불결함과 더러움, 거짓말, 도둑질, 살인, 자랑, 배신, 사기, 등쳐먹기, 고문, 횡령, 유기, 모독 등을 증오하지 않고 오직 사랑만 있는 하나님은 "반쪽짜리" 신이다. 만약 하나님에게 사랑만 있다면, 하나님은 정조가 없는 것, 불결함, 변태, 거짓 맹세, 수간, 암살 등도 사랑해야만 하는 것이다.

("알라"는 불결함과 암살과 인종 학살 등을 전적으로 지지하는 신이다.)

이런 문제에 봉착하면 그들은 "물론 그렇죠. 그러나 하나님께서는 죄는 미워하시지만 죄인은 사랑하시잖아요."라고 말한다. 그러나 실제로 성경은 단 한 구절에서도 그렇게 말씀하지 않는다. 실제로 성경을 읽어 보라. 그것은 21세기의 바보들을 위한 우화에 지나지 않는다. 21세기에 구원받지 않은 죄인들은 모두 "진노의 자녀"로서(엡 2:1-4) 하루 24시간 하나님의 진노 아래 있다(요 3:36). 그를 향한 하나님의 사랑은 과거의 단 한 번의 사건으로 나타났다. 성경에서 요한복음 3:16을 설명하는 구절들은 모두 과거 시제로 쓰여졌고, 단 한 구절도 현재형으로 기록되지 않았다.

필자가 쓴 말을 단 한마디도 믿지 말라. 구절들을 확인해 보라. 하나님께서 그분의 아들을 거부한 죄인을 사랑한다는 구절이 있다면 알려 주기 바란다. 다음에 오는 모든 구절을 살펴보라 : 요 3:16, 롬 1:2-3; 3:25; 4:24-25; 5:6,8,10; 6:9-10; 8:32; 14:9, 고전 15:3-4, 고후 5:19-21, 갈 2:30, 엡 1:20, 빌 2:8-10, 살전 2:13-15, 히 10:8-12, 벧전 1:18-21, 계 1:5; 5:12 등이다.

신약에서 하나님의 사랑이 직접적으로 그리고 궁극적으로 예수 그리스도께 연관되지 않는 구절은 단 한 구절도 찾을 수 없다. 또한 이 사랑이 과거 시제로 표현되지 않은 구절도 단 한 구절도 찾을 수 없을 것이다. 아시아, 아프리카, 유럽, 중앙아메리카, 남아메리카, 북아메리카에서도 모두 마찬가지다. 예수 그리스도께서 그들을 위해 죽으셨음에도 예수 그리스도를 거부한 오대양 육대주에 있는 죄인들의 미래는 불타는 지옥에서의 극심한 고통이며 그후에는 불못에 던져지게 된다(계 20:11-14, 습 3:8, 마 13:40; 25:41, 사 34장; 66:24, 렘 25장, 욜 3장, 살후 1:8,9).

향후 십여 년간의 지구상에 사는 죄인들을 대표할 만한 성경적인 "슬로건"을 고르려고 한다면, "하나님은 사랑이시라"는 옳지 않은 선택이다. 죄인들은 하나님과 성경을 저주하면서(계 9:20,21) 『**내 벌이 내가 감당하기에 너무 크니이다.**』라고 주장할 것이다(창 4:13). 이 말은 요한일서 3:12에 언급된 살인자 카인의 고백이다.

하나님의 사랑은 갈보리에서 나타났었다(9절). 지상의 어떤 나라에 있는 어떤 죄인에게도 지금 그 사랑이 나타나 있는 것이 아니다. 오히려 나타나 있지 않다고 말해야 옳다. 사실 이 위선자들이 "하나님의 사랑"이라고 부르는 것은 실제로는 『**의로운 자와 불의한 자**』 위에 동일하게 내리시는 하나님의 자비들을 말함이다. 자비는 부정적이며 사랑은 긍정적이다. 『**악인**

의 온유한 자비들은 잔인하니라』(잠 12:10).

모든 모슬렘들과 불교도들과 유신론자인 인본주의자들과 힌두교도들은 그들이 받을 자격도 없고 그들이 노력해서 얻은 것도 아닌 하나님의 자비들을 보면서, 그들의 신의 사랑이라고 여기는 것이다. 이러한 착각은 그들을 저주로 이끈다. 죄인들은 자신이 이익을 얻고(딤전 6:5) 하나님께서 아끼시고(왕상 20:42) 음식과 의복을 얻는다 하여(딤전 6:8) 이것이 그들이 하나님의 성경과 하나님의 아들을 거부함에도 하나님께서 그들을 사랑하는 증거라고 착각하는 것이다. 예수 그리스도께서는 이들의 터무니없는 착각을 그들을 위해서 죽으시기 몇 달 전에 바로잡아 주셨다(마 23:33, 요 8:24,47).

왜 예수 그리스도께서 피터 S. 럭크만을 위해서 죽으셨는가? 구원받은 지 45년이 지났건만 나는 그 답을 모른다. 이것이야말로 필자가 〈킹제임스성경〉을 150회 이상 읽고도 아직 풀지 못한 미스테리다.

만약 바울이 진리를 말한 것이라면(딤전 1:5; 2:4-6), 주님은 실제로 나를 위해서 죽으신 것이다(요 3:16, 롬 5:6,8-10).

필자는 과거에 최후의 만찬을 비화하여 제자들이 모두 술 취했고 요한은 식탁 위에 나가떨어졌고, 베드로는 식탁 위에 다리를 올려놓고, 그리스도와 유다는 술 취하여 눈이 해롱거리며, 위스키와 맥주 병이 바닥과 식탁 위에 나뒹굴고 있는 그림을 그렸다. 주님은 나 같이 악한 죄인을 위해서도 죽으셨다는 뜻이다. 이제 답해 보라. 왜 이와 같이 사악한 죄인을 위해서 예수 그리스도께서 죽으셨는가?

앨라배마 주 캠프 러커(현재는 포트 러커)의 BOQ에서 필자는 카톨릭 친구들과 함께 밤에 술에 취해서 샤워를 하면서 "갈보리 산 위에"와 "저 장미꽃 위에 이슬" 등의 찬송가를 부르곤 했다. (예수님께서는 자신이 『**주**

정뱅이들의 노래』(시 69:12)이심을 말씀하신 적이 있다. 필자는 시편에 있는 그 구절이 얼마나 문자적으로 적용 가능한지를 논한 주석이나 설명은 한 번도 읽어 본 적이 없다. 그들은 인생 경험과 상식이 결여되어 있고 그 지성이 불신과 회의로 가득 차 있어서, 성경 말씀을 실제적으로 "강론"하는 데 전혀 무능력한 자들이 되었다.)

여기에 거짓말하고 도둑질하며 욕하고 소란을 일으키는 음행하는 보병장교가 찬송가를 부르며 주님을 모독하고 있었다. 그러나 예수 그리스도께서는 그럼에도 그의 죄들을 그분의 몸에 지시고, 그의 죄들 때문에 고통받고 죽으셔서(사 53:1-6), 그 죄들을 마땅히 있어야 하는 지옥에 버리셨다(엡 4:8-11, 행 2:27,31).

사람들은 "하나님의 사랑"을 이러한 예수님의 공로와 분리해서 생각한다. 모든 모슬렘, 힌두교인, 인본주의자, 유대인, 불교도, 뉴에이지운동가 등은 하나님의 사랑과 예수 그리스도의 십자가를 분리할 수 있다고 생각한다. 그러나 "하나님의 사랑"의 주체이시며 그것을 친히 실행해 보여 주신 주님은 분리할 수 없다고 말씀하신다(딛 2:11-15, 요 14:6).

필자에게 주먹을 들이대며 게거품을 물고 화내지 말라. 당신이 더럽고 부패하고 자기 의로 가득 찬 마음을 가지고 있기 때문에(롬 10:1-5) 하나님께서 말씀하신 것을 믿지 않고(행 28:24, 출 9:20-21) 필자가 한 말을 "종교적인 증오"를 불러일으키는 발언이며 편파적인 "증오 연설"이라 받아들일 뿐이다.

죄인들은 하나님을 사랑하는 것(마 22:37-38) 대신 자신을 먼저 사랑하기를 배웠기 때문에(딤후 3:2,7) 그들의 더러운 입을 놀려 계속해서 하나님의 말씀들에 대한 증오를 내뿜을 뿐이다.

『**여기에 사랑이 있으니**』(10절). 이제 알겠는가? 사랑이 무엇 안에 있다고 말씀하신다. 무엇 안에 있는가? 소수 민족을 도와주는 데 있는가? 변태 성욕자들에게 특별한 특권들을 부여하는 데 있는가? 그들의 "목자"는 호위호식하는데 가난에 찌든 로마카톨릭교도들을 먹여주는 데 있는가? 여기에 있다고 했는데 어디에 있는가? 연방 기금 안에 있는가? UN의 헌장 안에 있는가? 남자들의 직업을 빼앗아 여자들에게 주는 데 있는가? 성경이 죄와 사망과 지옥에 대해서 말씀하는 바를 전하지 않는 데 있는가? 『**여기에 사랑이 있으니**』 세 개의 전쟁(제1차, 2차 세계전쟁, 베트남 전쟁)을 시작했으면서도 "평화"를 말하는 포도주에 취한 로마의 총각 사제에게 있는가?

『**여기에 사랑이 있으니**』 헐리우드에? TV 드라마에? 신문에? 잡지에? 마약에? 성경을 거부하는 죄인들이여, 어디에 있는가? "여기에"에서 "여기"는 어디를 말함인가? "하나님 안에서" 사랑한다고 말하겠는가? 그러면 어떤 "하나님"을 말함인가? 죄인들을 위하여 죽어 본 적도 없으면서도 "하나님" 혹은 "신"이라 불리는 것들이 50,000개나 된다. 알라와 브라마는 단지 두 개의 예에 불과하다.

"생명"이 그러하듯이(요 1:4, 요일 5:12), "사랑"은 오직 하나님의 아들 안에서만 발견할 수 있다.

『**우리가 아직 죄인이었을 때** 그리스도**께서 우리를 위하여 죽으심으로써** 하나님**께서는 우리를 향한 그의 사랑을 나타내셨느니라**』(롬 5:8).

갈보리에서의 예수 그리스도의 완성된 공로와 분리해서 "하나님의 사랑"은 지구상 어디에서도 찾아볼 수 없다.

『**우리가 원수 되었을 때에도 그의** 아들**의 죽음으로 인하여** 하나님**과 화해하게 되었으니 더욱더 화해하게 된 우리는 그의 생명으로 인하여 구원받게 되리라**』(롬 5:10).

『**소망이 부끄럽지 않은 것은 우리에게 주신** 성령**에 의하여** 하나님**의 사랑이 우리 마음속에 부어졌기 때문이라**』(롬 5:5).

이 부분에 관해서 문서화된 자료를 원한다면 〈하나님은 사랑이시라〉를 읽어 보라.

90,000,000명의 모슬렘들과 마호메트는 사랑에 대해서 전혀 모른다.

10절의 나머지는 『**그의** 아들』이 그 사랑을 발견할 수 있는 유일한 장소임을 말하고 있다. 『**우리가** 하나님**을 사랑한 것이 아니요 그분이 우리를 사랑하시고 그의** 아들**을 우리 죄들을 위하여 화목제물로 보내신 것이라**』 이 말씀은 요한일서 2:2의 반복이다. 『**화목제물**』(propitiation)은 적의의 상태에 있는 상대방을 달래는 데 필요한 대가를 말한다(롬 3:25). 즉 "심술이 난" 상대방을 만족시킴으로 화평을 유지하는 것을 말한다. 나쁜 예를 들자면, 클린턴과 부시 대통령과 UN이 1948년 이후로 지속적으로 과거에 팔레스타인해방기구(PLO)라 불렸던 테러리스트 팔레스타인자치정부(PA)의 요구들을 계속해서 만족시켜 주었던 것과 같다. 팔레스타인자치정부(PA)는 1921년 이후로 유대인 시민들을 죽이는 일을 해왔다. 마피아에게 협박을 당한 희생자들처럼, UN과 미국 언론은 뒤로 물러나서 테러운동이 번창하고 발전하도록 방관했다. 이것은 히틀러가 했던 것과 같은 수법이다.

즉 이들은 살인마들의 요구들을 들어 줌으로써 그들과 평화를 맺으려는 것이다. 그들의 요구는 "돈을 주든지 아니면 목숨을 내어 놓으라."는 것이다. 예수 그리스도를 영접한 한 모슬렘이 잘 말했듯이, "간단히 이슬람교를 요약하자면 이슬람교를 믿든지 죽음이다!"이다. 이것이 가장 객관적이고 과학적이며 정확한 이슬람에 대한 평가다.

성경적인 의미에서 『**화목제물**』은 하나님 자신이 사람들에게 지키라고 주신 율법의 요구들을 지불하기 위해 주어지는 것이라 할 수 있다(신 8:1-2). 먼저 사람들은 율법을 어겼고(출 32:19), 그 다음에는 그것을 등

뒤로 던져 버렸으며(느 9:26), 결국에는 그것이 법정과 학교 교실에서도 사라지도록 만들었다(미최고법정, 1962년에서 1964년).

율법은 사람들이 죄가 없기를 요구한다. **『내가 거룩하니, 너희도 거룩하라.』**, **『너희는 거룩하라.』**, **『죄는 곧 율법을 범하는 것이라.』**, **『누구든지 율법 전체를 지키다가 하나를 범하면, 전체를 범한 자가 되느니라.』**

죄 없는 죄인은 없다(요일 1:8-10).

사람이 영원한 생명을 얻는 데 하나님께서 요구하시는 것은 죄 없음이다(계 21:2-5,27). 육체적인 생명(창 2장)과 영적인 생명(요일 5:8-13)의 창시자는 죄 없는 분이시다(사 57:15; 43:15; 45:21).

이 요구를 만족시키기 위해 예수 그리스도께서 나타나셔서 죄 없는 삶을 사시고 죄 없이 죽으시고 사망에 머무르지 않고 부활하심으로 그분의 죄 없음을 증명하시고(롬 1:3-4, 행 17:30-31) 또한 죄에 대한 대가를(갈 3:13, 벧전 2:24, 사 53:1-8) "몸값"으로 치르셨다(딤전 2:6). 예수님께서 치르신 대가가 거룩하고 두려우신 분(Terrorist)의 요구와 조건을 만족시킨 것이다(고후 5:11과 레 26:16, 욥 6:4, 창 35:5, 겔 32:32, 신 4:34, 렘 32:31, 사 10:33, 렘 17:17을 읽어 보라).

필자는 사랑이신 하나님을 "두려우신 분"(Terrorist)라고 불렀다. 라오디케아 시대의 히브리어, 헬라어 학자나 성경 교사나 성경 개정자들은 필자가 한 말에 주의를 기울이지 않는다. 그들은 오히려 필자가 하나님을 모독했다고 생각한다. 이것이야말로 우리가 마지막 배교의 시대에 있음을 말해 주는 가장 확실한 증거라 할 것이다. 현재 신학대학이나 신학원에서 가르치고 있는 인정받고 자격 있는 "경건한" 성경 교사들은 그들 자신의 언어로 된 성경을 더 이상 읽지 않는다. 그들은 성경에 무지한 자들이 되어 버렸다. 그래서 그들은 성경에서 자신이 들어보지 못한 것을 말하면 "이단"이라고 소리치는 것이다. 사실 진리의 성경에 기록된 내용 그대로를 말했을 뿐인데도 말이다(단 10:21). 그들이야말로 이단자들이며 어리석은 자들인 것이다.

4:11 **사랑하는 자들아,** 하나님**께서 이처럼 우리를 사랑하셨으니 우리도 서로 사랑하는 것이 마땅하도다.**

12 **어느 때에도** 하나님**을 본 사람은 아무도 없으나, 우리가 서로 사랑하면** 하나님**께서 우리 안에 거하시고, 그의 사랑이 우리 안에서 온전해지느니라.**

13 **이로써 우리가 그분 안에, 그분이 우리 안에 거하시는 것을 우리가 아노니 이는 그분이 우리에게 그의** 영**을 주셨음이라.**

14 **우리는** 아버지**께서** 아들**을 세상의** 구주**로 보내신 것을 보았고 또 증거하느니라.**

15 **누구든지** 예수**를** 하나님**의** 아들**이라 시인하면** 하나님**께서 그 사람 안에 거하시고, 그도** 하나님 **안에 거하느니라.**

우리는 앞에서 320여 명의 소위 성경학자들을 쓸모없는 자들로 제쳐 놓았다. 이제 우리는 성경에서 가장 부정적인 구절에 도달했다. 이 구절은 창세기 11장 이후로 인간들이 "함께 모이고" "인류에게 비인간성을 제거하고" 예수 그리스도 없이 "지구에 평화를 가져오려는" 모든 인간적인 노력들을 자동적으로 정죄한다.

이 구절에 있는 모든 단어가 긍정적이다. 복음의 내용이 75%가 부정적인 것과는 다르다(고전 15:3-4). 일단 『하나님**께서 이처럼 우리를 사랑하셨으니 우리도 서로 사랑하는 것이 마땅하도다.**』(11절)는 말씀이 선포되면 영구적인 손상이 생길 수밖에 없다. 이것은 모든 모슬렘들이 마태, 마가,

누가, 요한, 바울 등이 모두 거짓말쟁이라고 믿는 것처럼, 하나님께 한 아들이 있고 그분께서 우리를 대속하기 위해 죽으셨다는 것에 대해서 신약성경이 우리에게 거짓말이라면, 이 구절은 이렇게 읽혀져야 한다. "하나님께서 그의 아들을 주셔서 우리를 죽기까지 사랑하지 않으셨다면, 우리 또한 우리 자신 이상으로 누구도 사랑할 필요가 없다." 이런 일이 일어난 것이 바로 A.D. 70년(딤후 3:1-2)과 노아의 홍수 직전이었다(롬 1:29-32). 그리고 이러한 상태는 신약성경이 완성되었던 A.D. 90년 이후로 현재 2010년까지 계속되고 있다. 오늘날 UN에 속한 어떤 개인이나 국가도 마땅히 사랑해야 할 의무가 없다. 성경은 말씀하신다. 『**우리도 서로 사랑하는 것이 마땅하도다.**』 누구라도 사랑할 필요가 없고, 특히나 자신의 "종교"를 조롱하는 자는 더욱 사랑할 필요가 없는 것이다. 이러한 자기 중심적이고 자기 의로 충만하며 참을성 없는 죄인들을 위해서 화목제물이 되신 분은 『**원수들을 사랑하**』라고 말씀하셨다(마 5:44). 바울은 그들을 먹이고 마실 것을 주라고 했다(롬 12:20).

마호메트는 "그들을 죽이라"고 했다. 마호메트는 이번에도 자격 상실이다. 그는 자신의 며느리와 아홉 살 된 여자 아이와 열두 명의 "아내" 외에는 다른 누군가를 "사랑"(?)할 필요나 동기가 없었던 것이다.

수년 전에 인도로 간 선교사가 불교도인 한 여인을 주님께로 인도하려고 했다. 구령하는 중에 그가 그 여인에게 이렇게 물었다. "당신은 정말 부처를 사랑하죠, 그렇죠?" 그 여인은 땅을 잠시 쳐다보다가 침착하게 그리고 조용히 또한 정직하게 다음과 같이 대답했다. "잘 모르겠어요. 저는 한 번도 '사랑'이라는 말을 부처나 불교와 연결시켜 본 적이 없어요."

힌두교도들은 신약성경의 요한일서 4:8,11을 위조하기 위해서 또 다른 신(크리쉬나)을 발명해야 했다. 가짜가 더 빨리 번성하는 법이다. A.D. 90년이 되기까지 어떤 신도 사람들을 위해서 죽을 만큼 그들을 사랑하지 않았다. B.C. 3000년과 A.D. 33년 사이의 브라만교와 힌두교가 발명한 어떤 신도 "사랑"이 아니었다. 그들의 신들은 어떤 죄인을 위해서도 죽으려 하지 않았다. B.C. 500년과 A.D. 300년 사이의 로마와 그리스의 신들도 마찬가지다. 마호메트의 "달 신"인 알라도 말할 필요가 없다.

마호메트가 구약의 전능하신 주 하나님을 모방하기 위해 새로운 신(알라)을 발명했듯이 인도의 힌두교와 "성인들" 또한 새로운 신(크리쉬나)을 발명하여 주 예수 그리스도를 대체하려 했던 것이다. 이 가짜 구세주는 자신이 그를 믿는 신도들을 "모든 악으로부터" 구원하여 그들을 브라마(아트만 등)와 연합시키고, 그들 안에 "내주함으로써" 그들을 "의롭게" 한다고 한다.

크리쉬나는 A.D. 90년 전에는 그 어떤 신들의 목록에도 들어 있지 않았다. 힌두교의 주요 신들은 브라마, 쉬바, 비쉬누다. 정확하게 말해서 "브라마"는 인격체가 아니다. 그는 여러 가지로 묘사할 수 있는 "사물"(thing)이다.

다른 힌두교의 신으로는 칼리, 두르가, 인드라, 루드라, 아그니, 스칸다, 사티, 사네쉬, 하눔, 샤크티, 우샤스 등이 있다. 마호메트 당대의 모든 모슬렘들은 카바에 약 300가지 서로 다른 신들을 섬겼고, 힌두교도들은 수백만의 신들을 숭배했다. 마호메트는 베두윈 달 신(알라)을 승자로 택하여 그를 군사 활동들의 명분으로 내세웠다. 그는 이 전쟁들을 통하여 이슬람 국가-교회들을 세웠으며, 마호메트 자신이 달 신 다음으로 권위가 있다고 주장하며 최고 권좌에 앉았다.

그리스도를 모방한 작품으로는 오직 헐리우드의 "E.T."만이 크리쉬나와 경쟁할 만하다 하겠다. E.T. 또한 그가 나타나기 전부터 존재했으며, 그의 지상 삶은 숨겨져 있었다. 그 또한 어린아이들을 좋아했고, 세 명의 숭배자가 그 앞에 무릎을 꿇었다(마 2장). 그는 모든 죄나 잘못으로부터 순결했으나 전등과 무기들을 든 사람들이 그를 쫓아왔다(마 26장, 요 18장). 그는 병든 자들을 치료했고 식물(마 21:19의 무화과나무)을 시들게 하기도 했다. 그는 또한 다치고 거부된 채로 누워 있기도 한다(사 53장). 그는 만유인력의 법칙을 능가하기도 하고(행 1장), 그가 언제 죽을지 알고 있었다(눅 18:31-33). 죽으면서 그는 (엘리옷의 엄마)인 "마리아"를 방문한다. 그는 엘리옷을 살리기 위해서 죽어야만 했고(요 10장), 그는 자신이 다시 살아나면 엘리옷의 머릿속에 거하겠다고 말했다(고전 2:16, 골 1:27).

이에 비하면 크리쉬나는 다소 아마추어 같은 느낌이 있다. 힌두교의 2,000년 동안의 "성스러운 경전들"에는 그에 대한 예언이 단 하나도 없었던 것이다. (사마베다스, 야수르베다스, 아탈베다스, 젠다베다스, 리그베다스, 우파니샤드, 라마야나, 마합하라타 등)

1. 그는 사람들을 "영원하고 무한한 것"과 연합시킬 수 있다.

2. 그는 죄인 안에 "내주"하고 그를 모든 악으로부터 구원할 수 있다.

3. 그는 희생제를 요구하고 신자 안에 내주한다.

4. 우주의 최고의 주인으로서 브라마까지 그를 "칭송"한다.

5. 당신은 그를 사랑하고 숭배하고 그를 묵상해야 한다.

6. 그는 예수 그리스도께서 나타나시기 전까지 "알려지지 않은 신"이었다.

7. 그는 "우리 주"와 "복되신 주"라고 불리며 유일한 "주"(THE Lord)라고 불린다. (〈Encyclopedia of Religion and Religions〉, Pike, World Publishing Co., 1958; 〈Religions of the World〉, John Hardon, Image Books, 1968, 〈India, the Grand Experiment〉, Mangalwaid, Pippa Rann Books, 1997)

P.S. "크리쉬나"(Krishina)라는 단어는 "검은"색을 의미한다.

"정전"(Blackout), "블랙홀"(Black hole), "반대 투표"(Black ball), "블랙 시큐러티"(Black security), "블랙 헤드"(Black heads), "블랙 버

드"(Black birds), "검은 고양이"(Black cats), "암 시장"(Black markets), "블랙리스트"(Black lists), "흑사병"(Black deaths) 등에서처럼 "검은"색을 의미한다.

『**어느 때에도** 하나님**을 본 사람은 아무도 없으나**』(12절).

이 구절을 요한복음 3:6과 비교하고, 요한복음 14:9과 1:18과도 비교해 보라. 얼핏 보면 성경에서 명백한 "모순"을 발견했다고 생각할 것이다. 여기에 출애굽기 24:10, 재판관기 13:22, 신명기 34:10을 더하면 더욱 혼란스럽게 된다. 그러나 두 가지 성경적 진리를 인지하면 즉시 이 문제는 부분적으로 해결된다.

1. 구약의 『**주의 천사**』는 하나님 그분 자신과 같은 분으로 받아들여졌다(판 13:22, 창 18:1,22, 행 27:23). 그는 일종의 "현현" 즉 하나님의 "나타나심"(appearance)이다. 바울은 그를 하나님과 동등하게 여긴다(갈 4:14, 행 27:23).

대부분의 주석가들은 이 모든 진리를 놓쳐 버렸다.

2. 마태복음 5:8, 히브리서 12:14; 9:28, 요한일서 3:6 등에 기록된 "보는 것"은 대환란의 끝 무렵 일어나는 일이다(요일 1:5의 주석을 참조하라).

모든 주석가들은 이 모든 진리를 놓쳐 버렸다.

요한은 이 구절의 초반부에서 "사람"에게 초점을 맞추고 있으며 이는 요한복음 3:3; 6:44, 특히 6:46; 6:65의 경우와 같다. 독자가 정말 신학적인 모순을 해결하고 싶다면, 요한복음 6:46과 요한복음 14:9을 보라. 해볼 만한가?

이 모든 문제들은 우리가 히브리서 4:12, 데살로니가전서 5:23, 창세기

2:7, 요한복음 4:24 등을 성경에 기록된 그대로 믿는다면 쉽게 해결된다. 하나님께서는 성경적 진리를 〈킹제임스성경〉의 본문에 조심스럽게 감추어져 있어서, 히브리어 헬라어 학자들이 찾을 수 없게 만들어 놓으셨다. 성경적 진리, 곧 『하나님**은 한** 영**이시니**』라는 진리는 그분은 볼 수 없는 분이시라는 뜻이다(딤전 6:16). (ASV, NASV, RV, RSV, NRSV, NIV 등은 이 진리를 찾지 못하게 만들었다.) 하나님의 혼, 곧 아버지 하나님은 누구도 본 적이 없으며, 오직 "천사"로 나타나실 뿐이다. (사탄 또한 그렇게 한다: 고후 11:14) 오늘날까지 그리스도의 몸 안에 있는 약 90% 이상의 성경을 가르친다고 하는 교수들이 마귀가 천사였고 지금도 천사라고 믿는다. 이것은 사탄이 "새벽별"이라고 가르치는 것만큼이나 이단 교리다. 날개를 가진 천사는 없다(창 19장, 판 13장, 히 13장). 그룹(Cherubim)은 날개가 있다(겔 1,10장). 사탄은 "빛의 천사"로 나타날 뿐이다. 그러나 사탄은 창세기 1:1 이후로 한 번도 실제로 천사였던 적이 없다.

모세가 "대면하여" 알았던 분은 『**주의 천사**』였고, 신약성경에 따르면 이분이 여호와(JEHOVAH)시다(행 7:30). 마호메트는 단 한 번도 이러한 특권을 가진 적이 없었으며, 그러므로 코란이 마호메트가 모세와 같은 선지자라고 말할 때 단지 웃기지도 않는 농담을 써 놓은 것일 뿐이다. (〈The Holy Scriptures vs. the Holy Koran, 2002〉을 참조하라) 코란 외에 이슬람이 거룩한 경전으로 여기는 하디스에 따르면 마호메트가 유일하게 본 것은 날개가 600개 달린 괴물로 그것이 "가브리엘" 천사라고 한다.

천사들은 날개가 없다(히 13:2). 이 진리를 모르는 사람은 9억 명에 달하는 모슬렘밖에 없을 것이다.

모세가 천사의 현현(출 34장) 이상의 뭔가를 보았을 때, 그는 성육신 이전의 예수 그리스도의 나타나심을 보고 있었던 것이며, 그분의 이름은 "비밀"(secret)이었다. 그분의 얼굴의 특징들(신 33:20)에 대해서는 잠언 30:4,

창세기 32:29, 재판관기 13:18 등을 보라. (아라비아를 하나로 통일하겠노라고 떠벌인 살인마가 꾸며낸 이야기인 코란에서는 이런 진리를 발견할 수 없다.) 성경은 하나님께 몸이 있다고 말한다. 이것이 요한복음 14장과 요한복음 6장을 설명해 준다. 하나님께는 영이 있다. 이것이 요한복음 14-16장을 설명해 준다. 『**한** 영』 곧 다른 영적 존재들(엡 6:12, 행 23:8, 슥 12:10)과 구별되는 한 영적인 존재로서 하나님은 그분 자신을 하나의 영으로 나타내시며, 그분이 성령이시다. 하나님께는 혼이 있다. 구약과 신약은 모두 사람의 "혼"이 사람 안에 몸의 형체를 가진 것으로 사람이 볼 수 없는 것이라 설명한다. 이 진리가 히브리서 4:12과 그와 유사한 구절들을 설명해 준다.

인간은 하나님의 형상으로 만들어졌다. 이 형상은 삼위일체의 일부다. (자세한 주석은 창 2장, 히 4:12, 행 2장 등의 주석을 참조하라)

의심스러울 때는 항상 모든 문법서들과 원어사전들을 창 밖으로 던져 버려라. 이런 책들을 사용하여 성경적 진리들을 지워 버리는 "경건하고 전투적인 근본주의자들"의 작품들도 다 던져 버려라.

『**우리가 서로 사랑하면** 하나님**께서 우리 안에 거하시고**』(12절).

이 부분을 주의하라. 독자들을 계속해서 주의집중하게 하는 것이 필자로서도 유쾌한 일은 아니지만, 이제 일곱 번째로 필자는 요한일서에서 "죄 없는 씨"와 관련하여 "거함"(abiding, dwelling)을 다루는 조건절들이 나옴을 상기시키기 원한다. (요일 2:6,24,27-28; 3:6,14-15,23을 보라. 또한 요일 1:8-10; 2:3,29; 3:20-21 등에 나타난 조건절(if)을 주목하라.)

히브리서 6:6에 나왔던 의미심장한 조건절(if)을 기억하는가? 이러한 조건절은 히브리서 3:6,14에서도 두 번 나타난다. 히브리서 10:26에도 나타난다. 베드로후서 2:20에서도 나타난다. 요한계시록 14:9에서도 나타난다.

("일반서신"은 참으로 대단하지 않은가?)

야고보서 5:19; 2:7,9,17; 3:14; 4:10 등도 보라!

수많은 죄인들이 "서로 사랑"하며(12절), 그들 모두는 그들이 "성인 간의 동의," "혼전 성관계," "성적 오리엔테이션," "동성 연애 파트너" 등을 근거로 그리스도께서 그들 안에 내주하신다고 주장할 수 있는 것이다(골 1:27). 즉 이 구절이 거듭나지도 않았고 지옥을 행해 가는 죄인들이 "스스로에 대해서 좋게" 생각하게 하는 구절이다. 그들은 계속 패역한 죄들을 지으며 하나님께서 조금도 그들에게 벌하시지 않을 것이라 생각하는 것이다. 왜냐하면 하나님은 사랑이시기 때문이다. 적어도 미국의 50만 정도의 소위 그리스도인들이 이런 믿음을 가졌다. 에스겔 14장은 이러한 위선적이며 거듭나지도 않은 종교적인 죄인들이 하나님의 말씀을 읽거나 그것을 설교하는 것을 들었을 때 무슨 일이 일어났는지 잘 보여준다(미 2:11을 보라). 하나님께서는 그들이 스스로를 저주할 알리바이를 만드는 것을 허락하셨다. 왜냐하면 그들은 "진리의 사랑을 받아들이지도 않았고" 오히려 "불의를 사랑하였기" 때문이다(살후 2:10-12). 그들은 신약성경을 믿지 않는다.

앞에 나오는 10절에서 분리된다면 하나님의 사랑은 어떤 누구 안에서도 "온전하게" 될 수 없다(12절).

13절은 내주하시는 성령께서 믿는 자에게 고린도전서 1:7-9, 골로새서 1:27, 에베소서 4:30 등에 기록된 말씀이 진리임을 확신케 하는 성령님의 "증거"를 말한다.

14절은 별다른 설명이 필요없다. 우리는 믿는다. 그러므로 우리는 말한다(고후 4:13).

증인은 자신이 직접 듣거나 본 것을 "증언"하는 사람이다. 특별히 이 경우에 있어서는 500명의 증인들이 뭔가를 봤으며(고전 15:6) 그것이 사실 그대로라고 선포했다. 그럼에도 모든 모슬렘, 불교도, 정통 유대인, 힌두교인, 무신론자, 뉴욕 시에 있는 UN의 인본주의자 등은 이러한 500명의 증인들과 그들의 증언들을 무시한다. 그들은 "네 원수들을 사랑하라"는 말씀을 그들의 알리바이로 삼는다. 성경은 "하나님이 사랑"이시기 때문에, 간음자들과 살인자들과 성경 비평가들과 신성 모독자들과 거짓말쟁이들과 남자 동성 연애자들과 자아중심주의자들과 게으른 거지들과 마약중독자들과 여자 동성 연애자들과 진화론자들을 두둔하라고 말씀하시지 않았다.

세상 사람들은 이슬람교가 500명의 증인들이 거짓말을 했다고 주장하는 것은 "증오연설"로 받아들이지 않는다. 예수 그리스도께서 평생토록 그분의 탄생과 하나님과의 관계에 대해서 거짓말했다고 말하는 것은 "증오연설"로 치지 않는다. (어떤 언어 어떤 판을 읽어 보더라도 코란은 예수님이 거짓말쟁이라고 말하고 있다.) 또한 모세가 신명기 32:43, 창세기 49:9-10, 민수기 24:9에서 거짓말을 했으며, 바울도 로마서 5,10,11장, 갈라디아서 3,4장, 데살로니가후서 2장, 디모데전서 6장 등에서 거짓말을 했고, 요한도 요 1,3,5,6,8,10,14,17,20장 등에서 거짓말을 했다고 말하는 것이 전혀 "종교적인 증오를 조장하는" 것으로 여기지 않는다.

그러나 UN에서 로마카톨릭이 섬기는 마리아가 누구도 구원할 수 없다고 말하거나, 유대인들과 그리스도인들을 살해했으며 발작 증세가 있었고 문맹에다가 간음자였던 마호메트가 기만당한 자아중심주의자였으며 거짓말을 일삼을 뿐만 아니라 사람들의 혀를 잘라내기도 했다라고 말하면 "증오연설"이 되는 것이다.

이중적인 기준이다. 이들은 현대판 위선적인 바리새인들이다.

우리는 "세상의 구주"가 알라가 아니며 한 번도 그랬던 적이 없으며 앞으로도 마찬가지임을 증거한다(14절). 우리는 또한 마리아도 교황도 결코 "세상의 구주"(행 4:12)가 될 수 없음을 증거한다(행 4:12). 우리는 과학과 교육 등도 "세상의 구주"(요 4:42)가 될 수 없음을 증거한다. 더 나아가 우리는 이 세상의 구주는 "어머니 자연"이 아니며 B.C. 4000년 이후로 누구를 어디서 따랐건 그의 종교도 아님을 증거한다. 세상의 구주, 곧 구원을 이루라고 이 땅에 보내심을 받은 분은(요 6:51) 주 예수 그리스도시다(행 5:31; 13:23). 이 시대에 예수님은 그분께 나아오는 어떤 죄인에게도 구주가 되시며, 심지어 마리아까지도 예수님이 그러한 분임을 시인했다(눅 1:47). 성경은 이 구주가 곧 『하나님』이며 『주』라고 말씀하시며(눅 2:11, 딛 1:3; 2:10; 3:4, 유 25), 이는 하나님 그분 자신이 하나님께서 인정하시는 유일한 『구주』이기 때문이다(사 45:21; 60:16, 호 13:4).

『**나, 곧 나는 주요, 나 외에는 구주가 없느니라**』(사 43:11).

『**너희는 고하여 그들을 가까이 데려오라. 그들로 서로 상의하게 하라. 옛날부터 이것을 선포한 자가 누구냐? 그때부터 그것을 말한 자가 누구냐? 나 주가 아니냐? 나 외에 다른** 하나님**이 없나니 공의로운** 하나님 곧 구주**가 나 외에는 없느니라**』(사 45:21).

요한은 그가 그분을 보았고 그분을 만졌다고 말했다(요일 1:1-3).

그는 그분의 몸을 보았고 그분의 몸을 만졌던 것이다(눅 24:39, 요 13:23).

15절은 12절을 재빨리 자신의 거듭나지 않은 자아와 거듭나지 않은 자아의 "연인들"에 적용한 자들이 생각한 것이 착각임을 보여 준다. 하나님의 내주하심에는 12절에 나타난 하나의 조건을 포함하여 세 개의 조건이 있다. 13절에서는 그 조건이 성령님의 내주하심이며, 17절에서는 하나님의 아들의 내주하심이다. 문맥에서 분리시킨다면 12절은 단 10원의 가치도 없는 것이다. 사실 문맥에서 분리시킨다면 무가치하게 될 뿐만 아니라 모슬렘 이맘이나 므프티나 울라마처럼 위험하고 기만적이기까지 하다.

4:16 하나님**께서 우리를 향해 가지신 그 사랑을 우리가 알고 또 믿었으니,** 하나님은 **사랑이시라. 사랑 안에 거하는 사람은** 하나님 **안에 거하고** 하나님**께서도 그 사람 안에 거하시느니라.**

17 이렇게 우리의 사랑이 온전해졌나니, 이는 우리로 심판 날에 담대함을 가지게 하려는 것이라. 이는 그분이 그러하심과 같이 우리도 이 세상에서 그러하기 때문이니라.

18 사랑 안에는 두려움이 없나니, 온전한 사랑은 두려움을 쫓아내느니라. 이는 두려움에는 고통이 있음이라. 두려워하는 자는 사랑 안에서 온전해지지 못하였느니라.

19 우리가 그분을 사랑하는 것은 그분께서 먼저 우리를 사랑하셨음이라.

20 어떤 사람이 "나는 하나님**을 사랑하노라." 하면서 자기 형제를 미워하면 그는 거짓말쟁이라. 눈으로 본 형제를 사랑하지 않는 자가 본 적이 없는** 하나님**을 어떻게 사랑할 수 있겠느냐?**

21 이것이 우리가 그분께 받은 계명이니 하나님**을 사랑하는 자는 자기 형제도 사랑해야 하느니라.**

이 구절을 잠시 동안 묵상해 보라. 『하나님**께서 우리를 향해 가지신 그 사랑을 우리가 알고**』(16절). 이 점을 염두에 두면서 11절의 주석을 다시 읽어 보라. 지구상에 있는 어떤 모슬렘도 "알라가 우리를 향해 가지신 그 사랑을 내가 안다"라고 말할 수 없다. 왜냐하면 알라는 누군가를 위해서 무엇을 하려고 지상에 나타난 적이 단 한 번도 없기 때문이다. 즉 알라나 마호메트가 소경인데 보게 해주었거나 절름발이와 귀머거리와 벙어리와 마귀들린 사람이었는데 치유해 줬다거나 죽었는데 살려 준 사람들을 모아 본다면 어떻게 되겠는가? 그런 사람은 단 한 명도 없다. 알라와 마호메트는 5,000명 이상의 배고픈 사람들을 먹여본 적도 없다(막 14:14-21).

알라는 "사랑"이 아니다. 그는 결코 "사랑"이 아니었고 그렇다고 고백한 적도 없다. 마호메트가 알라의 속성을 묘사한 것을 보면 그가 신약성경을 접하고 난 뒤 그의 신에게 그의 속성을 부여한 것임을 알 수 있다. 모방하고, 그럴싸하게 보이게 만드는 것이다.

『하나님은 **사랑이시라**』(16절).

두 번째로 같은 진술을 말하고 있다(8절). 단 하나의 역사적인 증거도 없으면서 '하나님께서 나를 사랑하신다' 혹은 '하나님께서는 당신을 사랑하십니다'라고 말하는 사람은 점수를 따려는 정치인밖에 안되는 것이다. 쉽게 말해서 거짓말쟁이다. 『하나님은 **사랑이시라.**』는 진술은 우리가 이미 여러 번 살펴보았듯이 거룩하지 않은 죄인들을 위하여 피의 속죄를 이루신 거룩한 하나님과 분리시키면 아무 의미 없는 말이 된다.

모슬렘이나 로마카톨릭이나 유대인이 "하나님은 사랑이시라"고 말할 때는 그들 자신을 당신에게 잘 보이게 하려는 의도이며, 혹은 자신의 죄들에 대한 알리바이를 대기 위해서며, 당신이 안전하지 않은데도 안전하다고 말하기 위해서 그렇게 하는 것이다. 그는 거짓말을 하고 있는 것이다. 로마카톨릭은 하나님의 사랑에 대해서는 전혀 생각하지 않기 때문에, 심지어 예수 그리스도의 속죄가 자신의 혼을 혹은 당신의 혼을 구원할 수 있다고 믿지 않는다(히 10:10-12). 하나님께서 죄인을 위해 죽으실 정도로 사랑하셨다는 사실은 유대인이나 카톨릭이나 힌두교도나 불교도나 인본주의자에게는 아무 소용도 없는 것이다. 바울에게는 의미가 있었다(롬 8:29,37-39). 사도 바울은 분명히 "하나님의 사랑"에 대해 뭔가 알고 있었다. 그러나 어떤 교황이나, 랍비나, 므프티나, 칼리프나, 구루나, 성인이나, 샤만이나, 임맘이나, 울라마나, 추기경이나, 신부나, 수녀도 『하나님**은 사랑이시라.**』는 말씀의 의미를 모른다.

이어지는 구절들은 긍정적인 사고를 주창하는 자들을 무참히 뭉개뜨려 버린다. 그들은 이 구절들이 "모든 것이 잘되고 있어, 지옥은 없어!"라는 생각과 그리스도를 거부하는 자가 결코 지옥에 갈 것을 두려워해야 할 필요가 없다는 주장을 하기 위해 써먹은 것이다. 그러나 전체 본문이 『**우리**』, 『**우리의 사랑**』, 『**우리가 그분을 사랑하는 것**』 『**그분께서 먼저 우리를 사랑하셨음이라**』 『**우리가 그분께 받은**』 등의 어구로 어우러져 있음을 보라(17-19,21절). 여기서 "우리"는 『**우리도... 행하면** 』, 『**만일 우리가... 말하면**』, 『**우리가... 자백하면**』, 『**만일 우리가... 말하면**』, 『**우리에게** 아버지**와 함께 있는 한 변호인이 있으니**』 등에서의 "우리"를 말한다(요일 1:7-10; 2:1,3). 인용된 모든 구절은 거듭나고 구원받은 그리스도인에 대한 것이며, 하나님의 아들의 피의 속죄를 믿어 두려움 없이 구원의 보장을 누리는 사람을 말하는 것이다.

권위를 인정받은 〈킹제임스성경〉의 본문이 어떻게 성경을 믿지 않으면서 그것을 이용해 먹으려는 자들의 지성을 망가뜨리는지 보라.

1. 『**사랑 안에는 두려움이 없나니**』.
2. 『**우리가 그분을 사랑하는 것은 그분께서 먼저 우리를 사랑하셨음이라**』.
3. 『**두려움과 떨림으로 너희 구원을 온전히 이루라**』.
4. 『**온전한 사랑은 두려움을 쫓아내느니라**』.

5. 『**혼과 몸을 모두 지옥에서 멸하실 수 있는 그분을 두려워하라**』(마 10:28).

6. 『**두려워하는 자는 사랑 안에서 온전해지지 못하였느니라**』.

7. 『**내가 너희와 함께 있을 때에 연약함과 두려움과 심한 떨림 가운데 있었노라**』(고전 2:3).

8. 『**사람이 내게 무엇을 하든지 내가 두려워하지 아니하리라**』(히 13:6).

9. 『**그러므로 우리가 주의 두려우심을 알기 때문에 사람들에게 권유하노라**』.

10. 『**주를 두려워하는 것이 지혜의 시작이요**』(잠 9:10).

11. 『하나님**께서 우리에게 주신 것은 두려워하는 영이 아니라**』.

위의 구절들을 찾아보고 싶은가? 10번을 제외한 모든 구절들은 신약성경에서 발췌한 것이다. 위의 구절들이 보여 주는 모순들을 어떻게 해결할 것인가? 전혀 어렵지 않은 11개의 구절이다. 모든 구원받지 않은 종교적인 죄인들은 1,2,4,6,8,11번을 고르고 나머지는 버린다. 죠니 머써(Johny Mercer)는 이런 가사를 썼다. "긍정적인 것을 강조하고, 부정적인 것은 제거하라." 제2차 세계대전 이후로 이것이 미국 그리스도인의 "믿음의 근본 사항"이 되어 왔다. 무슨 말인가? "너의 더럽고 썩은 자기 의를 감추라. 한 입으로 두 말하고, 사실을 은폐하고 너의 위선을 은닉하라. 그럼에도 당신의 위선을 드러내는 사람이 있다면 그를 처치해 버려라."

예수 그리스도는 당신을 지옥에 보낼 수 있는 그분을 두려워해야 한다고 말씀하셨다. 이 말씀은 구약이 아니라, 신약의 말씀이다. [추신 : 많은 두려워하는 자들이 불못에 던져진다. 『**그러나 두려워하는 자들과 믿지 아니하는 자들과 가증스런 자들과 살인자들과 음행하는 자들과 마술하는 자들과 우상 숭배하는 자들과 모든 거짓말하는 자들은 불과 유황이 타는 못**

에 참여하리니 이것이 둘째 사망이라』(계 21:8). UN을 위한 추신을 남긴다면 다음과 같다. 『**높아지려는 생각을 품지 말고 도리어 두려워하라**』(롬 11:20).]

문맥에서 분리하기만 한다면 성경을 인용하여 어떤 것이든 증명할 수 있다는 사실을 주목하라. 요한일서 4:17-18의 기쁘고 상쾌하고 긍정적인 "복음"은 구원 계획과는 아무런 관련이 없다. 또한 구원 이후의 삶이나 그리스도의 심판석에서 당면할 위기나 재림 때 이방 민족들이 당할 민족들의 심판과도 관계가 없으며, "지혜의 시작"과도 무관하며, 구원받지 않은 사람이 마음에 찔림을 받아 사람을 두려워하지 않고(요 12:42-43) 하나님을 두려워하기 시작하는 것과도 무관하다(시 119:39,46,60,63).

요한일서 4:17-18은 구원받고 나서 지옥에 갈까봐 두려워할 필요가 없음을 말하는 구절이다. 로마서 8:29-35만큼이나 "바울적"인 구절인 것이다. 구원받은 그리스도인이 하늘 나라 가기까지 두려워해야 할 것이 많이 있으나(빌 2:12, 고전 2:3, 고후 12:20), 베드로후서 2:9; 3:7, 마태복음 12:36; 10:15에서와 같은 "심판 날"(계 20:11-15)에는 아무것도 두려워할 것이 없다.

그 이유는 고린도후서 5:21에서 말씀하신 바와 같다. 당신의 죄들이 예수 그리스도께 전가되었고, 예수님의 의가 당신에게 전가되었기 때문에, 하나님께서는 당신 안에서 그분의 아들을 보시는 것이며, 당신 안에 계신 아들을 보시며 존중하시는 것이다. 죄인으로서 당신은 죽은 상태다. 당신은 시체일 뿐이며(롬 6:2,7-8,11) 살아 계신 구주께서 당신 안에 사시는 것이다. (로마서와 에베소서 주석을 참조하라.) 『**이는 그분이 그러하심과 같이 우리도 이 세상에서 그러하기 때문이니라**』(17절). 모든 것이 현재 시제로 처리되어 있음을 주목하라. 문자적으로는 적용될 수 없다. 즉 우리의 실질적인 몸과 연관해서는 그렇다는 것이다. "그분" 곧 예수 그리스도께서는 죄 없으시며, "우리"는 그렇지 않다. 이 말씀은 하나님께서는 보실 수 있으나 우리는 볼 수 없는 죄 없고 썩지 않는 씨를 말함이다(3:9 참조).

이 구절에 대한 이러한 해석이 정확함을 보여 주는 구절이 NIV, NASV, NKJV 등의 변개된 영어 성서들에서는 제거되었다. 바로 에베소서 1:6이다. 구약에서의 하나님의 의와 관련되어 이 해석이 옳다는 것을 확증해 주는 구절들은 민수기 23:21, 미카 6:5이다. 하나님께서 죄 많은 이스라엘을 보실 때 (이미 하나님께서는 그들의 죄들로 인하여 수천 명을 죽이셨음에도, 민 13-21장) 성령께서는 이렇게 기록해 놓으셨다.

『**주께서는 야곱의 죄악을 보지 않으시며 또 이스라엘의 패역을 보지 않으셨도다. 주 그의** 하나님**께서 그와 함께 계시며, 왕을 환호하는 소리가 그들 가운데 있도다**』(민 23:21).

만약 당신이 주 예수 그리스도를 구주로 영접함으로써 새로운 출생을 경험했다면, 당신이 하나님을 사랑한다는 것을 보여 줄 수 있는 방법은 모든 의심을 떨쳐 버리는 것이다. 즉 하나님께서 예수 그리스도의 형상과 똑같은 형상으로 당신을 바꾸실 때까지 하나님께서 시작하신 "선한 일을 이루시지" 않을 것이라는 의심을 떨쳐 버리는 것이다(빌 3:21, 요일 3:1-3, 롬 8:29).

참으로 헌신된 그리스도인은 그렇게 하지 않겠지만, 당신은 이생에서 많은 것들에 대해 염려할 수도 있다. 그러나 심판 날에 염려하는 것은 가장 무익한 일이며, 쓸데없는 두려움이다. 마호메트는 코란에서 "마지막 날"에 대해 엄청난 양으로 기술해 놓았으나 마호메트 자신이 알라가 마지막 날에 그를 어떻게 대할지 몰라 두려워하며 살았다. (〈성경 대 코란, The Holy Scriptures vs. the Holy Koran〉, 2002) 5세기의 교황 레오부터 지금까지 어떤 교황도 하나님께서 그를 어떻게 처분해 주실지 모른다.

교황들과 모슬렘들은 마지막 날을 통과할 수 없는 것이다.

이 시대를 사는 모든 거듭난 하나님의 자녀는 주 예수 그리스도와 같이 죄 없고 거룩하게 될 것이며, 마호메트가 말한 "마지막 날"이 다가오기 전 1,000년 동안 이 상태를 유지할 것이다. (저자의 주석서 〈요한계시록〉에서 계 20,21장 주석을 참조하라.)

마호메트는 성경에 대해 아는 것이 없다.

구원받지 않은 죄인들이 마지막 심판에 서기 전에, 한 유대 출신의 유대인이 동쪽 예루살렘의 바위의 돔 사원에 앉아 이라크, 트랜스 요르단, 사우디아라비아, 이란, 파키스탄, 인도네시아, 모로코, 알제리, 나이지리아, 리비아, 터키, 이집트, 시리아, 레바논을 천 년 동안 다스리실 것이다(사 60:12, 렘 30:11, 슥 14:1-20, 계 20장).

마호메트가 선지자라거나 모슬렘들이 예언을 공부하는 사람들이라고 말하는 것은 농담에 불과하다. 그런 말 자체가 부끄럽고 역겨울 뿐만 아니라 도통 말이 되지 않는 것이다. 코란의 114개 수라에는 A.D. 600년 이후로 벌어질 역사적인 사건을 다루는 역사적인 예언이 단 하나도 없다.

"두려움"은 하나님께서 인간에게 주신 가장 건전한 동기들 중의 하나다. 그것은 "지혜의 시작"일 뿐만 아니라 지혜의 중간과 끝이며, 이는 인생에서 무엇을 마땅히 두려워해야 하고 무엇을 두려워해야 하는가는 안전과 생존과 성공의 열쇠이기 때문이다.

프랭클린 루즈벨트(FDR, 1939)와 같은 정신병자는 모든 인간이 "두려움으로부터 자유로울" 권리가 있으며 "우리가 두려워해야 하는 유일한 것은 두려움 그 자체"라고 했다. 그는 플라톤, 소크라테스, 아리스토텔레스 등의 덜떨어진 철학자들과 같은 발언을 한 것이다. 이런 말은 어떤 준비 없이도 얼마든지 말할 수 있다. 이런 말은 어떤 경험이나 연구 없이 발설한 것이며, 이 세상에서 인생을 사는 어떤 사람에게도 전혀 도움이 되지 않는 말이다. 말도 안 되는 거짓말로 그럴듯하게 꾸며낸 말들일 뿐이다.

어떻게 자신이 죽으면 어디로 가는지도 모르는 "그리스도인"이 "사랑"에 대해서 말할 수 있겠는가? 하나님께서 당신을 사랑하셔서 당신의 문제로부터 당신을 구원해 주시겠다고 약속하셨는데, 당신은 당신의 아버지를 거짓말쟁이로 만들 것인가? 사랑이라고? 현대의 그리스도인이 요한일서 5:10-13, 로마서 8:29, 고린도전서 1:6-8, 빌립보서 1:6, 데살로니가전서 4:9-10, 요한일서 3:1-3 등을 말씀하신 하나님이 거짓말쟁이라고 생각한다면, 과연 그가 『하나님**은 사랑이시라.**』는 말씀의 의미를 안다고 할 수 있겠는가?

만약 당신이 이러한 말씀을 주신 하나님을 거짓말쟁이로 여긴다면, 당신은 육신적이고 세속적이며 자기를 사랑하고 타락한 종교적인 위선자일 뿐이다! 당신은 당신을 구원하신 분을 거짓말쟁이로 만들면서도(요일 5:10) 하나님께서 당신의 이러한 위선을 넘어가시고 여전히 "사랑해" 주시리라 믿는 것인가? 약삭빠른 기회주의자다! 당신이 누군가를 사랑한다면 그 사람을 연이어 다섯 번이나 그에게 거짓말을 하겠는가?

만약 당신이 하나님께서 당신에게 "값없는 선물"로 주신 완성된 구원을 의심한다면(롬 5:16-18), 당신은 하나님을 온전히 사랑하는 것이 아니다. 만약 당신이 단지 하나님의 "선하심"이나 당신이 "서로 사랑한다"는 사실이나 하나님께서 당신을 심판하시지 않을 것이라는 소망에 기대를 걸고 있다면, 당신은 마땅히 두려워해야 한다. 하나님께서는 당신의 죄를 심판하기 위해서 당신보다 훌륭한 자신의 아들이신 예수 그리스도까지 벌하셨음을 기억하라(사 53:10). 예수 그리스도께서는 "지옥에서 불타는 것보다 지옥을 두려워하는 것"이 낫다고 말씀하셨다(마 13:40; 25:41; 5:22).

은사주의자가 뛰어난 분야가 바로 이 부분이다. 은사주의자들은 아무도 영원한 구원에 대한 확신이 없으며, 그들의 사역은 무지한 자들에게서 이

득을 취하는 것이다. 그들의 주요 "사역"은 그리스도인이 자신의 구원을 의심하게 하고, 하나님께서 말씀하신 바를 믿는 믿음을 감정적인 느낌으로 대체하는 것이다. 그런 후 그리스도인에게 "건강"이나 "느낌"을 다시 회복시켜 주겠노라고 약속하여, 그들의 지갑과 은행계좌와 연금 따위를 통째로 집어삼키는 것이다.

이것이 1901년부터 이뤄진 전체 은사주의 사역의 요약이다. 그들의 모든 교회들, "부흥회," 신문, 책자, TV 설교, 신학교, 교회학교, 군목, 선교사 사역의 목적이 바로 이것이다.

은사주의 "사역"은 『**건전한 교리**』를 거부하고, 그것을 감정적인 느낌으로 대체하고, 성경으로 감정을 판단하지 않고 오히려 감정으로 성경을 판단하게 하는 것이 그 골자다. 모든 은사주의자들은 쉽게 말해서 우선순위가 바뀌져 있는 것이다.

라오디케아 시대에 영원한 구원의 보장을 가지고 헤매는 또 하나의 집단은 극단적 칼빈주의자들이다. 다음은 그들의 사고 방식이다.

1. 어떻게 당신은 자신이 "택함받은 자들" 중의 하나임을 아는가? 그리스도께서는 오직 "택함받은 자들"만을 위해 죽으셨다(제한된 속죄).

2. 구원받을 때 진실하게 회개했는가? 하나님께서는 당신에게 "회개를 허락해 주셔야" 회개할 수 있고(행 11:18), 그렇지 않으면 당신은 회개할 수 없다. 이는 당신이 "거듭나지" 않고서는 그리스도를 영접할 수조차 없기 때문이다(전적 타락과 저항할 수 없는 은혜).

3. 죽은 사람은 "회개"할 수 없으며, 거듭나기 전에 당신은 죽어 있기 때문에, 당신이 거듭나고 난 뒤에 회개하지 않았다면, 하나님께서 당신에게 "회개를 허락하신" 것이 아니다.

4. 만약 당신이 나처럼 산다면 당신은 올바로 회개한 것이며 택함받은 것이다. 그러나 당신이 나처럼 살지 않는다면, 그것은 당신이 아직도 구원

받지 않은 상태라는 증거다. 왜냐하면 "그리스도께서 모든 것의 주님이 아니라면, 처음부터 주님이 되신 것이 아니기 때문이다".

이처럼 칼빈주의자들은 은사주의자들과 마찬가지로 구원의 영원한 보장을 가지고 사람들을 어르고 달래서 이득을 취하는 자들이다.

이런 자들은 그리스도인들이 만약 자신과 같은 체험을 경험하지 않았거나, 자신이 느낀 감정을 느낀 적이 없고, 자신과 같은 수준의 헌신에 도달하지 못한다면, 구원받은 것이 아니라고 두려움을 주고 협박하는 것이다. 즉 이런 식의 협박 때문에 초청시간에 앞으로 나아가 "회심"하는 사람들이 생겨나게 되는 것이다. 은사주의자들이 여는 2주간의 집회에서 그들이 약 200명의 "회심"이 있었다고 말한다면, 그중 195명 정도는 이미 구원받은 사람인 것이다.

칼빈주의를 추종하는 침례교회(Hardshell Baptist)에서 종종 다섯 살 혹은 열두 살 정도에 회심했다가 "이번에 실제로 구원받았다"라고 고백하는 사람이 12명 있다면, 이들 중 11명 정도도 실제로 이전에 구원받았으나 일종의 위협에 의해 초청에 응한 사람들이다.

19절은 별다른 설명이 필요없으며, 10절이 이 구절을 잘 설명해 준다.

20,21절은 우리가 다시 3:10,12,15-17로 돌아가게 한다. 즉 19절을 중간에 두고 앞뒤에 교회 시대 본문(17-18절)과 환란 시대 본문(20,21절)이 나눠져 있는 것이다. 물론 영적인 적용을 할 수 있다. 누구든지 영적인 적용을 할 수 있다. 영적인 적용을 한다면, 그리스도인이 그리스도 안에 있는 형제를 사랑하지 않으면 그는 제대로 하나님을 사랑할 수 없는 자라는 메시지가 된다. 사도 요한은 이번에는 3:15처럼 교리적으로 깊이 들어가지는 않는다. 요한은 3:15에서 그리스도인이 그리스도 안에 있는 형제를 사랑하지 않는다면 그는 잃어버린 자라고 말했다. (물론 이것은 그 구절을

그리스도인에 대한 것이라고 가정할 때 그렇다는 말이다.) 즉 그는 다시 구원받아야 하는 자가 되는 것이다. 일반서신이 어떤지 이제 알겠는가? 모든 칼빈주의자들, 은사주의자들, 로마카톨릭교도들, 보수주의 성경 개정자들은 도무지 일반서신을 제대로 이해할 수 없는 것이다. 우리가 전에 말했듯이, 여기서의 "형제"를 유대인 형제(3:10,14-17에서처럼)로 이해하는 것이 타당하며, 그렇다면 이 구절은 교리적으로 대환란에 적용되는 구절이 되는 것이다.

요한일서 5장

5:1 예수가 그리스도이심을 믿는 사람은 누구나 하나님께로부터 태어났으
며, 낳으신 그분을 사랑하는 사람은 누구나 그분께로부터 태어난 자
도 사랑하느니라.
2 우리가 하나님을 사랑하고 그의 계명들을 지키면 이것으로 우리가
하나님의 자녀들을 사랑함을 아느니라.
3 하나님을 사랑하는 것이 이것이니, 곧 우리가 그의 계명들을 지키는
것이라. 그의 계명들은 무거운 것이 아니니라.
4 이는 하나님께로부터 태어난 자는 누구든지 세상을 이기기 때문이라.
세상을 이기는 승리는 이것이니, 곧 우리의 믿음이라.
5 예수께서 하나님의 아들이심을 믿는 자 외에 세상을 이기는 자가 누
구냐?

요한일서 5장에서도 교리적인 부분을 유의하면서 공부해야 한다. 그러

나 90% 이상의 주석가들은 본문을 조심스럽게 다루지 않는다. 왜냐하면 그들은 〈킹제임스성경〉의 내용을 잘 모르기 때문에 어디가 위험한 본문인지 알아차리지 못하기 때문이다. 또한 그들은 늘 하는 대로 한 본문을 "교훈적으로 적용"하거나 "영적으로 적용하거나" "문법적-역사적 해석"을 적용하거나 "원본 헬라어 본문"으로 해석하거나 "문맥적 해석"을 하기 때문에, 이 구절들이 다른 본문들과 모순을 일으킬 수 있는 본문인 것도 알아차리지 못하는 것이다. 〈킹제임스성경〉에는 교육은 받았지만 성경의 진리에는 무지한 학자들을 걸려 넘어지게 하는 본문들이 여러 군데 있다. 이 학자들은 독자들을 그들 자신의 무지의 수준으로 끌어내린다. 또한 한 본문을 하나의 문맥에만 국한하여 그 말씀의 힘을 파괴하고 문맥 밖의 다른 구절들과 교리들에 연결될 수 있는 고리를 파괴한다. 배교한 알렉산드리아의 니콜라당이 이와 같이 처리하는 구절들은 신명기 32:31, 민수기 33:52, 재판관기 5:19-20, 사무엘상 2:4, 신명기 35:2, 하박국 3:13 등이다.

생각해 보라. 마태복음, 마가복음, 누가복음, 요한복음에 기록된 모든 마귀들은 예수님께서 "그리스도"(the Christ)이심을 믿었다. 요한일서 5:1을 다루는 주석가들 중 단 한 명도 이 진리를 기억하는 자가 없다. 이 사실을 증명하는 구절들은 상당수가 된다(막 1:34; 3:11; 5:7, 눅 4:41; 8:28, 행 19:15). 어떤 마귀도 "하나님께로부터 태어나지" 않았다(요일 5:1). 1500년부터 2010년 현재까지 어떤 주석가도 이 구절들을 다루지 않았다. 그들은 모두 요한일서 5:1에 대해 자신의 의견에 사로잡혀서, 주석을 달기도 전에 성경의 나머지 65권이 주는 조명을 닫아버린 것이다. 라오디케아 시대의 전형적인 현상이다.

아마도 제롬 이후로 각 세대마다 약 1억 명 정도의 로마카톨릭들이 예수님이 『그리스도』이심을 믿었을 뿐만 아니라 그분이 처녀에게서 태어난 하나님의 아들임을 믿었을 것이다. 그러나 그들은 똑같은 것을 믿은 그들의 아비 마귀와 함께 지옥에 던져지게 된다. 그들은 물세례를 받아 거듭나고자 했던 것이다. 오늘날의 약 9억의 로마카톨릭교도들도 마찬가지다. 물세례는 B.C. 4000년부터 지금까지 단 한 명의 죄인도 거듭나게 할 수 없다.

그러므로 우리는 여기서 또다시 "환란" 교리를 접하고 있는 것이다. 만약 한 사람이 예수님이 『그리스도』이신 것을 믿는다면 그는 예루살렘 성전에(살후 2:4, 마 24:15) 있는 다윗의 보좌에 앉아 있는 『멸망의 아들』이 메시야임을 부인해야 하는 것이다(요 5:43). 이것은 사실상 참수형을 자청하는 것이나 마찬가지다(계 20:4; 13:7,10). 이것은 예수 그리스도를 믿는 믿음 때문에 요한계시록 12:11에서 말한 바와 같이 순교당하는 것이다. 분명하게 알 수 있는 것은 대환란 시대에는 유대인들이 예수님이 참 『그리스도』(the Christ)이심을 고백할 때 거듭난다는 것이다. 『그리스도』라는 말은 "메시아" 곧 유대인 메시아를 말한다.

그는 사탄이 메시야라고 고백할 수도 있고, 다니엘 3:10,11에서 형상이(계 13:14-15) 나타났을 때 사드락과 메삭과 아벳느고가 행했던 것처럼 순교를 택할 수도 있다.

만약 이러한 해석이 옳다면 2절과 3절은 "영해"하거나 "헬라어"를 운운하거나 요한일서 2:3,4 혹은 요한일서 3:23,24과 일치시키려고 억지로 끼워 맞추려 하지 않아도 자연스럽게 이해될 수 있다. 또한 여기서 말하는 계명들도 있는 그대로 모세가 준 십계명을 말하는 것으로 이해할 수 있다.

상식적으로 알고 있듯이 이 십계명을 유대인 메시아께서 유대인들에게 말씀하실 때 두 가지로 요약해 주셨다(마 22:36-40). 1. 하나님을 사랑함(마 22:37,38). 2. 당신의 이웃을 당신과 같이 사랑하는 것(마 22:39).

이것은 또한 교회사에 있어서도 조명을 비춘다고 하겠다.

이것은 왜 1700년부터 현재까지 모든 구원받지 않은 자유주의자들과 현대주의자들이 요한복음보다 마태복음을 선호하는지 설명해 준다. 이로써 또한 왜 모든 이단자들이 마태복음, 사도행전, 히브리서 등에서 영적인 자살을 기도하는지도 알 수 있다. 이 시대에 믿는 자의 구원의 영원한 보장을 믿지 않는 이단자들은 사람이 자신의 구원을 잃어버릴 수 있는 시대로 가서 자신의 교리를 형성하는 것이다(히 3,6,10장, 마 5-7, 24장, 행 2,8장). 모든 "선행주의자들"은 행위들로 인한 구원을 가르친다. 오직 행위들에 의해서든, 믿음과 행위들에 의해서든, 자신의 신조와 행위들에 의해서든 마찬가지다. 모든 힌두교도들, 인본주의자들, 모슬렘들, 로마카톨릭교도들, 은사주의자들, 도교 신자들, 불교도들, 루터교도들, 감리교도들, 그리스정교회 교인들, 오순절주의자들, 하나님의 교회, 몰몬교도들, 캠벨주의자들, 제칠일안식교도들, 여호와의 증인들 등이 이렇게 가르친다. 이들은 거대한 "종교적 UN"을 형성하며, 성경 구절들을 그릇되게 적용하여 지하드, 십자가 운동, 채식, 마녀 화형, 구속, 성스러운 도시, 유아 세례, 성지 순례, 방언들, 묵상, "무한과의 접촉," 인종 혼합, 성적 타락, 국가 교회, 죄인들의 신격화 등을 지난 20세기 동안 정당화해 왔다.

『하나님**께로부터 태어난 자는 누구든지**』(4절).

『**누구든지**』(WHATsoever)라는 표현이 중성임을 유의하라. 『**씨**』(seed, 요일 3:9)와 『**영**』(spirit, 요 3:5)이라는 단어 또한 중성이다. (저자의 주석서 〈로마서〉에서 롬 8:26의 주석을 보라.) 『**너희 안에 계신**』 분(요일 4:4)은 "이기는 자"로 "세상을 이기게" 하는 분이시다(요일 5:4,5).

구원받았든지 받지 않았든지 당신 자신을 이길 수 없다(롬 8:3).

우리는 요한일서의 이 본문에서 어떤 성경학자도 풀지 못했고 어쩌면 대환란이 시작되기까지 풀지 못할지도 모르는 문제에 봉착하게 된다. 물론 데이빗 클라우드, 마이크 랜달, 웨스트, 트랜취, 빈센트, 떼이어, 브루스,

네슬, 해롤드 윌밍턴, 팔머, 피, 파스타드, 스윈돌, 로버트슨, 머로우, 와필드, 띠엠, 쿠틸렉, 샤프, 쉘톤 스미스 등은 엄두도 못내는 문제다. 필자도 이 문제를 해결했노라고 공언하지는 못하지만, 문제가 되는 본문을 나의 지식에 맞추기 위해 본문을 고침으로써 성경을 경시하고 그 내용을 더럽히지는 않을 것이다. 본문의 의미를 깨달아 나 자신의 믿음을 본문에 맞추어 고칠 수 있을 때까지 차라리 무지한 상태로 남아 있을 것이다. 이것이 내가 회심하고 난 뒤부터(1949년 3월 14일) 나의 습관이다.

결코 나 자신의 믿음과 신조와 "역사적 입장"과 "원어"에 대한 나의 지식으로 인해 내 손에 들린 『**성경**』(the HOLY SCRITURES)을 왜곡하지 않을 것이다. 그러나 자신들이 고등 교육을 받았고 다른 사람들이 쓴 책들을 공부했기 때문에 살아 계신 하나님의 말씀들을 수정할 수 있다고 믿는 "똑똑한 친구들"은 나와 정반대로 행하며, 그들의 말을 듣고 그들의 책을 읽는 사람들의 믿음을 뒤엎고 그들 위에 군림하려 한다. 그들이 그렇게 한다 해도 나는 전혀 신경 쓰지 않는다.

나는 본문의 새로운 출생이 이 시대를 위한 것이라 가르친다. 이렇게 확신하는 이유는 에베소서 2:20-22, 로마서 8:15, 갈라디아서 3:26, 고린도후서 5:19 등이 그렇게 말하기 때문이다. 또한 이러한 본문에서의 새로운 출생은 영구적인 것이며 "하나님의 아들"이(요 1:12,13) 성장하여(엡 4:13) 결국에는(살전 5:23) 예수 그리스도의 죄 없는 복사본(빌 3:21, 고전 15:50-55, 마 22:30, 요일 3:1-3)이 될 것이라 믿는다.

나는 새로운 출생에 관해 세 가지 사실을 확신한다. 즉 출생과 피가 영구적으로 변화하는 것과 하나님과의 교제 속에서의 완전한 미래다(계 21-22장). 이러한 기준으로 보자면 나는 요한일서 3:10; 4:7; 5:1,4 등을 대환란이 아니라 교회 시대에 적용해야 할 것이다. 현재 우리 본문에서(1-13절), 필자가 모든 본문을 바울 서신에 적용한다 하여도 전혀 문제될 것이 없다. 그러나 2,3절을 교리적으로 적용한다면 두 가지의 예외가 발생한다.

2절과 3절을 믿는 자에게 구원의 보장을 주는 증거들로 적용할 수도 있을 것이다(3:10-24, 3:14을 참조하라). 갓 구원받은 그리스도인들에게 요한일서를 가르친다면 그렇게 가르쳐야만 한다. 만약 새로운 출생을 교회 시대에만 적용한다면, 요일 2:4,6,9,28과 3:4,6,7,9,12,14,15 등은 문자적으로 해석 불가한 본문들이 될 것이다. (반면에 극단적 세대주의자들은 새로운 출생이 이 시대와는 관계없으며 유대인들에게만 해당되는 것이라 말한다.)

모순을 일으키지 않고 본문을 이해한다면, "새로운 출생"은 유대인들에게 적용되지만(3:10,14-17의 주석) 대환란 시대에 구원받은 유대인은 예수 그리스도의 몸 안으로 들어가지는 못한다고 이해해야 한다. 왜냐하면 그 "몸"이 이미 떠났기 때문이다(고전 12장, 엡 1장, 골 1장). 성경에 익숙하지 않는 사람들에게는 이러한 해석이 "이단적"이라고 여겨질 것이다. 그러나 휴거 후에 두 개의 몸(집단)이 있음을 명심하라. 곧 문자 그대로 구원받은 유대인들의 무리이며(계 7장), 문자적으로 구원받은 이방인들의 무리다(계 7:4,9).

그리스도의 몸이(고전 12장) 지상에서 떠난 후에는(솔 2:8,10,11) 누군가가 들어갈 "한 몸"(one body)이 존재하지 않는 것이다.

『**유대인이나 이방인이나, 종이나 자유인이나 한** 성령**에 의하여 우리 모두가 한 몸 안으로 침례를 받았으며 또 모두가 한** 성령 **안으로 마시게 되었느니라**』(고전 12:13).

『**너희 가운데** 그리스도 **안으로 침례를 받은 사람은** 그리스도로 **옷입었느니라. 유대인이나 헬라인도 없고 종이나 자유인도 없으며 남자와 여자도 없으니 이는 너희 모두가** 그리스도 예수 **안에서 하나이기 때문이라**』(갈 3:27,28).

그러나 요한은 환란 시대의 성도들뿐만 아니라 교회 시대 성도들에게도 쓰고 있기 때문에, 오직 한 구절의 삼분의 일만 우리가 예수 그리스도 "안에"(in) 있다고 말씀하고 있다.

『**또 우리가 아는 것은** 하나님의 아들**이 오셔서 우리에게 지각을 주셨다는 것이니, 이는 우리로 참되신 그분을 알게 하려는 것이라. 우리는 참되신 그분, 곧 그분의** 아들 예수 그리스도 **안에 있노라. 이분은 참** 하나님**이시며 영원한 생명이시니라**』(요일 5:20). 요한의 서신들에서 아버지와 아들을 가질 수도 있고(요이 9) 그리스도께서 당신 안에 계실 수도 있고(요일 4:4) 당신이 하나님 안에 거할 수도 있으며(요일 4:16) 하나님의 사랑이 당신 안에 거할 수도 있으며(요일 3:17), 자신 안에 아들의 "증거"가 가질 수도 있다(요일 5:10). 그러나 환란 시대에 성도들이 『주 **안에서**』 죽는다는 표현을 볼 수 있지만(계 14:12-13), 바울이 썼던 『그리스도 **안에**』(in Christ)라는 표현은 나타나지 않는다(고후 2:17; 12:2, 살전 4:16, 딤후 3:12).

뭔가를 증명하려고 괜히 세부적으로 따지는 것이 아니다. 나는 성경이 말하는 그대로를 믿으며, 성경이 말하는 방식 그대로를 믿고, 어디서 그렇게 말씀하는지, 어떤 문맥에서 그렇게 말씀하시든지 있는 그대로 믿는다. 교회 시대의 그 어떤 그리스도인도 은사주의자들이 그렇게 하듯이 반복해서 "거듭날" 수는 없다. 새로운 출생 이후에 누군가의 거듭남이 취소될 수 있다 해도(히 6:1-6), 두 번째로 "거듭날" 수는 없다. 이 부분에 있어서만큼은 나는 "역사적인 침례교인의 입장"을 고수한다. 그러나 나는 성경이 침례교인의 책이라고 믿을 정도로 어리석지는 않다. 왜냐하면 성경의 사분의 삼 이상이 교리적으로 침례교인이나 로마카톨릭과 전혀 관계없는 내용이기 때문이다.

"친애하는 독자여" 본 주석가도 성경에 대한 모든 해답을 가지고 있는 것은 아니며, 한 번도 그렇다고 고백한 적도 없다. 나는 나 자신의 의견이나 선호를 최고의 권위로 수용한 적이 없다. 그러나 기독교 대학 혹은 신학교에 소속된 소위 그리스도인 학자들은 자신이 성경에 관한 최고의 권위가 있는 것처럼 행한다. 나는 성경을 믿고 받아들였다. 성경 곧 "비블리오스"(Biblios)는 책이라는 뜻이다(Book). 성경은 하나의 책이며, 결코 "원본들"(original autographs)이나 "최상의 헬라어 필사본 계열"이나 "신뢰할 수 있는 번역본"을 말하는 것이 아니다. 성경은 거룩한 책이다. 나는 성경이 완전한 진리요 모든 진리이며 유일한 진리라 믿는다. 성경은 하나님의 최종권위이며 따라서 절대 진리들을 선포함에 있어서 성경을 대체할 수 있는 것은 아무것도 없다.

『**세상을 이기는 승리는 이것이니... 세상을 이기는 자가 누구냐?**』(4,5절, 요일 2:13,14을 보라)

이 구절을 억지로 교회 시대에 대한 것으로 구겨 넣으려 한다면 많은 문제가 발생한다. 데마는 세상을 이기지 못했고(딤후 4:10) 다른 많은 그리스도인 지도자들도 그렇게 하지 못했다(빌 3:18-19). 『**세상을 이기는**』이라는 표현은 쉽지 않다. "역사적 입장"을 고수하는 자들은 도무지 해결할 수 없는 문제가 된다.

무슨 의미에서 『**세상을 이기는**』이라고 표현한 것인가? 요한은 『**세상을 이기는 승리**』가 곧 『예수**께서** 하나님**의** 아들**이심을 믿는**』 것이라고 하였다(5절). 지난 1,500년 동안 어떤 교황도 이 믿음으로 승리한 자가 없다. 레오 "대제" 이후로 모든 교황들은 세계의 경제를 떡 주무르듯 주물렀고 이들은 세계를 지배하고자 하는 정치인들이었을 뿐이다. 가장 최근 세 번의 교황의 회칙을 읽어 보면 마치 UNESCO의 회의의 세부사항들이나 대통령의 "연두교서" 연설을 듣는 것 같다. 1914년 이후로 "교황의 회칙"은 칼

마르크스의 선언이나 월스트릿저널처럼 전혀 성경과 관계없는 것이다. 로마카톨릭 교황은 그의 삼중관부터 발끝에 이르기까지 오직 "세상의, 세상에 의한, 세상을 위한" 자이다.

『**세상을 이기는**』이라고? 다시 요한계시록으로 돌아가는 것이다! 『**이기고 나의 일들을 끝까지 지키는 자에게는 내가 민족들을 다스리는 권세를 줄 것이요**』(계 2:26). 만약 그렇다면 필자의 해석이 옳은 것이며, 이 구절이 말하는 바는 하나님께서 명하신 "행위들을 끝까지" 지키는 것을 말하는 것이다(요일 2:3,4 주석을 보라).

이것이 소위 "일반서신"(General Epistles)이다. 왜 요한일서의 저자는 이 "이기는" 것에 대해서 요한계시록 2:7,11,26; 3:5,12 등에서 언급한 것인가? 사도 바울은 이 용어를 단지 3회만 썼으나, 요한은 16회 사용했다. 이에 대해서 잠시 생각해 보라. 또한 사도 바울이 말한 "이기는" 것은 단 한 번도 세상을 이기는 것에 대한 말이 아니다. 이 점을 생각해 보라(롬 3:4; 12:21).

대환란에서 "이기는 자"는 "끝까지 견디는" 자들을 말하며, 만약 이 "끝"은 만약 잡힌다면 순교를 의미하는 것이다. 『**그들이** 어린양**의 피와 자기들이 증거한 말로 그를 이겼으니, 그들은 죽기까지 자기들의 생명을 사랑하지 아니하였도다**』(계 12:11).

이 구절에서 정관사 "더"(the)를 사용하여 『**죽기까지**』(unto THE death)라는 독특한 표현을 쓴 것을 주목하라. 왜 정관사를 빼고 『**죽기까지 신실하라**』(unto death)고 기록하지 않았는가?

이것은 특정한 죽음의 방식을 말한다. (저자의 주석서 〈요한계시록〉에서 계 6:9에 대한 주석을 보라.)

여기서 『**세상**』이 의미하는 바를 심각하게 생각해 보라. 만약 A.D. 90년부터 현재까지 그리스도의 몸에 들어온 구원받은 "하나님의 자녀"지만 완전히 "세상 제도"에 빠져 사는 사람들에게서 한 명에 1달러씩 받는다면, 달 여행을 왕복으로 하고도 남을 것이다.

주석가들 중 누구도 이 본문의 의미에 감히 접근하지 못한다. 헬라어 "코스모스"의 정의는 내리면서도 무슨 의미인지 이해하지 못하는 것이다. 전형적이다.

1절의 『**누구나**』는 4절의 『**우리의 믿음**』과 관계가 있다. 또한 이것을 5절에서 "우리가 믿는 것"으로 정의내릴 수 있다. 그러나 여전히 문제가 남아 있다.

성경을 믿지 않는 위선적인 학자들과 주석가들이 본문을 다루는 전형적인 방법은 다음과 같다. "믿는 자들로서 우리는 승리하는 삶을 산다. 그리스도인은 세상을 이긴 믿음이 있기 때문에 계명들을 지킬 수 있다."

데마와 디메트리오와 후메내오처럼 말인가?(딤전 1:20, 딤후 2:17, 요삼 9,10)

"'이긴다'는 단어는 현재 시제지만, '이기는 승리'를 말할 때는 동사가 부정과거며 이는 승리의 확신을 의미한다."

동굴에서 자신의 딸들과 동침한 롯처럼 승리한단 말인가? 다윗이 간음하고 살인을 저지르고 난 후처럼 말인가?

"(세상을) 이긴 승리는 우리의 믿음이며, 우리의 믿음은 예수님께서 하나님의 아들이라는 사실이다."

신약의 모든 마귀들이 이러한 허황된 주장을 보고 '아멘!' 한다.

이 사기꾼들이 자신의 불신과 무지를 독자들에게 드러내지 않으면 안 되는 상황에 놓였을 때 어떻게 하는지 보라. 그들은 모든 단어를 회피하고 "헬라어"로 가서 단어들의 의미를 변경하여 성경을 그들의 신학에 맞게 뜯어 맞추는 것이다. (이들이 "존 위클리프"의 이름을 따서 출간한 주석을 보라. 〈위클리프 성경 주석서〉, Pfiffer와 Harrison, Moody Press.)

이 괴상한 해석은 1절부터 5절까지 지금까지 살았던 모든 성도가 "승리하며" 살았다고 가정한다. 그들은 "세상을 이기는" 것이 무엇인지도 정의내리지도 않았다. 단지 예수 그리스도의 신성을 믿기 때문에 모든 그리스도인들이 승리했다는 식으로 주석했다(ibid., p.1476). 마귀들도 모두 그리스도의 신성을 믿는다.

사도 요한도 그들처럼 무지하게 만들고 요한일서가 오직 교회 시대의 교리만을 가르치게 하기 위해, 그들은 2절의 『**~면**』(when)이라고 한 것을 제거하고 "~할 때마다"(whenever)로 대체했다.

이 점을 곰곰이 생각해 보라. 사탄을 제외한 그 누구도 성경을 이처럼 교묘하게 해석하는 자가 없다. "~할 때마다"(whenever)라고 하면 2:3,6-17까지의 본문이 그 구절들이 말하는 그대로의 의미가 아니라는 뜻이 된다. 이 사탄적인 대체는 또한 그 구절들에 나타난 그대로 "형제들"이 항상 서로 사랑하는 것은 아님을 인정하는 셈이다. 즉 그들이 하나님을 "사랑할 때마다" 그렇다는 말이 되며, 이는 그들이 하나님을 사랑하지 않을 때도 있으며 그분의 계명들을 지키지 않을 때도 있음을 허락하는 해석이다(2절). 결국 본문이 말씀하는 그대로의 의미를 왜곡시킨 것이다.

『**주** 하나님**께서 지으신 들의 어떤 짐승들보다도 뱀은 더욱 간교하더라. 그가 여자에게 말하기를 "참으로** 하나님**께서 말씀하시기를 '너희는 동산의 모든 나무에서 나는 것을 먹지 말라.'하시더냐 ?" 하니**』(창 3:1).

지난 2,000년 동안 그 어떤 주석가도 "세상을 이기는" 것이 무엇을 의미하는지 알려 줄 수 없었기 때문에, 우리 또한 이들을 전적으로 무시하고 요한복음 16:33을 보면 된다. 신학교 교육의 폐해를 회복하는 데 성경만한 것이 없다.

예수 그리스도께서 『**내가 세상을 이겼노라.**』고 말씀하셨을 때, 주님께서 무엇을 의미하셨는가를 이해하는 것은 전혀 어렵지 않다. 물론 알렉산드리아의 이단에 속한 직업적인 거짓말쟁이가 성경을 성경으로 비교하며 성경(롬 1:2)이 말씀하시는 바를 배우는 것은 그들에게 매우 부끄러운 일일 것이다. 예수 그리스도께서 이 표현을 처음 쓰셨을 때(요 16:33), 그 말씀은 죄를 짓게 하는 유혹을 이기고(히 2:18; 4:15; 5:8) 죄를 대항하여 싸우되 "피 흘리기까지" 하며(히 12:2), "이 세상(헬라어 kosmos)의 신"으로부터 오는 죄를 짓지 않는 것이다. 예수 그리스도는 죽기(the death)까지 그분의 생명을 사랑하시지 않았다. 성경은 빌립보서 2:8에서처럼 "죽음"(the DEATH)이라고 말씀하신다. 그 구절을 읽어 보라. 그렇게 한다면 소위 명성 있는 신학교에서 석사, 철학박사, 신학박사 등의 학위를 받은 대다수의 사람들보다 더 많은 것을 깨닫게 될 것이다.

A.D. 90년 이후로 수천 혹은 수백만 명의 그리스도인들이 완전히 "세상"에 빠져 살았다. 그들이 유일하게 "이긴" 것은 지옥과 불못에서 세상이 "심판"받는 것에서 구원받았다는 점에서 그렇다. 그들은 예수 그리스도를 본문이 말하는 그대로 믿음으로 그렇게 한 것이다(1,4-5절). 그러나 지옥과 불못은 "세상"이 아니다. 미국에 있는 현대의 성경 개정위원, 수정위원, 성경 비평가 등은 초등학교 2학년 수준의 모국어로 된 성경도 읽지 못한다. 이런 현상은 현대의 성경학자들에게 특이한 현상이 아니다. 이러한 학자들은 타락과 배교의 극치를 보여 준다. 보수주의자들, 근본주의자들, 복음주의자들은 라오디게아 시대의 마지막 붕괴를 보여 주는 가장 좋은 예다.

5:6 이분은 물과 피로 오신 분, 곧 예수 그리스도**시라. 물로만이 아니라 물과 피로니라. 증거하시는 이는** 성령**이시니,** 성령**은 진리이시기 때문이라.**

7 이는 하늘에서 증거하시는 이가 세 분이시니, 아버지**와** 말씀**과** 성령

이시요, 이 세 분은 하나이심이라.

8 또 땅에서 증거하는 것도 셋이니, 성령**과 물과 피요, 이 셋은 하나**
안에서 일치하느니라.

우리는 고등교육을 받은 자들이 신약성경에서 가장 곤란하게 여기는 본문에 도착했다. 본문은 삼위일체, 그리스도의 보혈, 그리스도의 인성, 그리스도의 신성 등을 다루기 때문에, 이러한 주제들에 대한 사람의 태도가 요한일서 3:1-3에서 말씀하신 것처럼 그 사람의 진정한 영적 상태를 밝혀주는 것이다.

거짓 선지자들과 거짓말쟁이들은 구더기와 거머리가 이제 갓 죽은 시체에 몰려들듯이 요한일서 5:6-8에 몰린다. 그들의 "해석"이나 "주석"이나 "설명"은 똑같은 패턴을 따른 것이다. 왜냐하면 그들 모두 똑같은 배교자들 밑에서 배웠기 때문이다.

그들은 고의적으로 본문을 다루는 모든 구절들을 고의적으로 무시한다. 권위를 인정받은 〈킹제임스성경〉의 본문을 살펴보지도 않고 그들은 먼저 가능한 모든 정보들을 모으며 그것에 의존한다. 할 수 있는 만큼 최선을 다해 본문을 두루뭉실하게 일반화시키고 조심스럽고 교활하게 행하여 영어〈킹제임스성경〉의 향상된 계시를 감추기 위해 쉴새없이 노력하는 것이다. 적어도 RV, RSV, NRSV, ASV, NASV, NEB, TEV, CEV, NIV 등의 저자들은 모두 문제를 그런 식으로 다뤘다. 또한 모든 주석가들이 그러하고, 이들의 저작을 추천하는 목사들과 교사들도 마찬가지다.

『**물과 피...** 성령』(6절)

『아버지**와** 말씀**과** 성령』(7절)

『성령**과 물과 피**』(8절)

세 구절에 나오는 세 쌍의 세 요소를 주목하라. 이것이 〈킹제임스성경〉 본문의 균형과 아름다움이다. RV, RSV, NRSV, ASV, NASV, NIV 등은 누가복음 2:14에서도 이러한 균형을 파괴하고, 그들 자신의 사적인 해석을 첨가했다. (제일 먼저 이 작업을 한 것은 오리겐이었다.) 그래서 여기서 균형이 파괴된 것을 볼 수 있다. 누가복음 2:14로 돌아가서 보면, 성령께서 세 요소를 말씀하신 것을 볼 수 있다. 1) 『하나님**께 영광**』, 2) 『**땅 위에는 화평**』, 3) 『**사람들에게는 호의로다.**』 모든 현대 번역본들은 참된 말씀들을 파괴하고 철학적이며 카톨릭적인 표현을 썼다. "선한 뜻을 가진 자들에게 화평이로다!" 소크라테스적이며, 아리스토텔레스적이고, 플라톤적인 쓰레기다.

하나님의 말씀이 진리이듯이(요 17:17), 성령께서도 진리시다(6절). 그리스도의 신성과 인성을 증거하는 "증인"들은 총 여섯 가지다. 하늘에 세 분이 있고(7절), 땅에 세 요소가 있다(8절). 하늘에 있는 증인들은 "하나님의 아들"을 다루며, 땅에 있는 증인들은 "인자"를 다룬다(사 9장, 『**한 아들이 주어졌음이니**(GIVEN)』라고 하신 반면에 『**한 아이가 태어났고**(BORN)』라고 말씀한다.)

예수 그리스도께서는 두 가지 본성을 가지고 계시며 총 6가지 요소를 가지신다. 오리겐 이후로 그 어떤 정통주의 신학자도 이것을 규명할 수 없었다. "하나님 중의 하나님"이신 예수 그리스도는 하나님의 혼(아버지), 하나님의 영(성령: 요 3:3, 히 1:9), 하나님의 몸(아들 : 요 3:13; 6:19, 행 2:31)을 가지셨다. 여기에 더하여 주님은 인간의 몸(요 4:6; 19:20, 히 5:7-8), 인간의 영(요 11:33, 막 2:8), 인간의 혼(마 26:38, 사 53:10-11)을 가지셨다.

무오하고 무흠한 〈킹제임스성경〉의 이 풍성한 보화들을 보라.

요한은 요한복음 19:34을 기록했고 그 일을 중요시하고 있으며(35절)

읽는 이로 "피와 물"을 믿도록 한다. 구약의 첫 번째 기적은 물을 피로 바꾸는 것이다. (저자의 주석서 〈창세기 I〉에서 창 2:7의 주석을 보라.) 신약의 첫 번째 공개적인 기적 또한 물로 피의 예표인 포도주를 만드는 것이다(요 2장). 요한이 그리스도의 말씀을 기록한 이유는 지구상에 첫 번째 생명체가 물로부터 나왔으며 이제 예수 그리스도께서 "물"로 오셨음을 알리기 위해서다. 『**물과... 오신 분**』(요일 5:6) 그리스도의 인간적인 출생은 물로 인한 출생이었다(6절). 그분의 "자녀들"과 달리(요 1:12-13), 예수 그리스도께서는 첫 번째 출생 이후로 두 번째 출생이 필요치 않다. 왜냐하면 그분은 "죄인"이 아니시기 때문이다. 그분은 두 가지 본성을 동시에 갖고 태어났으며, 이는 "피"라는 단어와 "물"이 동시에 나오기 때문이다. "피"(6절)는 영적인 출생에 대한 언급이며, 왜냐하면 『**육체의 생명이 피에 있음이라.**』고 하셨기 때문이다. 예수 그리스도의 "피"는 하나님께로부터 온 것이다(행 20:28).

마호메트, 존 맥아더, R.B. 띠엠 등은 모두 틀렸다.

여호와의 증인이 정말 여호와의 증인이려면 여호와의 피를 믿어야 할 것이다.

쉬는 시간을 가지자! 〈킹제임스성경〉의 보급 후 250년 동안 누가 발견한 그 어떤 헬라어나 히브리어 필사본을 연구하는 것보다 영어 〈킹제임스성경〉에서 더 많은 진리를 찾을 수 있다. 앞으로도 마찬가지다.

요한일서 5:7, 곧 그 악명 높은 "요한의 콤마"는 이미 수차례 심도깊게 다뤘다. 필자도 이에 대한 요약된 형식의 증거를 출간한 바 있다. (이 부분에 대해서는 〈요한일서 5:7 삼위일체의 강력한 증거〉, 이송오 저, 말씀보존학회 참조). 〈킹제임스성경〉의 본문에 대한 A.D. 500년 전에 존재한 권위있는 증거가 일곱 가지 있다. 그 중 세 개는 니케아 공회(A.D. 325)

이전의 것이다.

〈킹제임스성경〉의 요한일서 5:7은 구시리아역본들(A.D. 150)과 구라틴역본들(A.D. 180)과 시프리안의 저술(A.D. 250)과 프리스킬리안과 피타나시우스의 저술들(A.D. 350)과 카르타고 공회(A.D. 415)와 제롬의 저술(A.D. 450)과 풀겐티우스의 인용(A.D. 510)과 서로 다른 네 개의 왈덴시안 성경들(A.D. 600-A.D. 1400)과 소문자 헬라어 필사본(no. 88)과 필사본 61번(A.D. 1519)에도 나타난다.

마지막으로 인용한 헬라어 필사본은(61번) A.D. 150-180년의 구시리아역본과 밀접한 관계가 있지만, 어떤 시리아역본도 A.D. 1522년(모세스 마르딘)까지 유럽에 알려지지 않았다. 그러면 필사본 61번은 어디서 온 것인가? 이 필사본은 마가복음의 네 장을 포함하고 있으며, A.D. 180년의 구시리아역본과 동시대의 구라틴역본과 일치점들을 가진다.

요한일서 5:7을 포함한 다른 두 개의 헬라어 필사본이 있는데, 하나(Codex Wiangurgensis)는 그 본문 속에 있으며 다른 하나(Codex 88)는 난외주에 포함하고 있다. 이 구절은 서로 다른 네 개의 반카톨릭 성경들에 나타나며, 친카톨릭 성서들에서는 계속해서 제거될 것이다(RV, NASV, NIV).

마태복음 28장에 주어진 삼위일체의 형식과 다른 점을 주목하라. 『아버지**와** 아들**과** 성령**의 이름으로**』(마 28:19)에서 『아버지**와** 말씀**과** 성령』으로 바뀌졌다. 신학교들에서 목회자 후보생들을 가르치는 50,000 명에 달하는 교수들은 이 진리를 완전히 간과했다. 즉 마태의 저작은 땅에 속한 사람으로서 유대인의 왕을 다루며, 예수님의 계보를 추적하여 거슬러 올라가 이 땅에서 하나님의 아들로 오신 주님의 탄생으로 다룬다. (『**너는 그의 이름을 예수라 하라.**』: "예수"는 한 사람의 이름이다.) 반면에 요한은 예수 그리스도의 기원을 영원까지 추적하여 거슬러 올라간 것으로, 곧 그분이 태어나시기 전에 삼위일체의 한 구성원으로서 말하고 있는 것이다(히 1:5-6; 1:1-2과 주석을 보라).

창세기 1:1 이전으로 돌아가면서 사도 요한은 신학자 존 칼빈의 오류를 지적한다. 왜냐하면 요한은 성육신 이전에 『아들』(마 28장)은 『말씀』이었다고 말씀하기 때문이다(요 1:1-3).

이 진리는 니케아 공회, 하이델베르그, 에딘버그 신조 등을 뒤집는 것이며, 벌코프, 머로우, 쉐이퍼, 와필드, 핫지, 메이첸 등의 저서의 오류를 지적하는 것이다. (칼빈주의를 가장 철저하게 다룬 작품으로 이 책을 참조하라 : 〈극단적 칼빈주의의 이해〉, 로렌스 밴스 저, 말씀보존학회) 또한 보수(Hardshell) 침례교인과 원시(Primitive) 침례교인들도 틀렸던 것이다. 그래서 요한일서 5:6-8은 없어져야 했던 것이다. 그래서 제거한 것이다.

하나의 예외도 없이 모든 현대 성경의 개정자들의 목표는 가장 짧은 시간 내에 가능한 많은 양의 성경적 진리를 덮어 버리거나 제거하는 데 있다. 만약 불경건하고 거짓말하는 성경 변개자들이 어떻게 진리의 말씀을 다루는지 보고 싶다면, 〈위클리프 성경 주석〉을 살펴보라.

"이것은 그리스도께서 침례의 방법으로 오셨음을 의미한다. 침례는 그분을 드러냈고, 그분의 사역을 의와 연관시켰다."

해리 포터나 셜리 맥클레인도 이 정도로 진리에서 벗어나지는 않을 것이다.

"주님의 사역은 또한 주님의 침례와 주님의 죽으심이 상징하는 영역 속에서 이루어졌다."

이 주석가는 주님의 죽으심(마 20:22-23)과 연관된 "침례"는 요한의 물 침례와 무관하다는 진리를 몰랐다. 주님의 침례가 물 침례와 관계가 있다고 말하느니, 차라리 그것이 파라오의 침례(고전 10장)와 관계가 있다고 말하는 것이 낫다.

"침례와 죽으심은 우리 주님의 사역에 있어서 두 개의 종착지였다."

"종착지"(termini)라고? 이런 류의 주석가들은 진리를 제거하기 위해서 "종착지"와 같은 그럴싸한 어휘들을 사용하는 것이다. 요한일서 5:6-8에는 또한 요한일서 1장 전체에는 "그리스도의 사역"을 다루는 내용이 전혀 없다. 본문 전체가 주님의 사역이 시작되기 30년 전의 그분의 탄생과 그분의 신성과 탄생하실 때 두 본성이 가지셨음을 말하고 있다. 〈위클리프 성경 주석〉의 주석가들은 오리겐부터 시작된 학자적 쓰레기를 한 무더기나 추가하고 난 뒤에 NIV로 끝을 맺었다. 즉 지난 1,800년 동안 소경이 어둠 속에서 더듬거리는 모습이다.

하늘에 있는 삼위일체는 하나의 세트를 이룬다. 『**이 세 분은 하나이심이라.**』(7절)

지상에서 인성을 구성하는 삼위일체도 하나의 세트다. 『**이 셋은 하나 안에서 일치하느니라.**』(8절)

이 땅에 오신 예수 그리스도를 말할 때 성경이 "물로 오신 분"이라고 묘사한 것은 침례와 전혀 관련이 없다.

(저자의 주석서 〈창세기 I〉에서 창 1:1-4의 주석을 참조하라. 스코필드 주석성경의 편집진과 20세기의 320여 명의 성경 변개자들은 "물"에 대한 초자연적인 계시를 가리려 했던 것이다.)

5:9 **만일 우리가 사람의 증거를 받아들일진대** 하나님**의 증거는 더욱 크나니, 이는 이것이** 하나님**께서 자기** 아들**에 관하여 증거하신 그분의 증거이기 때문이라.**
10 하나님**의** 아들**을 믿는 자는 자기 안에 그 증거가 있고,** 하나님**을 믿**

지 아니하는 자는 하나님을 거짓말쟁이로 만드나니 이는 하나님**께서 그** 아들**에 관하여 주신 증거를 믿지 아니하기 때문이라.**

11 **또 증거는 이것이니,** 하나님**께서 우리에게 영생을 주신 것과, 이 생명이 그의** 아들 **안에 있다는 것이라.**

이 본문부터 15절까지는 요한일서에서 발견할 수 있는 가장 쉬운 부분이다. 바울의 신학과 일치하기 때문이며, 예수 그리스도를 믿는 믿음에 근거하여 주어지는 구원(행 15:11)을 다루고 있기 때문이다. 1-4장에서 나왔던 무엇을 행하는 것, "거함," 계명들을 지키는 것, 가는 것, 형제들을 사랑하는 것 등과 같이 교회 시대에 적용이 어려웠던 부분들을 말하지 않기 때문이다.

이 본문은 누군가가 주 예수 그리스도를 믿었을 때 무슨 일이 일어나는지를 다루고 있다(행 16:30-31).

하나님께서 그분의 아들에 대해서 하신 증거는 무오하고 절대적이며 영원하다. 사람들이 그것을 거부하고 전능하신 하나님을 거짓말쟁이라고 선포할 수도 있다(10절). 세계 어느 나라에 있거나 모슬렘들은 누구나 하루에 다섯 번씩 하나님은 거짓말쟁이라고 고백한다. 어떤 모슬렘도 하나님께서 그분의 아들에 대해서 주신 마태복음에서 히브리서에 이르는 증거를 믿지 않는다. 그것이 이슬람교의 첫 번째이자 기본적이며 토대가 되고 근본적인 종교적 교의이다. 곧 하나님께서는 역사상 단 한 번도 아들을 가지신 적이 없다는 것이다.

"서구화"된 보수적인 이신론자 모슬렘이라 할지라도 (마귀들도 모두 이신론자다, 약 2:19) 그들은 하나님께서 마태복음, 마가복음, 누가복음, 요한복음에서 세상에게 주신 증거가 거짓이며 마태복음 1:1부터 요한복음 21:25에 이르기까지 순전히 거짓말일 뿐이라고 믿는다. 이 말씀의 기록을 하나님께서는 『**성경**』이라고 부르시며(롬 1:2) 또한 『**진리의 성경**』이라고 부르는데도 말이다(단 10:21). 사복음서는 모두 초자연적인 하나님이자 사람이신 분이 초자연적으로 예언되시고, 초자연적으로 잉태되셨으며, 초자연적으로 탄생하셔서, 초자연적으로 문자 그대로 죽은 자들로부터 부활하셨음을 증거하고 있다.

예수님은 그분이 하나님의 아들이라고 말씀하셨다.

바울도 그분이 하나님의 아들이라고 증거했다.

누가도 그분이 하나님의 아들이라고 증거했다.

마태도 그분이 하나님의 아들이라고 증거했다.

베드로도 그분이 하나님의 아들이라고 증거했다.

요한도 그분이 하나님의 아들이라고 증거했다.

증인으로서 성령께서는(요일 5:6) 지구상에 있는 모든 구원받은 죄인에게 예수님께서 하나님의 아들이심을 선포하신다. 『하나님**의** 아들**을 믿는 자는 자기 안에 그 증거가 있고**』(10절)

유엔(UN)에 가입된 9,000만 명이 넘는 모슬렘들이 성령께서 거짓말을 쓰셨다고 선포하고 있는 것이다. 그들은 그들의 믿음이 옳다는 것을 증명하기 위해서라면 당신을 죽이는 것도 서슴지 않을 것이다. 『**사람의 증거**』(9절)는 베드로, 야고보, 요한과 같은 다른 이들을 말하며(고전 15장), 예수님의 부활에 목격자들이었던 500명을 포함한다. 그러나 하나님 자신의 증거이신 성령께서는 믿는 자를 구속의 날까지 인치셨으며, 그리스도인이 마호메트는 세상에서 가장 악질적인 거짓말쟁이라고 선포할 수 있게 하신다. 왜냐하면 성령께서는 하나님께 독생자이신 한 아들이 있을 뿐만 아니라, 수백만에 이르는 아들들이 있다고 말씀하신다(롬 8:14-17). 요한 또한 이러한 말씀에 "아멘!" 한다(요 1:12-13).

『**그러나 누구든지 그를 영접한 사람들에게는** 하나님**의 아들들이 되는**

권세를 주셨으니, 즉 그의 이름을 믿는 사람들에게니라. 그들은 혈로나 육신의 뜻으로나 또한 사람의 뜻으로 나지 아니하였고 하나님**에게서 난 사람들이라**』(요 1:12,13).

사도 요한은 마호메트를 『**적그리스도**』라고 정의한다(요일 2:18-19; 4:1-3). 사람들이 믿든지 그만두든지 성경은 그렇게 말씀하신다.

이 문제를 다루는 가장 간단한 방식은 UN에서 성경을 던져 버리고, 하원에서 성경을 제거하고, 공립학교에서도, 강단에서도, UN에 속한 가족들에서도 성경을 던져 버리는 것이다. 그렇게 하여 결국 "땅에 평화를" 가져오는 것이다. 뉴욕 시에서부터 평화가 임하게 하는 것이다. 그러나 문제는 이러한 평화는 결국 "갑작스런 멸망"을 초래할 것이며(살전 5:3), 아무도 그것을 피할 수 없다는 것이다(살전 5:3, 히 2:3). UN에 가입된 187개국의 그 누구도 피할 수 없다 : 사 2,9,11,63,65,66장, 욜 3장, 암 9장, 렘 25장, 슥 10,12,14장, 계 13,14,19,20장.

『**또 증거는 이것이니**』(11절) 당신은 그 증거를 읽고 있다. 베뢰아 사람들은 그것을 찾음으로써 회심했고(행 17:11), 모세는 그것을 기록하기도 했다(요 5:46). 기록된 증거(요 20:30-31)는 하나님께서 믿는 자에게 영원한 생명(11절)을 "값없는 선물"로 주셨다는 것이다(롬 5:16). 『**이 생명이 그의** 아들 **안에 있다는 것이라.**』

마호메트에게 속은 모든 모슬렘들은 여기서 완전히 틀려 버렸다. 〈하디스〉와 〈코란〉에 따르면 하나님께는 아들이 없다.

결론이다! 요한일서 5:11의 말씀은 마호메트가 지상에서 살 때나 사후에나 결코 영원한 생명을 소유한 적이 없다. A.D. 60년부터 현재까지 지상에 살았던 그 어떤 모슬렘도 영생을 소유한 적이 없다. 그들은 모두 아담 안에서 살고 아담 안에서 죽었다(롬 5장, 고전 15장). 그들은 전형적이고 거듭나지도 않고 그리스도를 거부한 죄인들로서, 또한 하나님의 "값없는 선물"을 거절하고 선물을 마련하신 그분의 얼굴에 대놓고 그분을 거짓말쟁이라 부른 죄인들로서 "마지막 날"을 맞이하게 될 것이다(10절).

"알라 아크바! 해피 라마단!"

5:12 그 아들**이 있는 자는 생명이 있고** 하나님**의** 아들**이 없는 자는 생명**
이 없느니라.
13 내가 하나님**의** 아들**의 이름을 믿는 너희에게 이런 것들을 씀은 너**
희에게 영생이 있음을 알게 하려 함이며, 또한 너희가 하나님**의** 아
들**의 이름을 믿도록 하려 함이라.**

믿거나 말거나 위의 본문은 신약의 복음에 관한 가장 위대하고 가장 간단하고 가장 명확한 진술이다. 이 구절들은 너무나 명확하기 때문에 아무리 교육을 적게 받은 사람이라도 오해할 수 있는 여지가 없다. 사실 교육이야말로(고전 1:21) 사람들이 신약성경의 진리들을 거부할 때 쓰는 근거가 되어왔다(사 29:10-15).

인간의 욕망은 "어머니 이브"를 따르려는 경향이 있으며(창 3:5,6), 인간은 이브처럼 지혜를 사용하여, 새로운 출생과 영원한 생명과 구원을 거부한다. ("철학"의 의미 자체가 "지혜를 사랑함"이다. 잠 18:1-3, 골 2:8)

『**십자가를 전파하는 것이 멸망하는 자들에게는 어리석은 것이지만 구원을 받은 우리에게는** 하나님**의 능력이라. 기록되기를 "내가 지혜 있는 자들의 지혜를 멸하고 총명한 자들의 명철을 없애리라." 하였느니라. 지혜 있는 자가 어디 있느냐? 학자가 어디 있느냐? 이 세상의 변론가가 어디 있느냐?** 하나님**께서 이 세상의 지혜를 어리석게 만드신 것이 아니냐?** 하나님**의**

지혜에 있어서는 세상이 그 지혜로 하나님**을 알지 못하였기에** 하나님**께서 복음 전파의 어리석음으로 믿는 자들을 구원하시기를 기뻐하셨느니라. 유대인들은 표적을 구하고 헬라인들은 지혜를 찾지만 우리는 십자가에 못박히신** 그리스도**를 전파하노니 이것이 유대인들에게는 거치는 것이 되고 헬라인들에게는 어리석은 것이 되지만 부르심을 받은 사람들에게는, 유대인들에게나 헬라인들에게나,** 그리스도는 하나님**의 능력이요, 또** 하나님**의 지혜니라. 이는** 하나님**의 어리석음이 사람들보다 더 지혜롭고** 하나님**의 연약함이 사람들보다 더 강하기 때문이니라**』(고전 1:18-25).

혹자는 필자가 과장해서 말했다고 생각했을지도 모른다. 그러나 그렇지 않다. 위의 구절들은 성령께서 이 문제에 대해서 말씀하시는 그대로를 기록한 것이다. 지상에 있는 모든 죄인들은 누구든지 원하기만 한다면 구원받을 수 있다는 구원의 놀라운 단순성이 바로 이 말씀에 나타나 있는 것이다. 물론 많은 개신교도들, 로마카톨릭들, 힌두교도들, 불교도들, 모슬렘들, 그리스 정교회원들, 인본주의자들, 무신론자들, 진화론자들, "뉴에이지 단일 세계주의자"들은 이 진리를 파괴하고 천대해 왔으며 왜곡시켜 가르쳤다. 요한일서의 본문이 가르치는 바를 잠시 살펴보자.

1. 구원은 직접적으로나 간접적으로나 어떤 종교나 어떤 교회와도 무관하다(12절). 이 말은 교회사 2,000년 동안 로마카톨릭이 구원과 관계 있었던 적이 없다는 뜻이다.

2. 영원한 생명(13절)은 어떤 종류의 성사나 물 침례(혹은 세례)와도 관계가 없다. 무슨 말인지 알겠는가? 로마카톨릭, 루터교, 캠벨주의자(그리스도의 교회), 장로교, 회중교회 등은 이 진리를 깨닫지 못했다.

3. 종교나 어떤 "믿음"을 가지는 것이 아니다. 오직 예수 그리스도를 개인적인 구주(마 1:21)로 소유한 죄인만이 자신이 죽으면 어디로 가는지 알 수 있다(13절).

그러나 지구상의 어떤 모슬렘이나 로마카톨릭도 자신이 죽으면 "낙원"에 가는지 가지 못하는지 확실히 알지 못한다. 또한 확실히 갈 수 있다고 고백한다손 치더라도 그는 자신의 행위들을 보시고 하나님께서 그를 낙원으로 보내 주실 것이라 믿는 것이다.

4. 구원과 영원한 생명은 한 인격체 안에 있으며(12절), 인격체이신 구주께서 믿는 자 안에 내주하신다(골 1:27, 고전 12장, 엡 1:6,13, 요 17:21-23). 이 진리를 거부하는 자는 누구든지 불못에 떨어질 것이며, 주 하나님께서는 그가 변명치 못하도록 참된 신약 구원의 진리를 마지막 때의 세계어인 영어로 19개의 1음절 단어로 밝혀 놓으셨다(12절).

만약 당신에게 『아들』이 있다면 당신은 생명을 가진 것이다.

만약 당신에게 『아들』이 없다면 당신은 죽은 것이다.

마호메트는 이번에도 진리와는 무관하다. 알라에게는 독생자뿐만 아니라 그 어떤 아들도 없다. 성경은 코란의 저자가 영적인 생명을 소유하지 못한 자라고 말씀하시는 것이다.

지금 『아들』이 있는 자는 과거에는 『아들』이 없었으나(엡 2:1-4) 이제 살림을 받고 성령으로 인침받은 것이며(엡 1:13; 2:1), 따라서 영원한 생명을 얻은 것이다(13절). 이러한 구원은 어떤 윤리적 기준, 도덕적인 성품, "거룩한 날"을 지키는 것, 성지 순례, 성사, 교회 다니는 것, "견진성사," 음식을 삼가하는 것, 지하드, 십자군 운동, 카톨릭의 식인행위인 미사(요 6:56), 로자리, 코란, 베다스, 푸라나, 샤스타, 트리피타카, 묵상, 요가, 선행 등과는 전혀 관계가 없다.

유엔(UN)도 구소련(USSR)도 미국도(USA)도 유럽경제공동체(EEC)도 이 진리를 깨닫지 못했다.

요한일서 5:12은 핵폭탄이다. 19개의 1음절 단어로 이뤄진 핵폭탄이다.

구원은 한 인격체 안에 있는 것이다.

『**이는 내 눈으로 주의 구원을 보았기 때문이니이다**』(눅 2:30).

『예수**께서 그에게 말씀하시기를 "오늘 구원이 이 집에 이르렀으니, 그도 아브라함의 아들이기 때문이라**』(눅 19:9).

주님은 사람들이 볼 수 있었으며, 또한 사람들의 집으로 들어오셨고(눅 24장), 어떤 성사나 교회나 종교적 의식이나 윤리적 기준이나 지적인 수준과는 무관했다. 마리아는 주님을 그녀의 품에 품고 그녀의 불결함에 대한 정결례를 받기 위해 성전에 갔다(레 12장, 눅 2:22-24). 마리아는 율법이 요구하는 어린양을 가져올 수 없었기 때문에(레 12장, 눅 2:24) 산비둘기와 집비둘기를 가져갔을 것이다. 성경을 찾아서 읽어 보라. 로마카톨릭 추기경이나 주교나 교황처럼 어리석은 자가 되지 말고 성경을 찾아 읽으라.

그러나 마리아는 율법이 요구한 『**어린양**』(레 12:6,8)을 자신의 손에 붙들고 있었다. 성경은 주님이 팔 일째 되셨을 때 『**그들은 아기를 주께 드리기 위하여 예루살렘으로 데려왔더라.**』고 말씀하신다(눅 2:22).

출애굽기 12:3-5의 말씀은 이 『**어린양**』이 반드시 "당신의 어린양"이어야 한다는 것이다(레 12:6,8). 어떻게 이 진리를 놓칠 수 있었는가? 먼저 성경은 죄인들이 한 어린양(A Lamb)을 마련해야 하고, 그것은 또한 "그 어린양"(THE Lamb)이어야 한다고 말씀하시며(출 12:3,4), 또한 그 어린양이 "당신의 어린양"(YOUR Lamb)이어야 한다고 말씀하신다(출 12:5). 그렇지 않으면 당신은 아무런 유익도 얻지 못한다고 말씀하신다. 『**그** 아들**이 있는 자는 생명이 있고** 하나님**의** 아들**이 없는 자는 생명이 없느니라**』(12절).

따라서 구원받지 않은 종교인들은 기독교든 이방종교든 관계없이 요한일서 5:12-13의 단순한 진리를 가리고 뒤집고자 성경 혹은 코란에서 가능한 한 모든 구절들을 찾아내어 그들의 "신자들"을 붙들어 놓으려 하는 것이다. 이것이 A.D. 325년부터 A.D. 2010년 현재까지 서양에서의 "교회사"

의 핵심이다. 이것이 이슬람교의 본질이다. 즉 죄인들의 죄들을 위해 죽을 정도로 죄인들을 사랑하신 하나님은 제쳐 두라는 것이다. 대신 마호메트는 알라에게 하듯 자신에게 순종하고, 무력을 행사하고 음행을 일삼는 일부다처제주의자인 그에게 복종하라는 것이다. (필자의 〈The Holy Scriptures vs. the Holy Koran〉을 참조하라, 2001)

성경은 폐기될 수 없다(요 10:35).

성경의 말씀들이 기록된 이유는 당신이 영원한 생명을 받기 위해서라고 말씀한다.

『**내가** 하나님**의** 아들**의 이름을 믿는 너희에게 이런 것들을 씀은... 또한 너희가** 하나님**의** 아들**의 이름을 믿도록 하려 함이라.**』(13절) 『하나님**께서는 그를 지극히 높이시고 모든 이름 위에 있는 한 이름을 그에게 주사**』(빌 2:9).

즉 알라, 브라마, 타오, 마리아, 마호메트 등의 이름보다 훨씬 더 뛰어난 이름이다.

『**너는 그의 이름을 예수라 하라. 이는 그가 자기 백성을 그들의 죄들에서 구원할 것이기 때문이니라**』(마 1:21).

그렇다. 어떤 교회나 신조나 종교나 성사나 선한 삶이 죄인을 구원하는 것이 아니다(빌 3:20,21).

성경이 기록된 것은 당신이 영원한 생명을 얻을 뿐만 아니라 그것을 가진 것을 알게 하기 위함이다. 『**내가** 하나님**의** 아들**의 이름을 믿는 너희에게 이런 것들을 씀은 너희에게 영생이 있음을 알게 하려 함이며**』(13절)

미국의 80만에 이르는 대학졸업자들과 50만에 달하는 유럽의 과학자들과 철학자들과 9억의 로마카톨릭교도들과 9천만 명의 모슬렘들과 20억에 달하는 힌두교도들과 불교도들과 공산주의 중국과 NCCC와 "그리스도인연합"(Chiristian Coalition)과 연관된 모든 명목상의 "그리스도인들"의 75%

가 이 절대 진리를 부인한다.

하나님께서는 성경의 66권 중 62번째 책인 요한일서에서 죄인들을 의자에 자상하게 앉혀 놓으시고 1음절로 된 단어들을 사용하셔서, 만약 죄인들이 하늘 나라나 영원한 생명을 조금이라도 원하기만 한다면 절대로 놓칠 수 없도록 이 구절을 기록해 놓으신 것이다.

UN에 가입한 약 191개 국가의 인구 중 90%는 하나님께서 마치 종교적인 광신자인 것처럼 그분을 무시하고 그분께 그들을 구원하거나 심판하실 능력이 없는 것처럼 대한다(마 25:34,41).

『**악인은 지옥으로 돌려질 것이요,** 하나님을 **잊어버린 모든 민족들도 그러하리라**』(시 9:17). 『**의는 민족을 높이지만 죄는 모든 백성을 욕되게 하느니라**』(잠 14:34).

당신은 하나님의 말씀이 무엇이라고 말씀하는지 들었다. 온 세상이 이 기록된 말씀을 접했으며, 지금도 이 말씀은 19개의 1음절 단어들로 인쇄되어 전파되고 있다. 마호메트나 교황 요한 바오로 2세나 간디 등은 결코 이러한 하나님의 역사를 감히 흉내낼 수도 없다.

5:14 우리가 그의 안에서 가지는 담대함이 이것이니, 그의 뜻대로 무엇이든지 구하면, 그가 우리를 들으시는 것이라.

15 우리가 구하는 것은 무엇이나 그가 들으시는 줄을 안다면, 우리가 그에게 구한 요청들을 받은 줄도 아느니라.

16 누구든지 자기 형제가 사망에 이르지 아니하는 죄 짓는 것을 보거든 간구할지니, 그러면 하나님께서 사망에 이르는 죄를 짓지 아니하는 자들을 위하여 그에게 생명을 주시리라. 사망에 이르는 죄가 있거니와, 나는 그에게 그 죄를 위해 기도하라고 말하지 아니하노라.

17 모든 불의가 죄이나, 사망에 이르지 아니하는 죄도 있느니라.

14절은 기도의 약속이다. 대부분의 약속들처럼 조건과 결부되어 있다. (예를 들어서 이사야 59:1-2과 야보고서 4:3을 보라.) 이 약속에 대한 조건은 『**그의 뜻대로 무엇이든지 구하면**』이다. 이것은 수백만 명의 가짜 그리스도인들과 때로 진짜 그리스도인들이 기도하는 수많은 기도들이 왜 긍정적인 응답을 받지 못하는가를 설명해 준다. 그들이 성경의 하나님의 말씀들을 거부했기 때문이다. 성경이 무엇이라 말씀하시는지 보라. 『**또 너희가 내 이름으로 무엇이든지 구하면 내가 그것을 행하리니**』(요 14:13). 『**나를 사랑하는 사람은 내 말들을 지키리니**』(요 14:23).

기도에 대한 응답은 그리스도인이 하나님의 말씀들(WORDS)을 지키는 것에 달려 있다. 신정통주의자들이 말하듯이 "하나님의 말씀"(the Word of God)이 아니다. 신정통주의자들은 하나님의 말씀들을 "하나님의 말씀"(the Word of God)으로 대체하였으며, 이제는 모든 현대의 배교한 근본주의자들과 배교한 보수주의자들과 배교한 복음주의자들 또한 이 용어를 쓰고 있다. 몇 명만 거명하자면, 하이머, 도날드 웨이트, 밥 존스 3세, 스튜어트 커스터, 제임스 화이트, 마이크 랜달, 해롤드 윌밍턴, 로버트 섬너, 존 라이스, 쉘톤 스미스, 데이브 헌트, 데이빗 클라우드, 파스타드, 피, 팔머, 스윈돌, 스탠리 등이다.

그리스도인들은 자신의 명의의 은행 구좌에 수많은 절대 진리들을 보유하고 있다. 소크라테스, 아인슈타인, 처칠, FDR, 교황 요한 바오로 2세, 헤겔, 프랙크, 다윈, 헉슬리, 볼테르, 흄, 키에르케고르, 후셀(Husserl), 사르트르, 러셀, 듀웨이, 제임스, 1950년 이후로 그 어떤 UN 사무총장도 얻지 못한 절대 진리들을 깨달을 수 있는 것이다.

바로 요한일서 2:3,5,13,18,29; 3:19,24; 4:2,6,13; 5:2,13,15,18-20이다.

위에 열거한 것 중 단 하나도 "상대적인 진리"는 없다. 『**진리가 무엇이냐?**』(요 18:38)라고 폰티오 빌라도는 물었다. 정답은 "성육신한 진리는(Incarnate truth) 사람으로 나타나신 주 예수 그리스도시다(요 14:6). 또한 기록된 진리는(Inscribed truth) 그분께서 기록하신 말씀들이다."

더 이상이 없다. 더 많은 지혜와 지식을 원하거든 진리이신 바로 그분과 상담하라(요일 5:12).

『**그의 안에는 모든 지혜와 지식의 보화가 감추어져 있느니라**』(골 2:3).

자신의 조상이 선캄브리아 시대 곧 30억 년 전의 화성암이라고 여기는 "원숭이 인간들"(진화론자들)이 주창하는 교육을 받느라고 10만 달러씩 돈 낭비하지 말라. "원숭이 인간들"은 약삭빠르며 무식하고 비도덕적이며 상대주의적인 자들이다.

기도로 주님께 구한 요청을 받음에 있어서(15절) 때로 우리가 기대하거나 원하는 정확한 응답을 받지 못할 수도 있다. 이것은 빌립보서 4:7로 볼 때 명백하다. 성경은 우리가 구한 간구들에 대한 긍정적인 응답이 오지 않을 수도 있으며, 많은 경우 몇 시간, 며칠, 심지어 몇 해가 가도록 그 응답이 오지 않을 수도 있다고 하신다. 이 때 기도 응답 대신에 주님께서는 일종의 대체물을 주시는데, 주님께서는 왜 그 기도가 즉각적으로 긍정적인 응답을 받지 못하는가 하는 이유를 아는 것보다 더 나은 생각과 마음의 화평을 주신다(빌 4:6,7). 그리고 이 화평은 모든 생각을 초월한다(빌 4:7).

필자는 수차례 하나님께서 기도에 응답하시지 않기도 하시고 기도에 대해 분명하게 "아니다"라고 응답하신 것도 보아왔다. 하나님께서 그렇게 하신 것은 만약 그 기도에 응답하신다면 내가 전에 기도했던 다른 기도에 대해 응답을 하실 수가 없기 때문이었다. 『**누가 이런 일들을 원만히 감당하겠느냐?**』(고후 2:16)

『**사망에 이르지 아니하는 죄... 사망에 이르는 죄**』(16절).

로마카톨릭이 "기독교 전통"이라고 일컫는 카톨릭 신화에는 사망에 이르는 복수의 "죄들"이 있다. 그들은 이를 죽음과 관련된 것이므로 "사망의"(mortal) 죄들이라고 부른다(고전 15:53). 가장 전형적인 "사망의 죄"는 간음이지만, 여러 명의 교황들이 이 죄를 수차례 지은 바 있다. 다른 "사망의 죄들"로는 자살과 살인이다. 사실 이것들은 카톨릭이 발명해 낸 "림보," "연옥"이나 "재의 수요일"과 "교황 제도"처럼 종교적인 허구에 불과하다.

바울은 살인자였으며(행 26:10), 삼손은 자살했고(히 11:32), 다윗은 간음자였다(마 1:1).

『**사망에 이르는 죄가 있거니와**』(16절)는 어떤 죄들은 당신을 사망에 이르게 할 수도 있다는 것을 의미할 수도 있으며(롬 8:13, 고전 10:10), 혹은 당신이 지은 어떤 죄가 당신이 죽을 때까지 고통을 줄 것임을 의미할 수도 있다. 여자를 보면서 남자가 간음을 저지를 수 있다(벧전 2:14, 마 5:28). 만약 이 구절이 로마카톨릭이 가르치는 그런 의미라면, 샌프란시스코부터 뉴욕까지 가는 모든 길은 하나님의 심판으로 죽은 자들의 시체들로 즐비할 것이다.

즉 교황의 교리가 옳다면 그렇다는 것이다. 간음이 "사망의" 죄라면 그렇다는 것이다. 물론 어떤 교황도 신약성경이 완성된 후로 하늘, 지옥, 마리아, 지역 교회, 새로운 출생, 구원의 계획, 이스라엘의 미래, 영원한 보장, 물 침례, 주의 만찬, 십계명 등에 대해서 올바른 교리를 가르친 적이 없다. 교황은 절대로 진리를 말하는 법이 없으나, 이따금씩 반쪽짜리 진리를 말할 때가 있다.

교황 자신이 언제 죽고 죽으면 어디에 가게 되는지도 모르는 자인데,

"사망의 죄들"에 대해서 알아서 무슨 소용이 있겠는가!

만약 당신이 이 부분에 대한 로마카톨릭이 출간한 가장 최신의 공식적인 진술을 확인하기 원한다면, 제2차 바티칸공회가 열린 지 8년 후에 뉴욕 대교구의 주교 총대리 제임스 마호니(James Mahoney)의 승인을 받아, 로렌스 G. 로바식 신부(Father Lawrence G. Lovasik)가 쓴 책을 구해 보라. (pp.116-117, 〈St. Joseph New American Catechism, 1970〉) 찾아보기에 보면 "대죄"와 "소죄"가 116,117 페이지 기록되어 있다고 말한다.

"대죄는 하나님을 거부하는 짓이며, 하나님과 죄인 사이에 공유된 생명을 파괴한다."

즉 영원한 생명을 잃어버릴 수 있다는 것이다.

"우리는 하나님의 생명을 잃어버릴 수 있다."

하나님의 생명은 영원한 생명이다.

"대죄는 사망에 이르는 죄다. 이는 그것이 인간의 혼에 있는 하나님의 생명을 (영원한 생명을) 파괴하기 때문이다. 소죄는 그 혼에게서 하나님의 생명을 앗아가지 않는다. 심각한 죄는 우리를 불행하게 만들 수 있다... 교회는 (즉 로마카톨릭 교회는) 이러한 하나님으로부터의 영원한 분리를 '지옥'이라고 부른다."

즉 세례를 받아 "거듭나고" 구원받은 카톨릭 신자라도 "거듭남이 무효가 되고"(unborn again) 죽어서 지옥에 갈 수 있다는 것이다.

〈New American Catechism〉이라는 책 어디에도 지옥에는 불이 있으며 지옥 또한 불못에 던져진다는 진리가 나와 있지 않다(계 20장). 지옥이 심판과 사망과 동시에 있는 것으로 묘사하고 있지만 그렇지 않다. 죄인이 죽으면 최소한 1,000년을 지옥에서 보내고 난 후 마지막 심판에 서게 된다(계 20장).

로마카톨릭의 신조는 "지옥"을 이생에서 "하나님에게서 분리됨"이라고 정의하지만(p.227), 그들이 틀렸다. 또한 이 분리가 영원할 뿐이라고 하지만 이 또한 진리를 왜곡한 것이다.

『**내가 하늘로 올라갈지라도 주께서는 거기 계시며 내가 지옥에 잠자리를 마련한다 하여도, 보소서, 주께서는 거기 계시나이다**』(시 139:8).

"초기 그리스도인들"의 어떤 "전통"도 절대로 믿지 말라. 그것들은 하나님을 모독하고 그리스도를 욕되게 하고 성경을 거부하는 쓰레기일 뿐이기 때문이다.

이 책 230페이지를 보면 로마카톨릭 이교도들이 희생과 고통을 통해서(왕상 18:28, 골 2:21-23) 하늘 나라에 갈 자격을 얻고 하나님께서 그들에게 하늘 나라로 보상하실 것이라고 말한다(롬 4:4,5). 처음부터 끝까지 냄새나는 쓰레기일 뿐이다. 이 이교도 신화에 대한 증명 구절로는 로마서 2:6,7을 이용했다. 이 본문으로 로마서 3,5,10장과 에베소서 1,2장, 골로새서 1,2장, 디도서 3장을 덮어 버리려고 하는 것이다. 그러나 로마서 2:6,7은 갈보리 십자가 이전에 코넬료와 같은 구원받지 않은 이방인들이(행 10:2,22; 11:14) 그들의 양심을 따라 행하는 것을 묘사한 것이다(롬 2:6,7의 문맥).

어떤 로마카톨릭 신자도 여름성경학교에서 초등학교 4학년 학생들에게 신약의 구원 계획을 가르칠 실력이 없다. 로마카톨릭은 죄인의 죄들을 전가받으신 구주로부터(고후 5:19-21) 값없는 선물을 받아들이지 않은 채(롬 5:16,18), 요한복음 5:21-23을 인용하면서 죽어서 지옥에 간다. 요한복음 5:21-23은 갈보리 이전 율법 아래 있는 구약의 유대인들에게 주신 말씀이다. 그리스도의 심판석은 구원받은 사람들을 위한 것이며, 요한복음 5:29이 일어나기 1,000년 전에 이루어질 일이며, 로마카톨릭 신조에는 이런 진리가 전혀 나타나지 않는다. 교황들은 그리스도의 심판석의 교리를 큰 백보좌 심판과 섞어 놓았으며, 심판석이라 부르지 않고 "법정"(TRIBUNAL)이라고 부른다.

이 신조를 작성한 자가 얼마나 성경에 무지한지는 고린도후서 5:10을 계시록 20장의 마지막 심판에 대한 관련 구절로 인용해 놓은 것을 보면 알 수 있다. 몰몬교의 조셉 스미스나 여호와의 증인의 러셀 판사나 토마스 아퀴나스를 빰칠 만한 비성경적이고 어리석고 미숙한 오류다.

A.D. 33년부터 A.D. 2010년 현재까지 지상에서 살았던 모든 하나님의 자녀가 예수 그리스도 그분 자신과 같이 되어 이미 1,000년 산 뒤에 소위 "마지막 심판"이 일어나는 것이다. 성령께서는 요한일서 3:1-3, 빌립보서 3:20,21, 로마서 8:29, 고린도전서 15:50-56, 데살로니가전서 4:11-14, 요한계시록 20:1-6 등에서 반카톨릭적이며 반교황적인 진술들을 말씀하셨다.

사실 교황이 "마지막 심판"에 대해 알아서 뭐하겠는가?

교황이 "사망에 이르는 죄"에 대해서 무엇을 알겠는가? 아무것도 모른다. 교황은 그리스도인들이 어디서 심판받게 되며 언제 심판받게 되는지도 모른다. 그는 마호메트나 라스푸틴처럼 영적 소경이다.

『**모든 불의가 죄이나**』(17절). 다시 어려운 부분에 봉착했다. 요한일서 3:6,10과 같은 맥락이다.

이 말씀은 새로운 본성에 대한 말씀이거나(3:9의 주석을 참조하라), 하나의 특정한 죄에 대한 직접적인 진술이다. 곧 "사망에 이르는 죄"다(16절). "사망"(the death, 마 15:4, 계 12:11)과 관련하여 "맹세하는 것"과 "우상숭배"에 대한 주석을 다시 공부하라.

5:18 하나님**께로부터 태어난 사람은 누구나 죄를 짓지 아니하는 줄을 우리가 아노라. 오히려** 하나님**께로부터 태어난 자는 자신을 지키나니,**

그 악한 자가 그를 건드리지 못하느니라.

19 **우리가 아는 것은 우리는** 하나님**께 속해 있으며, 온 세상은 악함**
속에 놓여 있다는 것이라.

20 **또 우리가 아는 것은** 하나님**의** 아들**이 오셔서 우리에게 지각을 주**
셨다는 것이니, 이는 우리로 참되신 그분을 알게 하려는 것이라.
우리는 참되신 그분, 곧 그분의 아들 예수 그리스도 **안에 있노라.**
이분은 참 하나님**이시며 영원한 생명이시니라.**

21 **어린 자녀들아, 너희 자신을 우상들로부터 지키라. 아멘.**

19절은 교회 시대의 모든 그리스도인이 주장할 수 있는 진리다. 바울은 세상이 "악하다"라고 말했으며(갈 1:4) 육신적인 그리스도인들을 세속적이라고 꾸짖었다(딤후 4:1-4). 그들은 "땅에 있는 것들을 생각"한다(빌 3:19). 그리스도인은 세상에 못박혔고, 세상도 그에게 못박혔다(갈 6:14). 마태복음 1:1부터 계시록 22:21까지 죄인이 사랑하는 세상은 지속적으로 부정적인 진화를 이루고 있다. 즉 세상은 진화하는 것이 아니라 더욱 타락하고 있는 것이다.

성령께서는 신약 27권 어느 곳에서도 세상에 대해서 우호적으로 말하지 않는다(요 7:7; 12:31; 14:30; 17:19, 롬 3:19, 고전 1:20,21,27; 2:12; 3:19; 6:2; 7:31, 고후 7:10, 엡 2:2, 히 11:7,38, 약 4:4, 요일 4:5, 계 12:9, 벧후 3장, 계 21장).

마호메트는 이 부분에 대해서 어떤 진리도 제시하지 못한다. 그는 자신이 살아 있을 당시의 세상이나 그의 사후의 세상의 상태에 대해서도 전혀 말한 바가 없다. 코란에는 전체적인 세상 제도와 그 안에 있는 인류를 다루는 구절이 10개도 되지 않는다(롬 3:10-19, 눅 16:15). "알라"는 세상을 두루 살피지 않는 것이다. 또한 전미교육협회(NEA), 국제연합교육과학문

화기구(UNESCO), CBS 방송국, NBC 방송국, CNN 방송국, ABC 방송국, 〈타임〉지와 〈라이프〉지, 연방재난관리청(FEMA), 미국자유인권협회(ACLU), 미국흑인지위향상협회(NAACP), Gannet신문, BBS, 〈Newsweek〉나 〈US News〉나 〈World Report〉와 같은 기관들 또한 앞 못 보는 소경들이다. 또한 〈월스트릿저널〉, 〈내셔널지오그래픽〉, 디스커버리 채널, 히스토리 채널, 〈브리태니카 백과사전〉도 성경처럼 이 땅을 심판하지는 못한다.

성경에 등장한 인물 중 그 누구도 "세상을 더 살기 좋은 곳으로 만들기" 위해서 자신의 시간이나 하나님의 시간을 단 5분이라도 낭비한 적이 없다. 다만 그들은 죄인들을 예수 그리스도께로 이겨옴으로써 그들이 "코스모스" 곧 세상 제도로부터 분리할 수 있도록 도와주었을 뿐이다.

그리스도인이면 누구나 성경과 신문을 동시에 믿을 수 없다. 성경을 믿는 그리스도인이라면 그 누구도 〈내셔널지오그래픽〉이나 〈포춘〉를 믿을 수 없다. 전적으로 불가능한 것이다. 바티칸의 정책과 에큐메니칼 공회들과 "전투적인 운동가"나 "바람둥이," "매춘부"나, 미국의 해외 정책이나 "차별철폐조치"나 "보강된 다중문화" 교과과정, 여자들이 남자들의 직업을 차지하는 것이나 "상황윤리"나 총기 통제 옹호론자들이나 연방준비기금 은행 체제나 "가치 규정"이나 일부다처제와 살인에 대해 코란의 주장을 우호적으로 말하는 그리스도인이 있다면 당신이 알아야 할 것은 그는 세뇌당한 바보라는 사실이다.

『**온 세상은 악함 속에 놓여 있다는 것이라**』(19절).

이 세상의 신이 이 세상을 접수하면서부터 그렇게 되었다(고후 4:4, 창 4장, 눅 4장). 자신의 주장의 모순을 날개가 600개 달린 천사의 탓으로 돌리는 마호메트가 무엇이라 말하든지 상관없이, 우리는 하나님의 아들이 오셨다는 사실을 안다(19절). 마호메트가 하나님의 아들이 오셨다는 사실에 대해 무엇이라 생각하든지 상관없다. 이는 교황이 림보와 로사리에 대해 무엇이라 생각하든 전혀 우리에게 상관이 없는 것과 같다. 하나님의 아들이 오셨을 때 다음의 세 가지 것을 우리에게 보여 주셨다.

1. 하나님의 아들께서는 우리에게 그분과 그분의 아버지를 아는 명철을 주셨다.

2. 주님은 우리가 그분을 친구로서 개인적으로 그분을 알아가도록 하셨다(요 5:15).

3. 주님은 우리에게 그분이 진리시며 우리가 그분으로부터 절대 진리를 받을 수 있음을 증명하셨다(요 17:17).

4. 주님은 우리에게 일단 우리가 "길이요 진리요 생명"이신 그분께 나아와서(요 14:6) 주님께서 우리의 죄들에 대한 대가를 지불하기 위해서 갈보리에서 하신 일을 신뢰하면(갈 3:13, 고후 5:21, 롬 5:18) 그분이 친히 우리의 몸 안에 사신다(고후 5:17, 골 1:27)는 진리를 알게 하셨다.

즉 그리스도인이라면 누구나, 네 살짜리 어린이에서 아흔 살 노인에 이르기까지 남녀노소를 막론하고 또한 인종과 직업이 무엇이든 상관없이, 대학교육을 받은 무신론자나 이 땅에 있는 어떤 인본주의자보다, "진리"(THE TRUTH)에 대해 더 많은 지식을 가지고 있는 것이다(고전 1-3장). 이것이 하나님께서 의도하신 것이다.

『**바로 그 시간에** 예수**께서는 영으로 기뻐하시며 말씀하시기를 "오 하늘과 땅의 주이신** 아버지**시여, 이런 일을 지혜롭고 슬기로운 사람들에게는 숨기시고 어린 아기들에게는 나타내신 것을 감사하나이다. 그러하옵니다.** 아버지**시여, 이는 그렇게 하시는 것이 아버지 보시기에 선함이니이다**』(눅 10:21).

11절부터 20절까지 여러분이 읽은 기록은 지구상의 어떤 역사책도 실제 역사에서 일어난 일이라고 말하지 않는다. 그러나 성경은 이 일이 제1,2차 세계대전, 케네디, 마틴 루터 킹, 링컨, 가필드, 지난 30년간의 슈퍼볼 게임보다 더 실제적인 역사라고 말씀하신다.

전직 어부였던 요한은 일필휘지로 절대 진리를 기록하여 모든 구원받지 않은 역사가들과 모든 철학자들과 모든 과학자들과 모든 힌두교도들과 모든 도교도들과 모든 모슬렘들과 모든 구원받지 않은 유대인들과 모든 불교도들과 모든 진화론자들과 모든 "뉴에이지 단일 세계주의자"들을 제거해 버렸다. 단번에 UN의 모든 191개국을 파괴해 버리는 것이다. 한글로는 단지 다섯 단어로 구성되어 있고 영어로는 여덟 단어로 구성되어 있는 문장으로 무찔러 버린 것이다. 『**이분은 참** 하나님**이시며 영원한 생명이시니라**』(요일 5:20).

오늘날 세계 인구의 80%의 사람들은 하나님의 아들이신 예수 그리스도를 『**참** 하나님』과 『**영원한 생명**』으로 믿지 않는다. 몇 년이 지나면 『**멸망의 아들**』이 『**참** 하나님』으로 받아들여질 것이다(살후 2장). 유엔은 그를 스칼렛 오하라와 렛 버틀러가 포옹하듯이 열렬하게 "멸망의 아들"을 영접할 것이다.

성경은 『하나님**의** 아들』께서 신성을 의미하는 성호들을 가지고 계시며(사 9:6), 그분은 신성의 능력을 가지고 계시며(요 5:27), 그분은 신성의 역사들을 일으셨고(막 4:39, 요 11:44), 자신의 신성을 선포하기를 주저하지 않으셨으며(요 14:9; 10:30; 8:58), 그분은 하나님으로서 말씀하셨고(마 11:28, 요 9:37; 3:36), 그분은 하나님으로서 예언하시고(눅 17,21장, 마 23-24장, 요 14-17장), 그분의 신성의 목격자들도 있다고 말씀하신다(고전 15:1-6, 500명의 목격자들).

『**이분은 참** 하나님**이시며 영원한 생명이시니라**』(20절).

『**참** 하나님』이신 주 예수 그리스도께서 심판하실 때 "알라"는 자신의 차례가 될 때까지 밖에 서서 심판을 기다려야 할 것이다.

『**이로 인하여** 하나님**께서는 그를 지극히 높이시고 모든 이름 위에 있는 한 이름을 그에게 주사 하늘에 있는 것이나 땅 위에 있는 것이나 땅 아래 있는 것이나 모든 무릎을** 예수**의 이름에 꿇게 하시고 모든 혀가** 예수 그리스도를 주**라 시인하여** 하나님 아버지**께 영광을 돌리게 하셨느니라**』(빌 2:9-11).

『**이는 우리에게 한 아이가 태어났고 우리에게 한 아들이 주어졌음이니, 정부가 그의 어깨 위에 있을 것이요, 그의 이름은** 경이로운 분**이라,** 상담자**라, 능하신** 하나님**이라, 영원하신** 아버지**라,** 화평**의** 통치자**라 불리리라**』(사 9:6).

21절은 별다른 설명이 필요없다. 즉 로마카톨릭이나 힌두교와 어울리지 말라는 것이다. 로마카톨릭과 힌두교도 이슬람교나 무신론처럼 모두 거룩하지 못하기는 마찬가지다.

요한이서 서문

요한이서는 매우 짧은 서신으로 요한삼서보다 1 구절이 적다. 또한 구약의 오바댜와 신약의 빌레몬서보다도 분량이 적다. 요한삼서보다 1 구절이 적지만 단어수는 요한삼서보다 조금 많다(영어KJV의 경우, 303 대 299 단어). 누구라도 요한의 서신들의 연대를 정확하게 잡을 수는 없지만 대부분의 주석가들은 A.D. 80-85년경으로 추정한다. 필사본 중 가장 오래되었다고 추정되는 것은 A.D. 120년대의 것으로 추정하는 "P52"인데, 분량이 반 페이지 정도 되는 문서에 요한복음 18장이 기록되어 있다.

왜 "원본"을 찾아 입수할 수 없는가 하는 이유는 성경대로 믿는 그리스도인의 특성을 안다면 쉽게 알 수 있다. 또한 성경대로 믿는 그리스도인들의 이러한 특성을 안다면 왜 가장 변개되고 신뢰할 수 없는 필사본들(알렙, B, D 등)이 최상의 상태로 전수되었는가 또한 쉽게 이해할 수 있다.

물론 A. T. 로버트슨, 제임스 화이트, J. P. 프리, 얼 칼란드, 케네스 웨스트, 웨스트코트, 홀트, 알란드, 메츠거, 티쉔돌프, 라흐만, 그리스바흐, 유진 니다, 알랜 맥레이, 아서 파스타드, 우드로우 크롤, 로버트 섬너 등의 알렉산드리아의 배교자들은 이 진리를 깨닫지 못한다.

그들이 이 진리를 깨닫지 못한 것은 그들은 지구상에 있는 어떤 책도 자신의 권위를 넘을 수 없다고 생각하기 때문이다. 결과적으로 어떤 성경 필사본이나 어떤 성경 번역본을 접한다 해도 그들은 그것을 믿는 마음으로 시간을 들여 공부하려하지 않는 것이다. 그들은 모두 "성경"을 사용하여 돈벌이를 하는 자들이며, 그 정도가 그들의 경건의 분량이다. 그들 중 누구도 자신이 읽는 성경을 경이롭게 여기지 않는다. 지난 200년 동안 그들 중 그 누구도 하나님의 말씀들을 읽으면서 떨지 않았으며(사 66:2), 오리겐 이후로 그들 중 누구도 자신이 읽고 있는 말씀이 자신을 심판할 심판자가 될 것을 믿지 않았다(히 4:12,13).

요약하자면 그들은 모두 속이 훤히 들여다보이며 자아중심적이고 육신적인 배교자들이다. 그들은 그리스도인들 위에 군림하여 그들 자신의 수준의 불신과 성경에 대한 무지로 끌어내리려 한다. 구원은 받았을 지라도 그들의 자아와 "평신도를 지배"하려는 육신적인 욕망은 전혀 바뀌지 않은 것이다. 따라서 그들 중 누구도 〈킹제임스성경〉을 믿는 그리스도인들의 성경이 50년도 되지 않아 사용할 수 없는 상태가 되는 현상을 이해하지 못하는 것이다. 필자는 지금까지 5권의 성경을 사용했는데 각각이 10년을 넘기지 못했다. 잉크가 번지고, 낡아서 페이지가 찢어지고, 본문들에 줄을 친 부분들이 째지고, 눈물 자국으로 구겨지고, 하도 많이 써서 페이지가 닳아 없어지는 일을 학자들은 경험해 보지 못한다. 그들은 단지 "더 명확하고 새로운 번역본들"을 추천하고 팔아먹기에 바쁘다. 변개된 성경 번역본들을 구입한 독자들 또한 닳아 없어지도록 읽지 않는다. 처음부터 그들은 진리를 발견하기 위해서 그 성경 번역본들을 구입한 것이 아니기 때문이다. 그들은 모두 시대의 풍조에 편승하고 "최신 경향"을 추구하는 자들이기 때문이다. 아무도 변개된 성경들을 낡아 헤어질 정도로 사용하지 않는다.

이러한 현상이 홀트, 네슬, 알란드, 메츠거 등이 "위대한 대문자 필사본들"이라 부르는 4세기 혹은 5세기경의 필사본들이 지금까지 살아남을 수 있었는가를 잘 설명해 준다. 이것이 왜 이러한 변개된 필사본들이 발견되었을 때 〈킹제임스성경〉의 원문과 마틴 루터가 사용한 원문들을 지지하는 대량의 필사본들보다 더 좋은 상태였는가를 설명해 준다. 변개된 필사본들은 일종의 "이야기거리"에 불과했다. 즉 가짜 지성인들은 이러한 필사본들을 고등학교 때 모아놓았던 여행지 "기념품", 유리상자에 넣어놓은 트로피, 반짝이는 악세사리처럼 여기는 것이었다.

올바른 계열의 필사본들은 손에서 손으로 전수되어 수천 개로 필사되었으며 이 필사본들을 손에 든 이들은 자신이 무엇을 가졌는지 정확하게 알았고 하나님의 말씀들을 경외했다. 사도 바울 서신들이 기록된 지 20년 후에는 어떻게 되었는지 상상해 보라. 바울 서신들은 필사되고 또 필사되기를 반복하여 이탈리아, 그리스, 북아프리카, 발칸반도, 터키, 팔레스타인, 시리아, 프랑스, 스페인, "바다의 섬들"로 퍼져나갔다. 손에 들기도 하고 배낭에 넣기도 하고 낙타와 노새를 이용하여 운반하면서, 수많은 그리스도인들이 그 말씀들을 손에 들고 읽고 필사하기 위해 자신의 생명을 내어놓았다. 이 필사본들은 당시 가장 싸고 가장 쉽게 마모되는 재료인 파피루스에 기록되었다. 낡아지지 않는 믿음을 가진 그리스도인의 성경은 항상 낡아지기 마련이다. 진짜 그리스도인들은 그들의 성경을 읽고 성경을 공부하고 성경을 암송할 뿐만 아니라 성경을 믿고 사용하되, 학자들처럼 자신이 성경을 고치는 것이 아니라, 성경으로 자신을 바로잡고 자신을 독려하고 자신을 지도하고 자신을 책망하고, 성경으로 지혜를 얻고 성경으로 자신을 보호했다(시 119:8,11,18,98,105,130,140, 요 6:63).

19세기와 20세기와 21세기를 살았던 유명한 신학자들 중 95퍼센트가 이러한 사실을 전혀 이해하지 못했다. (필자의 다음의 저서를 참고하라. 〈학자주의 유일 논쟁, The Scholarship Only Controversy, 1996〉, 〈거짓말쟁이 그리스도인의 장서, The Christian Liar's Library, 1998〉, 〈성경적인 학자의 자격에 대한 그리스도인의 안내서, The Christian's Handbook of Biblical Scholarship〉)

요한이서 1장

1:1 **장로인 나는 진리 안에서 사랑하는, 그리고 나뿐만 아니라 진리를**
아는 모든 사람도 사랑하는, 택함받은 부인과 그녀의 자녀들에게 *편*
지하노니,
2 **이는 우리 안에 거하고 또 우리와 함께 영원히 있을 진리를 위해서**
니라.
3 하나님 아버지**와,** 아버지**의** 아들 주 예수 그리스도**로부터 진리와 사랑**
안에서 은혜와 자비와 평강이 너희와 함께 있으리로다.
4 **네 자녀들이 우리가** 아버지**께로부터 받은 계명대로 진리 안에서 행**
하는 것을 보고 내가 매우 기뻐하였노라.

1절의 『**장로**』는 사도 요한 자신을 말한다. 요한복음과 요한일서를 주의 깊게 공부했다면 요한의 서술 방식은 어렵지 않게 알아볼 수 있다. 사도 베드로처럼 그는 사도면서 장로였다(벧전 5:1). 시몬 베드로처럼 요한 자신도 그의 마지막 저작에서 자신을 단지 『**종**』이라고 말하고 있다(참조 계 1:1, 벧후 1장).

『**택함받은 부인과 그녀의 자녀들에게** *편지하노니*』

일반적으로 『**택함받은 부인과 그녀의 자녀들**』이 그리스도의 몸을 말한다고 가르친다. 그러나 "일반서신"에 대한 일반적인 해석은 항상 그릇된 것이었다. 따라서 리버티대학, 달라스, 덴버, 시카고, 루이스빌, 로스앤젤레스, 뉴올린언즈, 펜사콜라, 그린빌 등에 있는 배교한 신학들의 해석은 내버려 두고 성경이 무엇이라 말씀하시는지 살펴보자. 로마카톨릭은 신부가 한 사람에게 세례를 줄 때 "성모(聖母) 교회"가 그를 거듭나게 한다고 가르친다(고전 4:15). 즉 로마카톨릭이 어머니가 되고, 로마카톨릭교도가 교회의 "자녀"가 되는 것이다. 그러나 우리의 "어머니"는 교회가 아니다. 우리의 어머니는 "새 예루살렘"이다(계 21:2). 적어도 이것이 사도 바울에 따르면 그렇다(갈 4:26).

게다가 『**택함받은**』(elect)이라는 단어는 마태복음 24:21-22에서처럼 환란 시대의 유대인들을 지칭한다. 에서가 축복을 놓쳤듯이 존 칼빈과 로젠달과 "환란 후" 휴거론자들과 "진노전" 휴거론자들은 모두 이 관련 구절을 놓치고 말았다.

신약에서 이 배교자들이 지속적으로 혼미하게 되는 이유는 무엇인가? 우리가 이미 세 번에 걸쳐서 언급한 대로 "이중 적용" 때문이다. 『**택함받은**』(elect)이라는 말은 바울이 사용할 때는 그리스도의 몸 안에 있는 그리스도인들을 말하기 때문이다(롬 8:33, 골 3:12, 딤전 5:21, 딤후 2:10, 딛 1:1). 이정도면 배교자들을 혼란스럽게 하고도 남는다. 성경의 "이중 적용"만큼이나 〈킹제임스성경〉을 고치려 드는 라오디케아 교회 시대의 배교자들을 완전히 탈선케 하는 현상은 없다. (저자의 주석서 〈히브리서〉에서 히 8:8-12에 해당하는 주석을 참조하라.) 배교자들은 그 이탈리아 기차처럼 완전히 레일에서 벗어나 버렸다. (차량번호 No. 2592의 이 기차는 1917년 12월 12일 불이 붙은 채 탈선했으며, 이 사건으로 800명의 사람들이 사망했고 그중 오직 425명의 시신만이 신원을 파악할 수 있었다.)

교회는 『**순결한 처녀**』(a chaste virgin)기 때문에 이 시대의 교회는 자녀들이 없다(고후 11:1-3). 교회는 『**나의 비둘기**』, 『**나의 더럽혀지지 않은 자**』이며 『**오직 하나**』이다(솔 6:9). 로마카톨릭과 같은 『**여자**』 곧 『**창녀들의 어미**』가 아니다(계 17장). 성경은 교회를 단수로서의 한 처녀라고 말하고 있기 때문에 계시록 17장과 마태복음 25:1-13의 처녀들과는 다르다. 이스라엘은 『**여인**』이며(계 12장) 『**아내**』로 불리지만(호 2장) 결코 "처녀"가 아니다. 이스라엘에게는 『**딸들**』이 있다.

잠깐 쉬면서 위에서 인용한 관련 구절들을 곰곰이 생각해 보라. 1611년 〈킹제임스성경〉과 21세기에 활동하는 현대 학자들의 주장 사이에 있는 엄청난 괴리를 보았는가? 그 차이를 보았는가? 차이들이야말로 진리를 정의하는 것이다. 성경을 올바로 나누어야, 곧 구별하고 분리해 보아야만 진리를 알 수 있다. "다리를 놓고" "함께 모이고" "대화로 의사소통"하는 것과 다른 모든 뉴스미디어의 식상한 용어들이 라오디케아 시대의 배교한 기독교대학들과 신학교들과 종합대학의 특징이다.

"그리스도인연합"(Christian Coalition)의 마귀들린 "프라미스키퍼"(Promise Keeper)는 사람들을 "로데의 성모" 곧 "우리의 성모"에게로 또는 "알마 마터"(Alma Mater)로 끌어들이려고 한다. "알마"(Alma)는 "처녀"(virgin)를 의미하는 히브리어이며, "마터"(Mater)는 라틴어로 독일어 "머터"(Mutter)와 영어 "마더"(Mother)의 어근이다. "우리의 성모"(Our Mother)는 "노트르 담"(Notre Dame) 곧 "우리의 여인"(Our Lady)이다.

사탄이 온 세상을 미혹하는 그 능력이 얼마나 막강한지 알겠는가?(계 12장) 사탄의 미혹은 너무나 완벽하여 거의 200년 동안 모든 대학 졸업생들이 "처녀 어머니"(Virgin Mother)라는 용어를 써 온 것이다. 사실 이런 대학들 중 어떤 학교도 로마카톨릭이 아니며 클래스에 유독 로마카톨릭교도들이 많이 있었던 것도 아닌데 말이다.

"우리의 처녀"(Our Lady) 혹은 "우리의 여인"(Our Dame)은 신명기 22:6-7의 『**새끼**』(dam)에서 온 말이며, 세상에서 쓰는 이러한 용어가 사실 무엇을 의미하는지 1997년에 작성된 제2차 바티칸공회 자료에 잘 설명되어 있다. 이 문건은 성경을 거부하는 천치인 로렌스 G. 로바식(Lawrence G. Lovasik)이 작성했다.

"처녀 마리아는 참으로 하나님의 어머니다."(p.212)

"마리아의 중보는 지속적으로 우리에게 영원한 구원의 선물들을 가져다준다."(p.212) 로마서 5:16은 무엇이라고 말씀하시는가? 도대체 복수로서의 "구원의 선물들"은 무엇인가?

또한 이들은 마리아가 첫 번째 부활이 있기 1900년 전에 부활했다고 한다(p.213). 성경의 어떤 장과 어떤 절에서 그렇게 말하는가?

"하나님께서는 그녀를 우주의 여왕으로 높이셨다."(p.213) 로마카톨릭 성경이나 어떤 개신교 성경도 그렇게 말하지 않는다.

"그녀는 단지 하나님의 어머니일 뿐만 아니라 사람들의 어머니다." 더 신비로운 것은 마리아가 처녀로 남아 있으면서 하나님과 사람들의 어머니가 되었다는 것이다.

"창세기 3:1에서 하나님께서는 그녀의 '씨'가 아니라 그녀를 택하셔서 사탄의 '머리'를 부수도록 하셨다."(p.214) 로마카톨릭은 악질적인 거짓말쟁이다. 로마서 16:20을 읽어 보라.

"그녀는 우리의 어머니가 되길 원했다." 마리아는 로마카톨릭의 어머니일지는 몰라도, "우리의" 어머니는 아니다.

"모든 그리스도인들은 마리아의 성령으로 충만해야 한다."(p.215) 이 패역한 이단 로마카톨릭이여, "마리아의 성령" 따윈 없다.

"우리의 중보자는 예수 그리스도가 아니라(롬 8:27), 그들도(곧 마리아와 요셉을 말함, p.217) 또한 우리의 중보자들이다."

즉 로마카톨릭은 마리아가 하나님의 어머니일 뿐만 아니라 인류의 어머니이며, 부활 후에는 그리스도의 몸의 어머니라고 주장하는 것이다. 성경은 『**교회는 그의 몸이니**』라고 말씀하신다(엡 1:22,23).

마리아는 또한 죄 없이 태어났으며 죄짓지 않고 살았으며 예수 그리스도처럼 죄 없이 죽었다고 말한다(p. 214). 그러나 이러한 종류의 거짓말은 지구상의 어떤 성경의 어떤 판본과 어떤 역본에도 전혀 기록되어 있지 않은 것이다.

마리아는 『**땅의 창녀들과 가증한 것들의 어미**』로서 로마카톨릭의 "택함받은 여인"일 뿐이다(계 17장). 위에 인용한 모든 인용구들은 제2차 바티칸공회가 있은 지 10년이 지난 뒤 출판된 〈세인트 죠셉 뉴 아메리칸 신조〉라는 공식 로마카톨릭 문건에서 발췌한 것이다.

그러면 『**택함받은 부인**』은 누구인가? 이제 "지옥에 던져질 창녀 성모"(Hellish Mother Whore)가 아닌 것은 모든 독자들이 알 것이다(계 17장).

『**그녀의 자녀들에게**』(1절) 이스라엘은 한 여인으로서 자녀들이 있다. 성경은 『**이스라엘 자손들**』(the children of Israel)이라고 표현한다.

『**진리 안에서 사랑하는**』(1절) 이 표현은 "진실로 사랑하는"이라는 의미도 될 수 있고, 또한 "그리스도 안에서 사랑하는"의 의미일 수도 있다. 예수 그리스도께서 『**진리**』시기 때문이다. 이미 여러 번 살펴본 것처럼 하나님의 기록된 말씀들을 말하는 것일 수도 있으며(요 17:17), 하나님의 발설된 말씀들을 가리키는 것일 수도 있다(요 6:63).

『**진리를 위해서니라.**』 즉 "진리 때문에"라는 뜻이다. 이 표현 역시 이중 적용이 가능하다. 다음 구절을 보라.

『하나님**의 거룩한** 영을 **슬프게 하지 말라. 너희가 그로 인해 구속의 날까지 인치심을 받았느니라**』(엡 4:30).

이러한 이중 적용은 2절과 연결해 보면 자연스럽게 이해가 된다.

"우리 안에 거하는 진리"(the truth's sake, which dwelleth in us.) 또한 예수 그리스도를 가리키는 것일 수도 있다. 왜냐하면 요한 자신이 연결어 "which"를 요한일서 1:1,2에서 그와 같이 썼으며, 바울도 빌립보서 4:13에서 그리스도를 가리키는 것으로 사용했기 때문이다. 학자들이 무엇이라 말하는지 상관하지 말라. 바른 성경이 무엇이라 말씀하시는지 살피고, 성경만을 고수하라. 현대의 배교한 근본주의자들은 중세 암흑 시대의 로마카톨릭과 같다. 왜냐하면 그들은 사람들에게 대개는 진리의 일부만을 제시할 뿐이다. 그들은 학위가 8개나 되고 IQ가 150이면서도 법정에서 맹세하듯이 "진리, 모든 진리, 오직 진리"를 전할 수는 없는 것이다. 하나님께서 〈킹제임스성경〉을 주신 이유는 바로 "진리, 모든 진리, 오직 진리"를 깨닫고 전하기 위함이다.

『**진리**』가 예수 그리스도를 가리키는 것이라면 구원의 영원한 보장이 잇따라 나옴을 알 수 있다. 『**우리 안에 거하고 또 우리와 함께 영원히 있을 진리**』(2절, 요 14:16).

자신이 믿지도 않는 성경을 이용해 먹기만 하는 근본주의자들의 이론들에 혹하기 전에 이 구절들을 살펴보라: 요일 1:8,10; 2:4,24,28 등. 독자들도 지금쯤이면 잊어버렸을지도 모른다. 알란드, 메츠거, 브루스, 로버트슨, 랜달, 클라우드, 헌트, 메이첸, 데이비스, 닐, 맥레이, 맥기, 스윈돌, 맥아더, 띠엠, 윌밍턴, 프리억슨, 섬너, 쿠틸렉, 라이스, 헛슨, 웸프, 웨이트 등은 참조 구절들을 알지도 못한다.

4절에서 『**진리**』는 행하는 것(walking)과 관련이 있다. 『**네 자녀들이 우리가** 아버지**께로부터 받은 계명대로 진리 안에서 행하는 것을 보고 내가 매우 기뻐하였노라.**』 요한일서에는 정확한 관련 구절이 있다.

『**나의 어린 자녀들아, 우리가 말이나 혀로 사랑하지 말고 행동과 진리로 하자. 이로써 우리가 진리에 속한 줄 알고 또 그분 앞에서 우리의 마음을 확고히 하리라**』(요일 3:18,19).

『**그분 안에 거한다고 말하는 자는 그가 행하신 대로 자기도 행해야 하느니라**』(요일 2:6).

『**자기 형제를 미워하는 자는 어두움 가운데 있고 어두움 가운데 행하되 자기가 어디로 가는지 모르니, 이는 그 어두움이 그의 눈을 멀게 하였음이라**』(요일 2:11).

진리 안에서 행하고 있다면 올바로 행하고 있는 것이다.

『**택함받은 부인**』이 요한이 알고 지냈던 한 여자 동료를 의미한다고 생각한 학자들이 있었다. (벵겔은 이 표현이 히브리어로 "마르다"를 의미한다고 말한다.) 성령님께서는 그들을 위해 이 서신의 말미에 의미심장한 주석을 붙여 놓으셨다.

『**너의 택함받은 자매의 자녀들이 네게 문안하느니라. 아멘**』(요이 13절).

그러면 『**택함받은 부인**』의 『**택함받은 자매**』(elect sister)는 누구인가?

로마카톨릭이나 배교한 근본주의자는 『**택함받은 부인**』을 교회라고 해석한다. 그러면 도대체 교회의 자매는 누구인가?

만약 『**택함받은 부인**』이 이스라엘이라면 솔로몬의 노래 8:8에 나와 있는 "가슴이 없는" 『**작은 누이**』(a little sister)는 누구인가?

솔로몬의 노래에는 4명의 서로 다른 여인들이 나오며, 휴거 이후에 있게 될 어린양의 혼인식에는 4명 혹은 5명의 서로 다른 여인들이 등장한다(시 19:7-9, 시 45:9-14).

독자들은 필자에게 본문을 "해석"해 달라고 할지도 모르겠다. 필자도 『**성벽**』 혹은 『**문**』이 될 수도 있는 이 『**작은 누이**』가 누구인지 모르겠다 (솔 8:9).

필자는 지금까지 24,000권 정도의 책을 읽었고 적어도 그중 2,000권 정도는 성경에 대한 책들이다. 그러나 지금까지 솔로몬의 노래(5,8장)가 어떻게 교리적으로 적용되는지 의견이라도 제시한 사람은 한 사람도 없었다. 어떤 교단과 어떤 신학 계열의 학자도 없었다.

1:5 부인이여, 이제 내가 너에게 간청하노니, 내가 네게 새 계명을 쓰는 것이 아니고, 처음부터 우리가 가진 것이니, 곧 우리가 서로 사랑해야 한다는 것이라.

6 사랑은 이것이니, 우리가 그의 계명들대로 행하는 것이라. 그 계명은 이것이니, 너희가 처음부터 들은 바와 같이 너희가 그 사랑 안에서 행해야 한다는 것이라.

5절은 이미 요한일서에서 자세히 설명했다. 다음 구절들을 읽어 보라: 요일 2:3,4,7,8,14; 3:22,23; 5:2,3.

1:7 많은 미혹하는 자들이 세상에 들어왔나니 그들은 예수 그리스도께서 **육신으로 오신 것을 시인하지 않는 자들이라. 이것이 미혹하는 자요, 적그리스도라.**

7절은 요한일서 4:1-3에서 이미 설명했다.

1:8 너희 자신을 돌아보라. 이는 우리가 이루어 놓은 것들을 잃지 아니하고 온전한 상을 받으려는 것이라.

이미 1900년 이전에 "많은 미혹하는 자들"(7절)과 "많은 거짓 교사들"(마 24:11)과 거짓 교사들을 따르는 "많은" 죄인들(벧후 2:1,2)이 있을 것임을 경고했다. 그러나 요한은 성도들에게 그리스도의 심판석에서 자신이 받을 것보다 더 적은 상들을 받을 수도 있는 가능성이 있다고 경고하고 있다. 즉 성도가 올바로 행하지 않는다면 그렇게 되는 것이다(고전 3장, 고후 5:10과 그 주석을 참조하라).

이 진리를 예화로 잘 보여 주는 좋은 구약의 역사적인 사건이 있다. 바로 여호사밧이 왕이었을 때 그의 행위들이 무효화되어 버린 일이다. 여호사밧 자신은 선한 행위들을 하였으나, 그는 악한 백성과 함께 제휴를 맺었던 것이다(대하 20:36,37).

『**이는 우리가 이루어 놓은 것들을 잃지 아니하고 온전한 상을 받으려는 것이라.**』 요한은 이루어 놓은 어떤 것을 잃어버릴 수도 있음을 말하면서(8절), "택함받은 부인"의 자녀들에게 어떻게 이루어 놓은 것들을 잃어버릴 수 있는지 설명한다.

1:9 범죄하고 그리스도의 **교리 안에 거하지 아니하는 자마다** 하나님**이 없으나,** 그리스도의 **교리 안에 거하는 그 사람은** 아버지**와** 아들**이 있는 자니라.**

10 어떤 사람이 너희에게 오되 이 교리를 가지고 오지 아니하면 그를 집에 영접하지도 말고 그에게 문안하지도 말라.

11 이는 그에게 문안하는 자는 그의 악한 일들에 참여하는 자임이라.

즉 그리스도인들이 이교도들과 무신론자들과 힌두교도들과 불교도들과 모슬렘들과 진화론자들과 인본주의자들과, 〈개역한글판〉과 〈개역개정판〉과 NIV와 NASV처럼 예수 그리스도의 신성을 부인하는 변개된 성서들을 사용하는 가짜 "그리스도인들"과 교류하고 손잡게 만드는 자는 상들을 잃어버릴 수 있다. 위에 제시한 변개된 성서들은 하나님의 성육신을 부인한다(딤전 3:16을 비교해 보라).

앞에서 인용했던 로마카톨릭의 〈St. Joseph New American Catechism〉(ibid., 1977)은 진화론자들과 합세하여 진화론자들을 "지원하고" 존중해야 한다고 말한다. 제2차 바티칸공회의 공식적인 입장은 다음과 같다.

"성경은 항상 역사적으로 정확한 것은 아니다."(p.13) "창조는 하나님께서 생명을 주신 방식이다. 창조는 점진적인 진화의 발전인 것처럼 보인다. 이러한 일들이 일어나고 수백만 년 후이기 때문에, 사람들은(하나님의 백성은) 어떻게 창조가 일어났는지 상상해 볼 수 있을 뿐이다."(p.139)

로마카톨릭의 공식 입장을 정리하자면 다음과 같다.

1. 창세기 1-3장을 기록한 모세의 말씀을 신뢰할 수 없다.

2. 창세기 5,6,10장 등에서 주어진 연대기적 자료들 또한 정확한 것으로 믿을 수 없다.

3. 창세기 2,3장은 어떤 무식한 자가 어떻게 창조의 역사들이 일어났는지 상상해서 기록한 것일 뿐이다.

그러나 예수 그리스도께서는 로마카톨릭과 진화론자들의 이러한 "신학적" 혹은 "과학적" 주장을 추종하는 자들은 사복음서에서 주님께서 직접 말씀하신 말씀들도 믿을 수 없다고 말씀하셨다.

『너희가 서로 영광을 받으면서 오직 하나님**으로부터 오는 영광은 구하지 아니하니, 어찌 나를 믿을 수 있겠느냐? 내가 너희를** 아버지**께 고소하**

리라고 생각지 말라. 너희를 고소하는 사람이 있으니 너희가 신뢰하고 있는 모세라. 너희가 모세를 믿었다면 나를 믿었으리니 이는 그가 나에 관하여 기록하였기 때문이라. 그러나 만일 너희가 그의 글들을 믿지 않는다면 어떻게 나의 말들을 믿겠느냐?』(요 5:44-47)

1890년 이후로 진화론을 반박하는 과학적인 증거들이 산더미같이 쏟아져 나왔음에도 아직도 미국이나 한국을 비롯한 아시아와 유럽 등지에서 진화론을 추종하는 사람이 있다는 사실은 그곳에 제대로 된 "고등 교육"이 존재하지 않음을 시사한다.

백만 년 전은 고사하고 이 만 년 전에도 "지구라는 행성이 태양계에 존재하지도 않았다"는 사실이 수도 없이 증명되었지만 이들은 여전히 "수백만 년 전에"에 무엇이 어떻게 되었다고 떠들고 있는 것이다.

『그리스도**의 교리**』는 성경이 완벽하게 설명해 준다. 오직 신약성경을 믿지 않는 학자들만이 이 교리를 깨닫지 못할 뿐이다. 로마카톨릭에게는 안된 일이지만 이 교리는 성경이 예수 그리스도의 두 번의 오심에 관해 말씀하는 모든 것을 포괄한다. 왜냐하면 적그리스도는 초림이 아니라 바로 재림 전에 예수 그리스도에 관한 교리를 거부하게 될 것이며, 이것이 바로 이 구절과 요한일서에서 다루는 교리이기 때문이다. 『그리스도**의 교리**』는 RV, RSV, ASV, NASV, NIV 등이 거부한 본문에서 가장 간략하고 명확한 형태로 기록되어 있다. 바로 디모데전서 3:16이다. 그러나 이 구절은 단지 초림만을 언급할 뿐이다.

재림에 대한 가장 간략하고 명확한 본문은 요한계시록 19:11-16이다. 두 번의 오심은 이사야 9:6과 창세기 49:11,24과 이사야 61:2에 기록되어 있다. 영화롭게 되신 그리스도는 초림 때에 육신으로 나타나신 하나님으로 오셨을 뿐만 아니라, 재림 때에는(겔 48:35, 눅 1:30-33) 『**살과 뼈**』를 입고 돌아오실 것이다(눅 24:39).

7절에서 "오셨다"(has come) 혹은 "오셨었다"(had come)이라고 말하지 않고 특이하게 『**오신**』(IS come)이라고 말씀함을 주목하라. 히브리서 10:37과 마태복음 11:3을 포함한 모든 헬라어 원문들은 "오실 분"으로서 예수 그리스도에 대해서 말하고 있다. 즉 미래인 것이다.

모든 로마카톨릭 교황들이 이러한 진리에 대해서 전적으로 무지한 이유는 그들 중 누구도 지난 500년간 "오실 분"으로서의 예수 그리스도에 대해서 단 한 번도 설교한 적이 없기 때문이다. 그들은 "미사"를 거행하는 동안에 "성체"를 받는 자들에게 이러한 진리를 단 한 번도 말한 적이 없다. 사실 "성찬"은 그리스도의 죽으심을 『**그분이 오실 때까지**』 선포하는데 의의가 있는데도 말이다(고전 11:26). 그리스도의 심판석에서 가장 수치를 당하고 부끄러워 얼굴도 들지 못할 자들은 200명이 넘는 로마카톨릭 교황들이다. 물론 그들이 구원받았다는 가능성이 전혀 없다는 전제하에 그렇다는 말이다. 그들은 그리스도의 심판석에 서서 왜 그들이 신구약 성경 전체의 핵심 주제인 예수 그리스도의 재림을 강조하지 않았는가를 설명하느라 진땀을 흘릴 것이다. 재림에 대한 본문들을 조금만 보자면 다음과 같다 : 창세기 3,40,49장, 출애굽기 15장, 레위기 26-27장, 신명기 21,32,34장, 여호수아 1-9장, 재판관기 5장, 사무엘상 2장, 사무엘하 22장, 열왕기상 1-12장, 열왕기하 1-3장, 느헤미야 11:1, 에스더 1,7장, 욥기 1-42장, 시편 1,19,72,90,68,45,110,149편, 이사야 2,8-9,11,26,34,61,63,66장, 예레미야 30,33장, 에스겔 1,40-48장, 다니엘 2-5,7,10-12장, 마태복음 24장, 마가복음 13장, 데살로니가전서 4장, 고린도전서 15장, 누가복음 17,21장, 유다서, 베드로후서 2장, 디모데후서 3-4장, 빌립보서 3장, 디도서 2장, 계시록 1-20장 등이다.

성경에는 교회 출석과 "성사들"과 마리아, 제사장직, 물 침례, "성찬,"

"묵주," "연옥," "면죄부," "미사," 주일 예배 등을 합친 것의 다섯 배 이상의 구절들이 예수 그리스도의 다시 오심에 대해서 말씀하고 있다. 그 어떤 교황도 신학적으로나 성경적으로 균형 잡혀 있지 않았다.

바오로 6세, 비오 11세와 비오 12세, 요한 23세, 요한 바오로 2세 등의 교황들이 범한 죄가 또 있다. 이 몰지각하며 세상이 자신의 것인 줄 착각한 교황들은 에큐메니칼 운동들을 일으켜 힌두교도들과 불교도들과 모슬렘들에게 문안을 했을 뿐만 아니라(10절), 그들을 바티칸으로 초청하여 그들과 대화를 나누고, 특히 아라팟과 같은 경우에는 아브라함과 이삭과 야곱의 하나님께서 그분의 이름이 거하게 하시겠다고 말씀하신 도시에 모슬렘 의사당을 짓도록 그들과 합의해 주었다(신 32:43, 호 9:3, 사 14:25, 대하 6:20).

모든 교황들은 이 점에 있어서 완전히 하나님의 말씀을 거슬렀다. 왜냐하면 "육신으로 나타나신" 예수 그리스도는 여호와 엘로힘이시며, 그분이 바로 아라비아인 이스마엘과 그의 이집트인 어미에게 팔레스타인 땅 밖으로 나가서 그곳에 발을 들여놓지 말라고 하신 분이시기 때문이다(갈 4:30, 창 21:10).

교황들은 지난 80년 동안(1921-2001년) 그들을 불러들이려 했고 그들에게 예루살렘의 반을 주려 했다. 현재 그들은 유럽에서 유대인들을 학살하는 데 있어 아돌프 히틀러의 만행을 능가할 제4제국을 건설하는 데 거의 성공했다. 제2차 세계대전 기간 동안 거의 모든 유럽 국가들은 로마카톨릭 국가였다. 예외가 있다면 홀랜드, 덴마크, 대영제국, 노르웨이, 스웨덴, 스코틀랜드뿐이었다.

제1차 세계대전이 일어났을 때 교황들은 자청해서 성경을 거부하고 그리스도를 부인하는 이교도들의 『**악한 일들**』에 『**참여**』했다(11절). 1904년 베네딕토 5세부터 요한 바오로 2세에 이르기까지 단 한 명의 예외도 없다.

잠시 교회 시대의 그리스도인들이 바티칸과 이슬람교와 NCCC와 교회

협의회들과 인본주의자들과 연합함으로써 잃어버릴 수 있는 것들이 무엇인지 살펴보도록 하자.

1. 그리스도인은 자신의 간증을 잃어버릴 수 있다(롯).
2. 자신의 건강을 잃어버릴 수 있다(고전 11장).
3. 상급을 잃어버릴 수 있다(고전 3:15).
4. 유업을 잃어버릴 수 있다(골 3:24-25).
5. 기쁨을 잃어버릴 수 있다(시 51:12).
6. 확신을 잃어버릴 수 있다(요일 3:20-22).
7. 목숨을 잃어버릴 수도 있다(고전 10:10-11).

하나님께서 그리스도인의 구원을 이미 완성해 놓으셨기 때문에(고후 5:19-21) 무슨 짓을 한다 해도 구원을 잃어버릴 수는 없다. 왜냐하면 구원은 『**값없는 선물**』로서(롬 5:16) 그리스도인 그 자신이 아니라 주 예수 그리스도의 도덕적인 성취들에 기반을 둔 것이기 때문이다(히 10:8-12, 고후 5:21). 따라서 그리스도인은 무슨 일이 생긴다 하더라도 그의 구원을 잃어버릴 수 없다.

어떤 그리스도인이라도 빌리 그래함이 1953년 이후로 행한 대로 하면 상급을 잃어버릴 수 있다. 또한 1918년 이후로 모든 로마카톨릭 교황들이 행한 대로 하면 상급들을 잃어버릴 수 있다. 또한 데오도르 엡이나 리차드 디한이 행한대로 하면 상급들을 잃어버릴 수 있다. 또한 팻 분이나 죠니 캐슈나 지미 배커나 부시 대통령 등이 행한 대로 하면 상급들을 잃어버릴 수 있다. 물론 부시 대통령이 그리스도인이라는 가정하에서 하는 말이다.

만약 당신이 복음을 전해 회심한 사람들을 로마카톨릭이나 개신교 자유주의자들에게 가게 한다면 당신은 돼지들에게 "진주"를 던지는 격이 된다(마 13:45-46, 벧후 2:22). "진주"는 보석이다(고전 3:12). 베드로는 이들을 살아 있는 돌들이라 부르고(벧전 2:5) 바울도 마찬가지다(엡 2:20-22).

1:12 내가 너희에게 쓸 것이 많으나 종이와 잉크로 쓰기를 원치 아니하며 오히려 너희에게 가서 대면하여 말하기를 바라노니, 이는 우리의 기쁨이 충만케 하려 함이라.

13 너의 택함받은 자매의 자녀들이 네게 문안하느니라. 아멘.

요한은 바울이 고린도전서 13:10에서 말했듯이 『**종이와 잉크로 쓰기를 원치 아니하며**』라고 말하고, 또한 고린도전서 13:12처럼 『**대면하여 말하기를 바라노니**』라고 말한다(12절). 우리가 이 점을 지적하는 것은 미국의 기독교대학들과 신학교들과 신학대학원들의 교수진들은 고린도전서 13:10에 대해서 100% 틀렸기 때문이다. 만약 고린도전서 13:10은 어떤 식으로도 "성경"에 대한 언급이라 끼워 맞출 수 없다.

배교한 근본주의자들은 단 한 명의 예외도 없이 100%가 고린도전서 13:10,12이 "신약성경이 완성되면"의 의미라고 해석한다. 그러나 이러한 유치한 해석은 성경을 모르는 자들이 방언을 자랑하는 은사주의자들을 견제하기 위해 만들어진 것으로 성경의 나머지를 거짓말로 만드는 해석이다.

PCC, BJU, BBC, 리버티대학, 테네시템플, 휘튼, 풀러, 하워드, 저드슨, 스텟슨, 그레이스신학원, 다른 50여 개의 알렉산드리아 이단들의 학교들도 똑같이 가르친다.

『**너의 택함받은 자매의 자녀들이 네게 문안하느니라. 아멘.**』(13절) 학자들은 수신자인 "택함받은 부인"을 언급하지 않았다는 사실이 이 부인이 교회(혹은 지역 교회)를 의미한다는 가정을 정당화한다고 주장한다. 그렇다면 『**너의**』라고 말한 것은 누구를 말하는가? 요한이서는 "택함받은 부인"에게 기록된 것이다. 만약 "택함받은 부인"이 단지 하나의 교회(즉 지역 교회)라면, 지역 교회의 회원들이 『**그녀의 자녀들**』이 되는 것이다. 그런데 문제가 있다. 대환란 기간의 지역 교회들을 말하는 것이 아니라면, 지역 교회는 "어머니"가 될 수 없다. 왜냐하면 새 예루살렘이 교회 시대의 모든 하나님의 자녀들의 "어머니"이기 때문이다(갈 4:26, 계 21:2). 이것이 데살로니가와 로마와 에베소 등에 있는 지역 교회들에 서신을 기록한 이방인의 사도가 가르친 진리다.

게다가 심지어 대환란 기간 중에도 지역 교회들은 결코 "자녀들"이나 "자매"를 가진 "어머니"로 비유되지 않는다. 성경은 대환란의 지역 교회들을 『**촛대**』라고 부른다(계 1:12,20).

요한삼서 1장

1:1 장로인 나는 지극히 사랑하는 가이오에게 *편지하노니*, **내가 진리 안에**
서 너를 사랑하노라.
2 사랑하는 자여, 무엇보다도 네 혼이 잘됨같이 네가 번성하고 강건하
기를 바라노라.
3 이는 형제들이 와서 네 안에 있는 진리를 증거하고 네가 진리 안에
서 행한다고 하므로 내가 매우 기뻐하였음이라.
4 나의 자녀들이 진리 안에서 행한다는 것을 듣는 것보다 더 큰 기쁨
이 없느니라.

요한이서와 달리 요한삼서는 『**가이오**』라는 이름을 가진 수신자에게 기록되었다. 요한은 그를 "택함받은 부인" 혹은 "택함받은 사람"이라고 부르지 않고, 『**지극히 사랑하는 가이오**』라고 부른다. 이것은 누가가 누가복음과 사도행전의 서두를 열며 『**데오빌로**』를 언급하는 것과 유사하다(눅 1:3, 행 1:1).

『**내가 진리 안에서 너를 사랑하노라.**』(1절) 이 표현은 요한이서 1절과 일치한다.

『**사랑하는 자여, 무엇보다도 네 혼이 잘됨같이 네가 번성하고 강건하기를 바라노라.**』 2절은 성결교와 오순절운동을 하는 자들과 은사주의자들이 병약한 그리스도인들에게서 돈을 뜯어내어 자신의 이익을 챙기기 위해 써먹는 성경 구절이다. 그러나 사실 이 구절은 이들의 목을 쳐버리는 말씀이다. 이들은 대개 마태복음 8:17과 베드로전서 2:24 등을 이 구절과 함께 인용하면서, 건강이 좋다는 것이 곧 그 사람이 영적임을 증명하는 것이며 건강이 나쁘다는 것은 은사주의 "치유자"에게 돈을 더 많이 내야 된다는 것을 의미한다고 주장한다. 이것이 1901년 이후로 모든 은사주의 돌팔이 의사들이 주장해 온 바다. 윌리엄 프리먼, A.A. 앨런, O.L. 재거스, 오럴 로버츠, 베니 힌, A.S. 맥퍼슨, 존 킬패트릭, 캐서린 쿨만, T.L. 오스본, 잭 코, 코플랜드, 하긴, 고어맨, 마이클 브라운, 크림 목사, 존 아르놋, 돈 노리, 루우벤 존즈, 로버트 틸튼, 조용기 등의 은사주의자들이 다 이런 식으로 돈을 번다.

그들은 모든 그리스도인이 부유하고 건강해지는 것이 그들을 향하신 하나님의 직접적인 뜻이라고 주장한다. 『**무엇보다도 네 혼이 잘됨같이 네가 번성하고 강건하기를 바라노라.**』 돌팔이 은사주의자들은 영적으로 갓난아기와 같은 어린 그리스도인들과 어리석은 그리스도인들로부터 강탈한 돈으로 자신이 부자가 된 것으로 그들의 교리를 뒷받침한다. 탈취와 성경을 곡해하여 그들은 눈멀고 다리 절며 질병으로 고통받는 사람들의 우상이 된 것이다. 백혈병, 에볼라, 암, 홉킨스 병, 브리트 병, 에이즈, 동맥경화 등으로 고생하는 그리스도인들이 지푸라기라도 잡는 심정으로 은사주의자들을 따르는 것이다. 이들의 집회와 설교의 요지는 이렇다. "저를 보십시오! 제가 입고 다니는 양복은 800달러짜리고, 마이애미에 있는 겨울 별장은 60만 달러짜리입니다! 이제 아시겠죠! 여러분도 저처럼 영적인 사람이 되면, 바울이 가졌던 사도적인 은사들을 가지게 될 것입니다(고후 12:12, 행 19:12). 여러분들도 저처럼 건강해지고, 부자가 될 수 있습니다!" 그런 후 그들은 케케묵은 "믿음의 씨앗을 심어야 한다"는 수법을 쓰면서 사람들에게서 돈을 뜯어내고, 이제 병원 진료도 받을 수 없도록 만들어 버린다.

이것이 백 년 가량 지속된 은사주의자들의 술수다. 사실 이것은 다윈의 진화론에 따른 주장이다. 즉 성경에 기록된 모든 부정적인 진리를 제거하는 것이다. 바울은 평생토록 부유하거나 건강하지 않았다(고후 12:9-10, 갈 4:14, 골 4:14, 딤후 4:11). 그럼에도 바울은 다섯 명의 돌팔이 오순절주의자들을 합쳐 놓은 것보다 500배 이상의 영적인 능력(빌 3:10)과 거룩함(고후 11장)을 유지했다.

게다가 이런 정신 나간 은사주의자들을 추종하고 지지하는 대가 중의 하나는 자신의 구원을 잃어버릴 수 있다고 생각하는 것이다. 죄들의 용서함은 전적으로 그리스도의 죽으심에 달려 있다(벧전 2:24, 고후 5:21, 사 53:4-5). 그러나 은사주의자들은 육체의 질병의 치유를 주님의 죽으심에 연결시키기 때문에 결국 성경적인 지식이 없는 사람은 구원받은 사람이 모든 질병들을 치유받는다고 결론 내리게 된다. (마태복음 8:17의 베드로의 장모의 경우를 보라.) 즉 "치유"받지 못하면, 믿음이 없는 것이며, 그렇다면 자신이 구원을 잃어버렸기 때문이라고 의심하게 되는 것이다!

이것이 이곳 펜사콜라에서 마이클 브라운이 그의 "브라운스빌 부흥 학교 사역"으로 사람들에게 가르친 교리다. 그들이 스스로 "브라운스빌 부흥"이라고 부르는 기간 동안(1997-1999년), 그들은 약 50만 명의 혼들이 구원받았다고 주장했다. 그러나 그들 중 10만 명은 이미 세 번째로 예수 그리스도를 구주로 영접한 자들일 것이며, 30만 명 정도는 두 번째 영접한 자들이고, 9만 명 정도는 네 번째로 영접한 자들일 것이며, 적어도 9,000명 정도는 가짜로 영접한 자들일 것이다. 나머지 1,000명에서 800명 정도는 그들이 구원받았다고 생각하다가 약 일 년 정도가 지나면 구원을 잃어버린다고 여길 것이다.

즉 1,000명의 회심자를 등록하는 데 3년이 걸린 것이다. 그러면 1년에 333명의 회심이 있었던 것이다. 3년이 자나고 나서는 다시 영접한 사람들도 400명도 되지 않았고, 그 중 진짜 회심은 20명 정도도 되지 않았다. 필자는 혼자서 1년에 "브라운스빌" 사람들 전체가 구령하는 것보다 더 많은 사람들을 구령하며, 1950년 이후로 줄곧 그렇게 구령을 했다. 하나님께서는 1990년 이후로 평균 134명의 회심자들을 주셨다. 모두 처음으로 예수 그리스도를 영접하고 진심으로 회심한 사람들이다. 이렇게 최근에 구령한 사람만 1,480명이 넘는다. 재즈 음악이나 CCM이나 보조원들이나 "성령 안에서 죽는 것" 따위나 "안수"나 "방언"이나 유명세나 사람들을 모으기 위한 수법이나 수작이나 사도적인 "은사들"이나 숫자를 허위로 기재하는 것 없이 죄인들을 예수 그리스도께로 인도했다.

은사주의자 사기꾼들과 그들을 추종했던 사람들도 모두 건강이 악화되거나 병 걸려 죽는다. 그렇다면 왜 모든 그리스도인들이 온전한 건강을 누리지 못하고 모두가 결국에는 건강이 악화되어 죽는지 아는가? 왜냐하면 그리스도인들은 천년왕국이 될 때까지 예수 그리스도의 속죄로 말미암는 모든 유익들을 다 누리지는 못하기 때문이다(이사야 11장을 읽어 보라). 정직하다면 어떤 그리스도인도 그리스도의 심판석을 지나기까지 시편 103:5을 주장할 수 없다. 즉 그리스도인의 몸은 흙으로 만들어졌으며, 하나님께서는 땅을 저주하셨다(창 3:17). 이 저주는 예수 그리스도께서 갈보리에서 담당하셨으나(갈 3:13, 롬 8:21), 예수 그리스도의 재림이 성취되어 시편 72편과 로마서 8:18-19과 이사야 11:6-9 등이 실제로 이루어질 때에야 비로소 이 저주가 제거된 것으로 말미암은 유익들을 누릴 수 있는 것이다.

그리스도께서 쓰셨던 가시 면류관의 가시는 창세기 3장의 타락으로 인한 것이다. 이것은 주님께서 죽으신 것이 죄인인 사람만을 위한 것이 아니라 땅과 동물들을 위함이기도 하다는 것이다(사 11장, 마 19:28, 행 3:19-21).

은사주의자들이 성경을 일관성 있게 믿는다면 교회 시대를 사는 그리스도인들의 모든 질병 또한 『**그가 맞은 채찍으로**』 치유받듯이, 그들은 오늘날 교회 시대에 사는 사자들도 초식동물이 되었다고 여겨야 한다(사 11장). 그러나 은사주의자들이든 아니든 결국은 사고나 질병으로 죽을 수 밖에 없다. 또한 은사주의자들 중 하나가 사자에게 시금치를 주려고 사자우리에 손을 넣는다면 그의 손만 달아날 뿐이다. 모든 은사주의자들은 이처럼 교리적으로 볼 때 제정신이 아니다.

그러면 이 구절의 원래의 의미는 무엇인가?

"가이오 형제, 나는 자네가 영적으로 좋은 상태에 있는 것을 알고 있다네! 나는 자네가 고린도후서 4:16,18에 따라서 자네의 혼이 잘되는 것처럼 자네가 건강하기를 바라네. 『**네 혼이 잘됨같이**』 자네의 혼이 먼저고, 그 다음이 자네의 건강이지. 그리고 그 다음이 자네가 번성하길 바라네!"

"부를 잃는 것은 조금 잃는 것이다. 건강을 잃는 것은 많이 잃는 것이다.

그러나 혼을 잃어버리는 것은 모든 것을 잃는 것이며, 누구도 회복시켜 줄 수 없다."

3,4절은 요한일서 1:6; 2:6,11; 3:19 등에서 이미 설명했다.

1:5 사랑하는 자여, 네가 형제들과 나그네들에게 무엇을 행하든지 신실하게 행하니

6 그들이 교회 앞에서 너의 사랑을 증거하였느니라. 네가 하나님께 하

듯 그들을 전송하는 것이 잘하는 것이니라.

7 **이는 그들이 주의 이름을 위하여 나가서 이방인들로부터 아무것도 받지 아니하기 때문이라.**

8 **그러므로 우리가 그러한 자들을 영접하는 것이 마땅하니, 이는 우리가 진리를 위하여 동역자가 되려 함이라.**

9 **내가 그 교회에 편지를 썼으나 그들 중에 으뜸이 되기를 좋아하는 디오트레페가 우리를 영접하지 아니하니라.**

10 **그러므로 내가 가면 그가 행하는 일들을 기억하리라. 그가 악한 말로 우리를 헐뜯고, 그것으로도 만족하지 않고 형제들도 영접하지 아니하며, 그렇게 하고자 하는 자들을 방해하여 교회에서 내어쫓는도다.**

이 구절들은 마태복음 25장, 야고보서 2,5장, 요한일서 3:17 등의 교리적으로 대환란 기간에 적용되는 본문의 분위기다. 히브리서 10:33-34도 마찬가지다. 『**이렇게 하다가 자기도 모르는 사이에 천사들을 대접한 사람들도 있었느니라**』(히 13:2). 이 구절은 『**나그네 대접하는 일을 잊지 말라.**』는 말씀으로 시작한다. 이 말씀은 롯에 대한 것이지만, 『**롯의 날들**』은 교회 시대에 대한 것은 아니다. 『**롯의 날들**』은 다니엘의 칠십째 주를 지칭한다(눅 17:28).

5절의 『**형제들과 나그네들**』을 주목하라! 『**형제들**』은 마태복음 25:40과 28:10처럼 유대인들을 말한다. 『**나그네들**』(strangers)은 이방인들을 의미한다(벧전 1:1, 행 2:10). 『**나그네들**』은 구원받은 사람들을 의미한다(6절). 주님께서 이번에도 성경을 믿지도 않으면서 성경을 가르친다고 하는 학자들과 교수들을 계시록 7장으로 그들의 얼굴을 치신 것이다. 교회 시대와는 달리, 계시록 7장에는 구원받은 사람들의 두 무리가 나온다. 4-8절에는 유대인 무리가 나오고, 9-14절에는 이방인 무리가 나온다. 이 성경적인 계시는 현대의 성경학자들이 신약의 구원과 대환란 시대의 구원의 차이를 분별하지 못할 뿐만 아니라, 성경을 변개하는 배교자들에 불과함을 보여 준다.

문맥은 지역 교회들이 바울처럼 여행하는 복음 전파자들의 무리를 지원하며(고후 7:2; 10:1-2; 8:18-23), 그들의 사역이 지속되도록 돕는 내용이다. 9절은 지역 교회를 담임하는 목사가 자신의 "목사의 권위"에 집착하여 복음을 전파하는 이 선교사들을 자신의 교회에 영접하지 않는 것을 말한다. 이런 자는 선교사들은 외국으로 복음을 전하러 가는데, 그들이 자신의 교회를 방문하면 그들과 영적으로 비교당하여 자신이 나쁘게 보일까봐 겁먹은 것이다. 그는 시몬 베드로가 금지한 것을 원했던 것이다(벧전 5:3). 자신이 양 무리 위에 "군림"하고 싶었던 것이다(벧전 5:5,6).

디오트레페는 『**남을 자신들보다 존중하고**』라고 하신 말씀을 무시했고(빌 2:3), 성경적으로 자격이 있는 목사는 『**가르치기를 잘하고**』(딤전 3:2) 『**탐욕스럽지 아니하고**』(딤전 3:3)라고 하신 덕목을 갖추어야 함을 경시한 것이다. 오늘날 디오트레페와 같은 잘난 체하고 "권위적인" 침례교 목사들이 필자에게 그들이 한 번만 결혼했고 자녀들을 기독교대학에 보냈기 때문에 "사역을 할 자격이 있다."고 주장한 적이 있다. 오늘날 배교의 시대에는 이런 바리새인같이 위선적이며 탐욕스럽고 배 나온 목사들이 주위에 널려 있다.

필자는 일 년에 평균 30여 명의 설교자들을 초청하여 내 강단에서 설교하게 한다. 지난 37년 동안 줄곧 그렇게 해왔다. 필자는 그들이 나보다 설교를 잘하거나 회중이 그들을 나보다 더 좋아할까봐 염려한 적이 없다. 단지 내 양무리가 미대륙에 있는 어떤 양무리보다 영적으로 살찌고 성장하기를 바란 것이다. 또한 필자가 담임하는 교회에서 누군가가 나를 욕하고 "주의 기름부음받은 자"를 손 댈까봐 단 일초도 염려한 적이 없다(시 105:15).

만약 필자가 "하나님의 기름부음받은 자"라면, 사람들이 수도 없이 "손을 대서" 일 년에 나에게 "손 댄" 자들의 수를 헤아릴 수 없을 정도다. 필자는 2004년까지 십대, 이십대, 삼십대 청년들과 함께 아이스하키, 롤러하키, 스트리트하키를 하며 친목을 도모했다. 필자가 골키퍼를 맡았는데 지금까지 얼마나 많은 사람들이 내게 "손 댔는지" 상상해 보라. 또한 서른다섯부터 일흔이 될 때까지 블러드볼을 형제들과 했다. 지금 여든하나의 나이에 필자는 아직도 골키퍼를 맡고 있고, 1982년부터 2003년까지 약 600게임을 했다.

주께서 사랑하시던 사도인 요한이 여기서 말하는 바를 주목하라. 그는 사랑하는 사람은 『하나님**께로부터**』 태어났다고 말했고(요일 4:7) 『하나님**은 사랑이시기 때문이라.**』고 했다(요일 4:8). 그러나 여기서는 다음과 같이 말한다. 『**그러므로 내가 가면 그가 행하는 일들을 기억하리라. 그가 악한 말로 우리를 헐뜯고, 그것으로도 만족하지 않고 형제들도 영접하지 아니하며, 그렇게 하고자 하는 자들을 방해하여 교회에서 내어쫓는도다**』(10절). 요한이 쓴 것을 제대로 읽었는가? 이것이 요한이 말한 "형제 사랑"인가?(요일 4:8; 3:10) 왜 요한은 그 일을 잊어버리고 하나님께서 그리스도를 위하여 그를 용서하셨듯이 잘못한 디오트레페를 용서하지 않았는가?(엡 4:32) 이 구절에서는 요한이 복수심으로 가득 차 있는 듯한 어조다.

요한이 구체적으로 디오트레페가 그의 입으로 말한 것들과 교만한 마음을 품은 것에 대해서 어떻게 할 것인지는 기록하지 않았지만 이 구절은 있는 그대로 보자면 일종의 위협이다. 우리는 여기서 선하고 상냥하고 사랑으로 충만한 요한이 예수님이 『**천둥의 아들들**』이라고 부른 형제들 중의 한 명이었음을 잊어서는 안 된다(막 3:17).

우리가 성경적으로 결론을 내리자면 요한은 디모데전서 5:19,20에서 기록된 사도 바울의 명령대로 행했다는 것이다.

디오트레페와 같은 자들은 비단 1세기에만 살았던 것이 아니라 지난 19세기 동안 줄곧 존재해 왔다. 일례로 어떤 목사가 우리가 훈련시킨 젊은 선교사 부부를 펜사콜라성경신학원(PBI)을 다닌 것을 모르고 초청한 일이 있었다. 선교사 부부가 선교지에 대해서 프레젠테이션을 하려고 옷을 제대로 차려입고 캠핑카를 주차하고 예배에 참석하려 하는데, 이 목사가 그 사실을 듣게 된 것이다. 그는 이들에게 당장 교회에서 차를 빼고 나가라고 말했다. 정말 대단한 "목사의 권위"가 아닌가! 무엇이 문제인지 아는가? 매우 간단하다. 우리가 훈련시킨 학생들이 선교사 지망생으로 지원금을 모금하며 다녔던 교회들 중 단 하나도 그 교회 출신으로 선교지에 나간 사람이 10명도 되지 않았기 때문이다. 필자가 담임하는 미국 플로리다 주 펜사콜라의 성경침례교회는 약 48명의 선교사들을 훈련시켜 해외선교지에 파송했다. 그들은 17개의 선교지로 나갔고, 11개의 외국어로 거리에서 설교하며 복음을 전파하고 있다. 불어, 헬라어, 이탈리아어, 스페인어, 독일어, 따갈로그어, 일롱고어, 중국어, 일본어, 베트남어, 러시아어 등으로 복음을 전하고 있는 것이다.

미국의 어떤 "제일침례교회"도 이런 사역을 해내지 못하고 있다. 세계침례교친교회(World Baptist Fellowship)나 남부침례교친교회(Southwide Baptist Fellowship)이나 성서침례친교회(Baptist Bible Fellowship)도 이렇게 하지 못하고 있다. 자랑하는 것이 아니라, 있는 그대로 사실을 말하고 있는 것이다.

이런 현실에 직면하면 21세기의 침례교 목사들도 미친 듯이 발광하며 입에 게거품을 물고 "목사의 권위"를 내세우며 성도들을 억압하는 것이다. 그들은 열매를 맺을 수 없는 것이다. 또한 그들은 우리가 열매를 맺을 수 있으며 그렇게 한다는 것을 아는 것이다. 이 주석서를 쓰고 있는 지금도 5명의 젊은이들이 해외 선교지로 나가기 위해서 선교모금을 하고 있다.

필자의 교회에서 얼마 떨어지지 않은 곳에 있는 펜사콜라기독대학(PCC)은 약 십억 달러어치의 캠퍼스를 지어서 매년 수천 명의 젊은이들을 받고 있다. 그러나 우리는 8명의 전담 복음전파자와 71명의 목사와 10명의 부목사와 5명의 전담 감옥 사역자를 배출했다. 물론 PCC가 배출한 사역자의 숫자는 반도 되지 않는다. 지난 37년 동안 그들이 양산한 사역자들 중의 삼분의 일은 네슬의 비평장치를 읽을 수도 없고 그들 중 누구도 거리에서 복음을 설교할 수 있을 정도로 담대하지 못하다. 또한 PCC를 졸업하고 사역에 뛰어든 삼 분의 일의 학생들은 처음부터 목회자의 자녀였던 것이다. PCC가 그들에게 영향을 준 게 아니었던 것이다.

우리가 해외에 파송한 61명의 선교사들 중에 단지 5명만이 목회자의 자녀다.

이런 현실에서 우리가 훈련시킨 선교사 지망생이 일반적인 침례교회를 방문하면 어떻게 되겠는지 생각해 보라. "디오트레페"들이 나타나는 것이다.

그러면 "디오트레페"들은 어떻게 "으뜸"이 되는가? 사실은 전혀 "으뜸"이 되지 못한다. 단지 자신의 정체만 드러낼 뿐이다. 성경은 『**그러므로 너희는 그들의 열매로 그들을 알게 되리라.**』(마 7:20)고 말씀하신다. 경건하게 말하고, 은행에 재산을 쌓아놓고, 멋진 성가대를 만들고, 복장 규정을 만들고, 교육 수준을 자랑하고, 성경을 인용한다고 해도 전혀 이들의 능력없고 육신적인 사역을 숨길 수 없다. 모든 씨앗은 그 종류대로 열매를 맺게 되어 있다. 이들의 "종류"는 선교에 대한 부담도 혼들을 이겨오는 것에 대한 열망도 없고, 십자가의 거침을 이겨낼 능력도 없고, 어떤 청년들도 이들을 귀감으로 삼아 따르지 않는 것이다. 그래서 이들은 열정적인 선교사들을 보면 무슨 벌레 보듯이 혐오감을 감추지 못하는 것이다. 왜냐하면 선교사들로 말미암아 그들 자신이 육신적인 "디오트레페"로 드러나기 때문이다. 이들을 바로 잡을 수 있는 것은 그리스도의 심판석밖에 없다.

1:11 사랑하는 자여, 악한 것을 따르지 말고 선한 것을 따르라. 선을 행
하는 자는 하나님께 **속하였으나, 악을 행하는 자는** 하나님을 **보지**
못하였느니라.
12 데메트리오는 모든 사람과, 진리 그 자체로 좋은 평판을 받았으니
실로 그러하도다. 우리도 증거하노니, 너희는 우리의 증거가 참된
줄을 아느니라.
13 내가 쓸 것이 많으나 잉크와 펜으로 쓰기를 원치 아니하노라.
14 속히 너를 보기 바라노니, 그러면 우리가 대면하여 말하리라. 평강
이 네게 있을지어다. 우리 친구들이 너에게 문안하느니라. 친구들
에게 이름을 들어 가며 문안하라.

11절은 요한일서 3:6,10과 잘 어울린다. 만약 요한이 바울의 신학과 얼마나 다른지 알기 원한다면 필자가 보여 주는 구절들을 나란히 놓고 살펴보라. 밥존스대학이나 성서침례대학 등에서 〈킹제임스성경〉에 모순들이 있다고 하면서 말하는 것은 이런 것에 비하면 아이들 장난에 불과하다.

『**선을 행하는 자는** 하나님께 **속하였으나**』(요삼 1:11)

『**선을 행하는 자가 없으니 없도다, 한 사람도 없도다**』(롬 3:12).

자 어떤가? 다음도 보라.

『**악을 행하는 자는** 하나님을 **보지 못하였느니라**』(요삼 1:11).

『**어느 때에도** 하나님을 **본 사람은 아무도 없으나**』(요일 4:12)

필자는 1960년부터 지금까지 약 120권의 책을 저술해 왔으며 이들 중에 여러 권이 800-1000페이지 가량의 주석서와 교리서적이다. 필자는 31,000구절이 넘는 권위를 인정받은 〈킹제임스성경〉의 본문에 단 하나의 모순도 없다고 믿는다. 그러나 얼핏 보기에 명백하게 모순으로 여겨지는 구절들은 상당수 있다.

바울이 말한 "선을 행하는 것"은(롬 3:12) 교리적으로 대환란으로 들어가는 세대에 해당한다. (롬 3:12은 원래 시편 53편을 인용한 것이며, 그 문맥은 대환란에 대한 것이다.) 즉 로마서 3장에서 바울이 가르치는 바는 구원에 있어서는 유대인들과 이방인들의 영적 상태가 그와 같다는 것이다(롬 3:9). (롬 3:1-4,19-26까지의 문맥을 보라.) 즉 사람들이 매일 행하는 "선행"과는 관계가 없는 것이다(롬 2:6,7). 요한이 말하는 "선을 행하는 것"은 믿는 자의 새로운 본성만을 말하는 것이다(요일 3:18을 보라). 아니면 대환란 시대의 "그리스도인"이 마땅히 해야 하는 행위들을 말하는 것일 수 있다(히 3:6,12,14; 6:9,10; 10:36-38, 약 2장, 계 12:17; 14:12).

후자가 더 올바른 설명일 것이다.

영적인 적용을 하자면, 한 사람이 지속적으로 선을 행한다면 그것은 그가 거듭났다는 것에 대한 좋은 증거가 된다고 할 수 있다. 또한 한 사람이 지속적으로 악을 행하면 그것은 예수 그리스도께서 한 번도 그에게 영적으로 계시된 적이 없다는 좋은 증거가 된다. 그러나 이런 식으로 적용하려면 이 구절의 단어들을 바꿔야 한다. 즉 "지속적으로"를 넣어야 하고, "보다" 대신 "계시"된다는 표현을 써야 하는 것이다. 무슨 얘긴지 알겠는가? 이것이 배교자들이 "심도 있는 성경 연구"랍시고 하는 짓거리다.

『**데메트리오**』(12절)는 일종의 "다크호스"로 잘 알려지지 않은 인물이지만, 그가 헌신적인 그리스도인이었다는 것은 그를 묘사하는 세 가지 특성으로 알 수 있다.

1. 성경이 선을 행하는 것에 대해서 말하는 기준에 따라 볼 때(11절), 데메트리오는 믿을 만한 사람이다.

2. 그를 아는 모든 사람들에 따르면, 그는 믿을 만한 사람이다.

3. 요한 자신과 그의 동료들에 따르면, 그는 믿을 만한 사람이다(딤전 3:7과 비교해 보라).

『**너희는 우리의 증거가 참된 줄을 아느니라.**』(12절) 이 말씀은 요한복음 21:24과 요한일서 4:6; 5:7-11과 함께 읽어야 한다.

13절과 14절은 요한이서 12절처럼, 미국의 기독대학들과 신학대학원들의 교수진이 고린도전서 13:10을 왜곡함으로써 스스로 바보가 되지 말라고 성령께서 주신 말씀이다. PCC, BBC, BJU, 테네시템플, 리버티대학, 달라스, 덴버, 포트워쓰, 뉴올리온즈, 루이스빌 등에 있는 신학원들의 교수진들이 이 구절을 어떻게 엉터리로 해석하는지 보라.

『**친구들**』은 예수 그리스도께서 "친구들"이라 부르셨던 것처럼 그리스도인들을 말한다(요 15:13-15). 또한 바울에게도 이러한 『**친구들**』이 있었다(행 19:31; 27:3). 이들은 물론 아브라함처럼 하나님의 친구들이다(약 2:23). 이들이 만약 세상과 친구했다면 그들은 하나님의 원수가 되었을 것이다(약 4:4). 링컨, 시나트라, 처칠, 마돈나, JFK, 프린세스 디, 아인슈타인, 간디, 마틴 루터 킹 주니어, FDR, 먼로, 게이블, 프레슬리, 비틀즈, O.J. 심슨, 제시 잭슨, 아라팟, 만델라, 자넷 레노, 오프라, 존슨, 셜리 맥클레인, 아이젠하워, 카터, 테드 케네디, 게리 쿠퍼, 베티 데이비스, 빙 크로스비와 나머지 200여 명의 스포츠스타들과 헐리우드와 UN과 과학계의 스타들이다. 이들은 모두 세상과 친구한 자들이며, 이들과 친구가 되는 사람들도 하나님의 원수가 된다.

유다서 서문

유다서는 일반서신이며, 빌레몬서, 요한이서, 요한삼서, 오바댜와 같이 한 장으로 구성되어 있다. 총 25절, 613단어(AV 1611)이다.

학자들은 유다서가 사도의 저작임을 부정한다. 그들이 내세우는 근거는 유다 이스카리옷이 아니라, 야고보의 동생인 사도 유다가 17절을 기록했을 법하지 않다는 것이다(눅 6:16). 학자들은 아니나 다를까 누가복음 6:16과 사도행전 1:13에서 "형제"라는 말씀을 제거했고, 이 유다가 야고보의 형제가 아니라 그의 "아들"이라고 주장한다. (〈해석자의 헬라어 신약, *The Expositer's Greek New Testament*〉, vol.5, p.126) 이는 결국 열두 사도들 가운데 부자 관계가 있었다는 주장이 된다. 즉 "알패오의 아들인 야고보"가 또한 "이스카리옷"이 아닌 유다의 아버지가 되는 것이다!(눅 6:15)

〈킹제임스성경〉에 대한 이런 류의 열매 없는 공격들은 〈해석자의 헬라어 신약〉의 저자들의 사고체계가 어떠한지 보여 주며, 웨스트코트와 홀트

(1870-1890)이후로 〈킹제임스성경〉의 개정에 참여한 모든 헬라어 학자들의 사고체계가 어떠한지 여실히 보여 준다고 하겠다.

현존하는 모든 헬라어 필사본들은 유다서 1:1에서 저자가 야고보의 형제라고 말하며, 야고보의 "아들"이라고 말하는 필사본은 없다. 학자들은 "야고보"의 정체를 밝히고자 할 때, 누가복음 6:16과 사도행전 1:13에서 한 단어가 없어졌다고 주장하며 성령을 거짓말쟁이로 만들고 권위를 인정받은 〈킹제임스성경〉의 이탤릭체 본문을 폐기한다. (『James *the son* of Alphaeus, ... Judas *the brother* of James』 눅 6:15,16, 행 1:13). 학자들은 그들이 "해석"하려는 유다서의 첫구절이 사도행전 1:13과 누가복음 6:16의 이탤릭체 본문을 증명하며 유다가 야고보의 아들이 아니라 그의 형제라고 명시적으로 말했음에도 불구하고, 이런 짓을 자행한 것이다.

필자가 말하는 것을 지금부터 새겨들어라. 이것은 동정녀 탄생이나 부활의 교리만큼이나 확실하고 성경적 증거가 확실하다.

예수회의 알렉산드리아의 변개된 림즈 원문을 사용한 모든 성서들은, 즉 RV, RSV, NRSV, ASV, NASV, NEB, NWT, NIV 등은 〈킹제임스성경〉에 대한 증오로 인해 하나같이 〈킹제임스성경〉이 "형제"라고 말한 곳에서 "아들"이라고 써놓았다. 그렇게 함으로써 모든 변개된 성서들은 하나의 예외도 없이 사무엘하 21:19의 이탤릭체 본문 곧 『...**의 형제**』(the brother of)를 없애 버렸고, 결과적으로 그리스도의 몸인 교회에게 골리앗을 죽인 사람이 다윗이 아니라 엘하난이 그를 죽였다고 가르치게 되었다!

이것이 20세기와 21세기의 수천 명의 학자들과 교사들과 복음전파자들과 목사들과 은사주의자들이 읽고 사고 추천하는 〈NIV〉이다. 〈NIV〉는 미친 바보가 보는 역본(Nutty Idiot's Version)이다.

다시 사도행전 1:13과 누가복음 6:16로 돌아와서, 현대의 라오디케아 시대의 배교자들은 두 번 생각지도 않고 성령님을 거짓말쟁이로 만든다. 왜냐하면 모든 히브리어 필사본은 역대기상 20:5에서 『**골리앗의 형제**』는 『**라흐미**』이며, 『**야일의 아들**』인 『**엘하난**』이 라흐미를 죽였다고 기록하고 있기 때문이다. (야일은 사무엘상하에서 『**야레오르김**』이다.) 역대기상 20:5의 말씀은 사무엘하 21:19의 이탤릭체 본문을 증명한다. 역대기상 20:5의 『**형제**』라는 말씀은 이탤릭체가 아니며, 역대기상 20:5이 들어 있는 맛소라 학자가 쓴 모든 필사본에는 그 말씀이 들어 있다.

이제 이것을 명심하라. 우리는 이제 히브리인-그리스도인의 서신의 첫구절을 다룰 뿐인데, 모든 "선하고 인정받고 경건하며 훌륭한 권위 있는" 학자들은 야고보서의 첫구절에서 했던 짓을 똑같이 반복하고 있다. (저자의 주석서 〈야고보서〉를 참조하라.) 그들은 자신들이 〈킹제임스성경〉을 수정하기 위해 사용한 모든 원문들의 내용과도 반대되는 짓을 한 것이다. 즉 그들은 그들 자신의 최종권위를 수정한 것이다. 이것이 전형적인 학자들의 행동방식이다. 학자들은 자신을 최종권위로 세웠으며 자신이 거룩한 성경을 심판하는 심판자가 된 것이다. 이것이 바로 현대 미국의 "기독교 고등 교육"의 실태이다.

이 학자들은 소경 선생들 아래서 교육을 받아서, 파괴적이며 하나님을 모독하고 성경을 거부하는 보수주의자들과 근본주의자들이 되었다. 이 학자들이 무엇에 걸려 시궁창에 빠지게 되었는지 아는가? 쉽다.

그들은 사무엘하와 역대기상에서 섹스 문제에 봉착한 것이다. 〈NIV〉는 먼저 "소돔인" 곧 "남색하는 자"라는 단어를 제거하고, 두 번째로 레즈비언들과 간음하는 주부들(성희롱당한 주부들)과 남자 화장실과 남자 라커룸에 들어가기 원하는 여자들에게 호소할 수 있는 성서를 발명함으로써 이 문제를 해결했다. 이 역겨운 변개된 성서는 게일 립링거의 〈뉴 에이지 성경 역본들〉의 출간으로 바닥을 쳤으나, 2003년 부족한 은행 잔고를 채우려고 다시 시장에 등장했다.

이제 이 경험 없고 현실 감각이 부족하고 시대에 뒤떨어진 비평가들은 『**거인의 아들**』이라 불리는 골리앗의 자식들이 또한 그의 『**형제**』라고 말씀하시는 것을 보았던 것이다. 이런 현상을 이해할 수 없었던 〈RV〉의 번역위원회는 그 후의 모든 역본들을 위한 전차를 마련해 놓았고, 그리고 거인을 죽인 사람이 즉 골리앗을 죽이고 그의 머리를 잘라낸 사람이 다윗이 아니라 엘하난이라고 바꿔 놓은 것이다.

사무엘하 21:19에서 〈킹제임스성경〉의 이탤릭체 본문을 제거하면, 엘하난이 엘라 골짜기에서 골리앗의 이마를 맞춰서 머리를 벤 것이 된다(삼상 17:2). 그래서 우리는 〈NIV〉를 미친 바보가 만든 역본이라고 부른다. 엘하난이 골리앗을 죽였다고 생각하는 이가 미친 바보 외에 누가 있겠는가!

라오디케아 시대는 이런 "미친 바보들"이 넘쳐나는 때이다.

이 성경을 수정하고 성경을 부인하며 인기에 미치고 돈에 환장하는 인간들은 고린도전서 5:1에 나오는 죄인이 자신의 아비의 아내와 관계를 맺었고, 그 자신의 아비의 아내가 실제로 그의 어미인 상황을 생각지 못한 것이다. 자신의 어미를 범하는 자는 그 근친상간에서 아들이자 형제를 태어나게 만드는 것이다.

아프리카계 미국인들이 다른 욕보다 이와 관련된 욕을 상습적으로 쓴다. 운동선수라면 누구라도 쓰는 욕이기도 하다. 교수실 테이블이나 강의실 책상에 앉아서 한가하게 성경을 논하며 시간을 소일하는 덜떨어진 교수들은 물론 이 욕을 접할 기회가 적을 것이다.

골리앗은 자신의 어미와 놀아난 것이다.

그는 필리스티아인으로, 함족에 속하며(창 10:6), 함은 자신의 아버지를 범한 자이다(창 9:24). 이것이 바로 학자들을 까무라칠 정도로 경악하게 만든 사실이다. 그들은 너무나 놀란 나머지 그들 자신의 권위의 근거를 부인하면서까지 〈킹제임스성경〉의 본문을 제거하려 했다.

이것이 라오디케아 교회 시대다. 곧 그리스도의 몸 안에서 최종적인 배교가 일어난 것이다(딤후 3,4장).

두 번째로 독자들이 염두에 두어야 할 것은 이미 두 쌍의 형제들이 있다는 것이다. 즉 베드로와 안드레이며, 야고보와 요한이다. 이런 상황에서 어떻게 열둘 가운데 부자 관계가 성립할 수 있는가?

배교자들은 그럴 수 있다고 말하지만, 유다는 야고보의 형제였다(유 1절). 〈해석자의 헬라어 신약〉은 그가 야고보의 형제가 아니라고 말한다. 해결책은 무엇인가? 성경으로 〈해석자의 헬라어 신약〉을 바로잡아 주라.

마지막으로 1절에서 사도의 권위를 없애려는 시도를 주의하라. 누가는 사도가 아니었고, 그래서 "서신들"을 쓰지 않았다. 카르타고 공회(A.D. 397) 이전의 초기 그리스도인들은 모든 서신들에 사도들의 표가 있는지 살폈으며, 그것이 있어야만 "정경"으로 인정했다. 이것은 왜 모든 자유주의자들, 준자유주의자들, 신정통주의자들, 신복음주의자들이 다음과 같은 지적인 쓰레기를 쏟아내는 것을 좋아하는지를 잘 설명해 준다.

1. 우리는 누가 창세기를 기록했는지 모른다.

2. "레위기의 모세저작설은 의심스럽다."

3. "두 명의 서로 다른 이사야가 있다. 한 이사야가 1-39장을 기록했고, 다른 이사야가 40-66장을 기록했다."

4. "다니엘 2-8장은 다니엘이 죽은 뒤 다른 누군가가 기록한 것이다."

5. "사도 요한은 계시록을 기록하지 않았다. 장로인 다른 사람이 기록했다."

6. "사도 야고보는 야고보서를 기록하지 않았다. 『**주의 형제**』 혹은 주님의 사촌이 그 서신을 쓴 것이다."

7. "사도 베드로는 베드로후서를 기록하지 않았다. 그러나 베드로전서는

그가 썼을 수도 있다고 우리는 생각한다. 베드로후서는 반대경이며, 의심스러운 책이다."

이런 주장들은 말도 되지 않고 사람을 실족케 하는 불가지론일 뿐이다. 학자들은 사람들이 예수님의 세 명의 수제자들인 "베드로, 야고보, 요한"이 베드로전후서, 야고보서, 요한일이삼서, 요한계시록을 기록했다는 당연한 사실을 의심케 하는 데 목적이 있다.

누가 유다서를 기록했는가?

여기에 학자들이 제시하는 "후보자들"은 다음과 같다.

1. 마카비 유다 - 전혀 불가능한 후보자이다. 어떤 점에서도 가능성이 없다.

2. 유다 이스카리옷 - 말할 필요도 없다.

3. 야고보의 형제 유다 - 〈해석자의 헬라어 신약〉은 끝까지 "아들"이라고 말하지만, 이 사람이 바로 유다이며, 『**다대오**』라 불리기도 한다(마 10:3, 막 3:18). 가장 가능성 있는 후보자이며, 그도 베드로, 야고보, 요한처럼 사도이기 때문이다.

4. 마리아의 아들들 중의 하나인 유다 - 시편 69:8과 요한복음 2:17에 등장한다(막 6:3에 그 이름이 나열되어 있다). 문제는 그가 사도가 아니라는 점이다.

5. 갈릴리의 유다(행 15:22) - 물론 아니다. 『**바사바라 부르는 유다**』 - 물론 아니다. 다마스커스의 유다(행 9:11) - 물론 아니다.

학자들이 "전반적인 의견 일치"를 보는 것은 저자가 마리아의 아들들 중의 하나라는 것이며, 즉 『**주의 형제**』가 저자라는 것이다. 이런 주장의 유일한 근거는 주께서 고린도전서 15:7의 "그의 형제"에게 특별히 나타나셨다는 것이며, 이 『**형제**』는 마태복음 13:55의 『**유다**』가 아니다. 그것은 『**야고보**』이다(고전 15:7). 바로 이 야고보가 예루살렘 교회의 목회자가 되었고(행 15:13-23), 야고보서를 기록한 사도 야고보가 아니다. (저자의 〈야고보서〉 주석 참조.)

본 서신의 저자가 위의 4번일 가능성도 없지 않지만, 필자는 3번의 유다라고 단정하고 시작하고자 한다. 그리고 유다서의 저자를 오직 성경의 증거로만 밝히고자 할 때는 다른 유다일 가능성은 없다.

필자는 초기 그리스도인들이 사도가 기록한 것이 아니면 "서신"으로 받아들이지 않았다는 주장이 옳다고 믿는다. 마리아의 아들 『**유다**』(마 13장)가 정말 이 서신을 썼다면, 그것이 의심을 받고 "반대경"으로 취급받은 것도 당연한 일이다.

필자는 서신의 기록시기는 A.D. 66년 정도일 것이라 추측하고, 다른 학자들은 A.D. 40년, 44년, 60년, 68년, 80년 등으로 다양한 의견을 제시한다.

『**보호받고**』와 『**함께 나누어 받은 구원**』 등의 바울의 표현들은 저자가 바울의 『하나님**의 은혜의 복음**』을 잘 알고 있었음을 의미한다(행 20:24). 그러나 독자는 지상재림(14절) 직전의 마지막 때(18절)에 초점을 맞춘 히브리인-그리스도인 서신을 읽고 있다는 사실을 명심해야 한다. 쉽게 말해서 전반적인 내용이 히브리서 3,6,10장과 야고보서 2,3,5장과 일맥상통하다는 것이다.

유다서 1장

1:1 예수 그리스도**의 종이요 야고보의 형제인 유다는**, 하나님 아버지**에 의**
하여 거룩하게 되고 예수 그리스도 **안에서 보호받고, 부르심을 받은**
자들에게 *편지하노니*,
2 **자비와 평강과 사랑이 너희에게 풍성하기를 바라노라.**
3 **사랑하는 자들아, 우리가 함께 나누어 받은 구원에 대하여 내가 너**
희에게 글을 쓰려는 마음이 간절하던 차에 성도들에게 단번에 전해
주신 믿음을 위하여 힘써 싸우라는 편지를 써서 권고해야 할 필요
를 느꼈노니

유다서 또한 야고보서와 베드로전후서와 동일하게 시작한다. 유다는 자신을 "종"으로 소개한다(벧후 1:1, 약 1:1). 계시록 7:3로 넘겨 보면, "종들"은 또한 모두 유대인임을 알 수 있다. 『**자기의 종들인 선지자들**』은 백보좌 심판에 구원받은 성도들로 나타난다(계 11:18). 성경을 수정하는 "근본주의자들"이 작성한 주석과 설교는 이 부분을 놓치고 말았다. 대환란의 순교자들은 『**동료 종**』이다. 또한 이는 성경의 마지막 장에서 사도 요한에게 말씀을 전한 천사와도 같은 것이다. 『**나도 선지자들인 네 형제들과 이 책의 말씀들을 지키는 자들과 같은 너의 동료 종이니** 하나님**께 경배하라**』(계 22:9). (약 2:1; 3:1; 5:7,9,10,12, 특히 5:19과 해당 주석서를 참고하라.)

여기 2절에서 유다서에 자주 등장하는 "삼위일체" 시리즈가 나오는 것을 볼 수 있다. (1,2,5,7,11,12,16,20,21,22절) 여기서는 『**자비와 평강과 사랑**』이다. 그리스도의 심판석에서 우리는 아들 하나님의 『**자비**』가 필요할 것이다(딤후 1:18, 고후 5:10,11). 우리는 아버지 하나님께로부터 오는 『**평강**』을 받을 수 있다. 또한 『**하나님의 사랑**』이 성령 하나님에 의하여 우리 마음에 부어졌다(롬 5:5).

『**우리가 함께 나누어 받은 구원에 대하여 내가 너희에게**』(3절). 이 글이 과거에 기록된 것임을 알 수 있다. 『**글을 쓰려는 마음이 간절하던 차에**』(when I GAVE ... it WAS). 그래서 우리는 알렉산드리아 이단이 "잃어버린 서신"이라고 부르는 것을 가지게 된다. 이 명칭은 아주 교묘하게 고안된 것인데, 현재의 정경에 몇 개의 외경들을 미래에 추가할 수 있는 여지를 주는 것이다. 즉 마카비1 · 2서, 집회서, 허마의 목자서, 벨과 용, 토빗, 유딧 등이다. 무수한 마귀들린 "학자"님들은 이 책들을 성경에 포함해야 한다고 생각한다. 만약 혹자가 "유다"가 썼다고 기록된 문서를 찾아낸다면, 또 하나의 성경을 발견한 것이 된다는 뜻이다. 그러면 그리스도인들이 1,900년간 부족한 신약성경을 가지고 살아왔다는 것이 된다. 고명하신 "헌신된 학자들과 필사본 연구자들의 수고로운 연구조사"가 없었다면, 우리 무지몽매한 성경대로 믿는 그리스도인들은 로마카톨릭의 말을 액면 그대로 받아들여 카톨릭의 73권의 정경만을 수용해야 했을 것이다.

그들은 존재하지도 않는 신화적인 "에녹의 책"을 이런 식으로 만들어냈다. 즉 마땅히 성경에 있어야 할 일부분이 성경에 없으며, 그것들은 우연히 "사라지게" 되었다는 이론을 만들어낸다. 이것이 바로 그들의 방식이다. 그들은 아직도 원본 아람어 마태복음을 찾고 있으며, 이는 마태복음 16:18의 『**반석**』(Rock)이 예수 그리스도가 아니라 시몬 베드로라는 것을 증명하기 위한 것이다. 이들은 『**라오디케아에서 온 편지**』도 찾고 있으며, 이 서신이 정경에 포함되어야만 한다고 주장하고 싶은 것이다. 우리는 그들의 수법을 알고 있다. 이제는 눈감고도 알아차릴 수 있을 정도다. 자아 중심적이고, 교만하고, 자만한 성경 비평가들은 자아 중심적이고, 교만하고, 자만한 원숭이 인간들(즉 구원받지 않은 진화론자들)과 하나도 다를 바가 없다. 모든 진화론자들과 고등교육 기관들은 다윈, 헉슬리, 데로우, 아인슈타인 등이 "인간 지성을 해방시켰다"라는 것과 따라서 마가복음 13:19과 마태복음 19:4을 말씀하신 주 예수 그리스도는 거짓말쟁이일 뿐이라는 것을 증명해 줄 놀랍고 혁명적이며 결정적인 탈출구를 찾고자 혈안이 되어 있다.

"소망(적극적 사고방식)이 가슴속에서 영원히 솟아난다"는 것은 자기 의로 충만하고 선행으로 구원받고자 하는 인본주의자의 관념이며, 그들은 자신을 불못에 집어넣을 하나님이 없다고 생각한다(마 13,25장, 계 20,22장).

그러면 유다의 "잃어버린" 서신은 어떻게 된 것인가? 성령께서 그것을 『**성경**』에 넣지 않으신 것은 성령께서 그것을 정경에 포함시키기를 원하시지 않았기 때문이다. 성령님은 자신의 결정과 역사에 당신이나 필자나 그 어떤 학자의 도움도 필요치 않다. 그리스도의 청소년기가 12세에서 19세까지 기록되지 않았고, 19세에서 29세에 이르는 그분의 청년기가 기록되지 않은 것은 성령께서 당신이 그것을 아는 것이 필요치 않다고 생각하셨기 때문이다. 바로 이 점을 마귀들린 지성인은 참을 수 없는 것이다. 즉 모든 의문들에 답변할 "모든 해답들"에 대한 정보가 자신에게서 격리되어 있다는 점이다.

이 때문에 이 "발전의 선구자들"은 찾고(롬 10:6-7) 또 찾으며(잠 18:1-3), 자신들의 "발견들"로 인하여 모든 것이 더 향상되고 있다고 주장한다(고전 3:19-20). 모든 "과학적인 발전"은 단지 『**항상 배우나 진리의 지식에는 결코 이를 수 없느니라.**』는 말씀을 증명할 뿐이며, 모든 발전을 꾀하는 연구자들은 이 구절의 진리를 인정하면서도, 모든 진리는 "상대적"이라는 주장에 동의한다. 대학과 같은 고등교육기관에서 절대 진리, 곧 『**진리**』(THE truth)와 같은 것은 없다. 곧 더 많이 교육을 받으면 받을수록 변동 가능한 상대적인 진리들만이 있을 뿐이다. (19절 주석을 참고하라.)

이것이 바로 지구상에 있는 모든 무신론자, 인본주의자, 유물론자, 철학자들의 근본적인 기저에 있는 종교적인 신념인 것이다. 즉 최종권위의 문제에 있어서 그렇다는 말이며, 우리가 여기서 다루고 있는 것이 바로 이것이다. 성경의 모든 파괴적인 비평가들은 "지식의 결핍"이 항상 "교육에 의한 정보"가 부족하기 때문이라고 여긴다. 그러나 성경은 여러 번 이것을 악한 사고와 악한 생활에 근거를 둔 거짓이라고 밝히고 있다.

"아, 우리가 '에녹의 책'을 찾을 수 있다면...", "우리가 '라오디케아에서 온 편지'를 찾을 수 있다면 좋으련만..." "야고보서 4:5을 어디서 인용했는지 알 수만 있다면..." "사해 두루마리와 같은 혁명적인 발견을 한 건 더 할 수 있다면..." "우리가 베드로가 그의 첫 번째 서신에서 정말 무엇을 기록했는지 알 수만 있다면..."(벧후 3:1). 그렇다면 어떻게 된다는 것인가? 단지 끝없는 불신과 혼란 가운데 방황할 뿐이다.

또 그렇게 되면 당신은 계속해서 성경이 말하는 바를 거부하려 할 것이다. 또한 새로운 출생 없이 지옥으로 가는 길을 재촉하게 될 것이다. 혹은 당신이 구원받았다면 그리스도의 심판석에서 당신을 위해 엄청난 불놀이가 있을 것이다(고전 3:11-15). 마호메트가 말한 대로 하늘이 일곱 개 있다면, 당신의 "발견"은 자아를 일곱째 하늘까지 추켜세울 것이다. (사실은 하늘은 세 개이다.) 그리고 당신은 다시 다른 질문들을 가지게 될 것이며, 그 질문들은 당신의 시간을 차지할 것이며, 과거에 그러했던 것처럼 98건의 전쟁(UN의 관할하의 1945-2003년)과 9천2백만 건의 낙태와(1960-2001), 세계 전역에서의 기근과 테러활동들(1960-2001)과 미래에 대한 무지만을 가져다 줄 것이다. 성경은 미래에 대해서 500여 구절들에서 명백하고 자세하게 일어날 일들을 제시하고 있는데도 말이다. 즉 오직 마호메트나 카톨릭 교황만이 필적할 수 있는 수준의 무지를 겸비하게 되는 것이다.

독자는 필자가 과장이 심하다고 생각하는가?

좋다. 지구상에서 가장 위대한 종교적인 지성인들이 모든 "잃어버린 문서들"을 다 찾을 때까지 조사를 계속하는 것이 얼마나 중요한지에 대해서 말하는 것을 들어보라(〈해석자의 헬라어 신약〉). 255페이지를 인용하겠다.

"과거에 기록된 서신이 지금은 잃어버린 상태라는 것을 암시하는 유사한 부분이 베드로후서 3:1에도 있다는 것을 주목하라."

내가 어떻게 잃어버린 서신을 찾았냐고? 나는 1992년이 되기 전에 그 서신을 적어도 150번도 더 읽었다.

당신은 시몬 베드로가 베드로후서를 기록하기 전에 기록한 서신을 읽어본 적이 없다는 말인가? "헬라어 원본"을 주석한다는 헬라어 주석가들은 지금까지 발견하지 못했다고 한다. 그들은 그것을 잃어버렸다고 말한다.

이제 필자가 왜 여기서 5,6,7번 항목을 말했는지 알겠는가? 잘못된 추정이 아니었다. 헬라어 해석자들은 사도 베드로가 베드로전서를 기록했다는 사실을 부정한 것이다.

그러면 〈해석자의 헬라어 신약〉은 어디서 이러한 거짓된 쓰레기를 주워들은 것인가?

알다시피, 알렉산드리아의 "모든 조작된 로버트들"은 "동일한 자들에 의해서 프로그램"된다. 이들은 또한 네슬, 키텔, 팔머, 알란드, 메츠거, 홀트, 피, 브루스, 그레고리, 로버트슨, 조디에츠, 웨스트, 빈센트, 떼이어, 트렌치 등의 지성도 조작했다.

시몬 베드로가 그의 첫 번째 서신을 기록했을 리가 없다는 이유는 "만약 그가 기록했다면, 무엇보다도 베드로는 독자들의 눈에 자신의 정체를 밝혀 줄 수 있는 가장 희미한 언급이라도 그렇게 철저히 제거하지는 않았을 것이다! 어떻게 시몬 베드로가 자신이 전달할 수 있는 최상의 가장 감동적인 메세지가 될 수 있는 과거에 대한 회상을 말하지 않고 참고만 있을 수 있었겠는가?" 물음표다. 질문으로 주석을 맺었다. (생각나는 것이 없는가? 욥 1:9, 눅 4:3, 마 27:42, 창 3:1은 어떤가?)

당신이 읽은 것은 폰 소덴의 생각이다. 헬라어 신약성경을 한 권 편수한 폰 소덴 말이다. 그의 문제점이 무엇인지 보이는가? 그의 문제는 바로 필자가 지금까지 약 두 페이지에 걸쳐서 설명한 것이다. 그는 자신이 구할 수 없는 정보를 원했던 것이다! 그는 하나님께서 베드로가 그에게 전달할 수 있는 가장 좋고 가장 감동적인 메시지를 그에게 주시지 않은 것에 대해 하나님께 화가 난 것이다. (다시 돌아가서 읽어 보라. 읽고 깨닫는 것이 좋을 것이다.)

그러나 폰 소덴은 베드로전서가 사도의 저작인 것을 부인하려고 안간힘을 쓰기보다 자신의 마음속에 있는 우매함을 깨달았어야 했다. 이 불쌍하고 소경된 천치는 사복음서에 묘사된 시몬 베드로를 제대로 알지 못했으며, 그래서 자신의 주장을 전개한 것이다. 폰 소덴은 베드로가 독자들에게 그의 "과거에 대한 회상"을 말하고 싶어서 죽을 지경이었을 것이라고 주장한다! 이것은 6학년 학생에게도 통하지 않을 터무니없는 주장이다. 마태복음 14:30,31, 마가복음 14:71, 요한복음 21:20-22; 21:15-17과 갈라디아서 2:11-15을 읽어 보라!

아이큐 80이 넘는 사람이라면 누가 사도 베드로가 다음의 사실들을 말하고 싶어서 안달이 났었다고 생각할 수 있겠는가?

1. 예수님을 의심함으로써 자신의 주와 스승이신 분을 실망시킨 일.

2. 주님을 대적해서 사탄의 편에 섬으로써 자신의 주와 스승이신 분을 실망시킨 일.

3. 주님께서 뭔가를 명령하셨을 때, 자신의 주님께 복종하기를 거부한 일(행 10장).

4. 자신의 신실함을 공언하다가 공개적으로 실패한 일!

5. 자신의 스승에게 명령을 내리려 한 일(요 13:8).

6. 거짓 교리로 인해 한 사도에 의해서 책망을 받은 일(갈 2:11-15).

7. 다른 제자의 일에 관여함으로써 자신의 구주께 대한 개인의 책임을 회피하려 한 일(요 21:20-22).

8. 욕하고 맹세함으로써 예수 그리스도를 부인한 일.

"과거에 대한 회상"을 말하고 싶었을 것이라고?

우리 폰 소덴 박사님께서 제정신이신가?

이제 뭔가를 좀 깨달았소, 박사양반?

박사양반, 당신에게 전혀 지각이 없고, 당신이 복음서들과 인간의 본성과 성경의 저작 문제에 대해서 분석한 것은 스스로를 마이크 타이슨과 제시 잭슨의 수준에 놓는 것임을 알고 있소?

이것이 폰 소덴이 사도 베드로가 베드로전서를 기록했다는 사실을 부인하는 알리바이다. 참으로 대단한 알리바이가 아닐 수 없다! 그러나 베드로는 두 번째 서신에서 첫 번째 서신을 언급하고 있다(벧후 3:1).

〈해석자의 헬라어 신약〉도 똑같은 것이다. 이제 이런 가당치 않은 것들은 내버려 두고, 오묘한 진리를 공부해 보자.

『우리가 함께 나누어 받은 구원(the common salvation)에 대하여... 성

도들에게 단번에 전해 주신 믿음』 이것이 진리의 총체를 말하는 표현이다. 그리스도인들이 믿는 요소들의 총합을 말한다(눅 1:1). 바울은 또한 디모데후서 4:7에서 『**내가... 믿음을 지켰으니**』라고 말할 때 이를 말한 것이며, 또한 디모데후서 2:18; 3:8등에서도 동일한 것을 언급한 것이다. 디도도 유다가 쓴 것과 유사한 표현인 『**같은 믿음**』(the common faith) 안에 있었다(딛 1:4).

그러나 여기서 한 걸음 더 나아가기 전에 우리는 이 구절 다음에 이어지는 내용은(4-17절) 바울이 말한 『**믿음**』(the faith)에 대한 설명이 아니라는 것이다. 반대로 이어지는 13구절은 거짓 교사들과 거짓 선지자들에 대한 경고와 재림에 앞서 있을 일들의 양상들에 대한 것이다. 바울이 말하는 『**믿음**』을 구성하는 요소들, 즉 소위 "신조들"은 그리스도의 신성, 성별된 생활, 믿는 자의 두 가지 성품, 휴거, 부활, 올바른 행위, 태도와 사고방식을 다루며(롬 11-14장, 엡 4-6장, 골 3장, 고전 6-14장, 딤전 2-4장 등), 직접적인 하나님의 뜻과 허락하시는 하나님의 뜻, 좋은 간증을 견지하고 복음을 전파해야 하는 책임, 현재에 주어진 영원한 생명에 대한 절대적인 보장 등이다.

반면 유다가 말하는 『**믿음**』은 구약의 내용을 다루고 있으며(5-7,9, 11,14,23절), 마지막 구절은 핵탄두와 같다.

유다서가 제시하는 『**같은 믿음**』은 롯의 날들(눅 17:28-30, 유 7)과 파라오(5절)와 입법자 모세(9절)와 영광 중에 이스라엘을 대표하는 천사(9절, 단 12:1)와 사탄에 의해서 조종당한 구약의 인물들(11,15절)과 밀접하게 연관되어 있다.

이것은 이방인들을 대상으로 사역한 사도가 로마서에서 디도서에 이르기까지 그리스도의 몸에게 제시한 『**믿음**』이 아니다.

독자도 마치 모든 주석가들이 그러하듯이 그냥 그런 것인 양 여길 수 있지만, 사실은 그렇지 않다는 것이다.

"하나님께서 나누신 것을(행 17:26, 신 32:8) 사람이 합하지 말라!(롬 7:1-3, 골 2:11)!"

『**성도들에게 단번에 전해 주신 믿음**』은 사도들이 사도행전 15:26-27에서 전해 준 믿음이 아니며, 심지어 유사하지도 않다. 유다서에서 말하는 "성도들"이 누구를 가리키는지 보고자 한다면 다음 구절들을 찾아보라. 시편 16:3; 34:9; 50:5; 79:2; 97:10; 116:15, 단 7:18,21-22,25,27, 계시록 8:3; 11:18; 13:7,10; 14:12; 16:6이다.

이는 또한 우리가 마태복음, 히브리서, 야보보서, 계시록 주석서들에서 수십 차례 밝혀 놓았듯이, "행위" 요소가 소위 "일반서신"에 지속적으로 나타나는 이유를 설명해 준다. "율법" 시대(출 20장에서 말 4장)와 대환란의 경륜은 믿음과 행위의 조합이다(계 12:17; 14:12; 22:14, 요일 2:3; 3:12,15,17,22).

아무리 그렇지 않다고 생떼를 써도 사실은 그런 것이다.

혹자가 율법 시대와 대환란 기간도 "오직 은혜와 믿음으로 말미암는" 경륜들이라고 우길 수는 있겠지만, 그렇지 않다. 만약 5억의 구원받은 침례교인들이 다 똑같은 경륜이라고 믿는다고 해도, 변하지 않는 진리는 그렇지 않다는 것이다.

『**이는 어떤 사람들이 몰래 들어왔기 때문이라... 경건치 않은 자들이라.**』(4절) 유다서에서 『**경건치 않은**』이라는 단어는 6번 나온다. 매 4구절마다 한 번씩 등장하는 것이다. 유다서를 계속해서 공부하면서 독자들은 그의 매우 짧은 서신이 시몬 베드로의 두 번째 서신과 긴밀하게 들어맞는 것을 깨닫게 될 것이다(벧후 2:1,2,6-8,10-13,15,17-18).

경건치 않은 자들이 몰래 들어왔다고 말한다. 사도 요한이 묘사한 성도들로부터 나간 배교자들과 달리(요일 2:19), 양의 옷을 입은 이 이리들은 양우리 안에 몰래 들어온다. 이 시대에 그들은 사도 바울이 사도행전 20:29에서 장로들에게 경고한 자들이다. 대환란 기간에 그들은 "자칭 유대인이라고 말하지만 아닌" 자들이며, 『**악한 자의 자녀들**』이고(마 13:38), "쭉정이들"이다(요일 3:12과 해당 주석을 참조하라).

『**그들은 우리** 하나님**의 은혜를 색욕거리로 바꾸어**』(4절) 자, 교리적으로 이것이 어떻게 가능한가? 이는 "초극단-은혜" 이단들(벨링어, 벌링거, 샤르, 무어, 왓킨스, 스탬, 베이커, 오헤어, 그렉터렉스 등)의 "은혜 신학"을 논리적인 벼랑으로 몰아세우는 구절이다. 이들의 교리는 "행위가 전혀 필요 없는 초극단 은혜"의 신학으로 스스로 "바울적이다"라고 부르며, 그들의 용어로 "한 몸의 신비"와 침례를 반대하는 "한 몸의 몸"을 만들어내었다. 그러나 그들의 신학은 바울이 전파한 것과 극명하게 상치된다. 바울이 전한 바를 보라.

『**먼저 다마스커스의 사람들과 예루살렘과 유대 온 지방에 그 다음에는 이방인들에게 회개하고** 하나님**께로 돌이켜 회개에 합당한 일을 행하라고 전하였더니**』(행 26:20).

야고보서 2:20처럼 들리지 않는가? 그래야 한다. 왜냐하면 바울이 전한 것은 침례인 요한이 이스라엘에게 전파한 것이기 때문이다!

『**그러나 그가 많은 바리새인과 사두개인이 그의 침례 베푸는 데 오는 것을 보고 그들에게 말하기를 "오 독사들의 세대야, 누가 너희에게 다가오는 진노에서 피하라고 경고하더냐? 그러므로 회개에 합당한 열매들을 맺고**』(마 3:7,8).

우리가 이전에도 말했듯이, 유다서에는 바울이 썼을 법도 한 구절이 세 개 있다. 20,21,24절이 바로 그것인데, 완전히 일치하지 않는 것은 여전히 혼란스러운 『하나님**의 사랑 안에서 너희 자신들을 지켜**』라는 표현이 있기 때문이다. 바울의 서신에는 한 번도 이와 같은 표현이 나오지 않는다. 오히려 바울은 아무것도 우리를 하나님의 사랑에서 끊을 수 없다고 말한다. 당신이 구원받았다면, 당신은 그 사랑 안에 영원히 거하는 것이다.

『**그러나 이 모든 일에서 우리를 사랑하시는 그분으로 말미암아 우리가 이기는 자들보다 더 나으니라. 내가 확신하노니 사망이나 생명이나, 천사들이나 정사들이나 권세들이나 현재의 일들이나 다가올 일들이나, 높음이나 깊음이나, 어떤 다른 피조물이라도 우리를** 그리스도 예수 **우리 주 안에 있는** 하나님**의 사랑에서 떼어 놓을 수 없으리라**』(롬 8:37-39).

『**이는** 하나님**께서 우리가 진노를 받도록 정해 놓으신 것이 아니라 우리** 주 예수 그리스도를 **통하여 구원을 받게 하셨기 때문이라. 주께서 우리를 위하여 죽으심은 우리가 깨든지 자든지 주와 함께 살게 하시려는 것이라**』(살전 5:9,10).

『**우리가 이것을 확신하노니 너희 안에서 선한 일을 시작하신 그분께서** 예수 그리스도**의 날까지 그 일을 완성하시리라**』(빌 1:6).

이제 다시 돌아가서 유다서 1:24을 읽어 보라 그리고 위에 제시된 구절들과 같다고 말해 보라. 같지 않은 것이다. 필자가 무례하고, 학자적이지 않다고 생각한다면 용서를 구한다. 독자들이 필자가 정규교육이 부족하다 여기고, 언변이 하찮다고 여긴다면 할 수 없다(고후 10:10; 11:6).

대환란 기간 동안 "끝까지 견뎌야" 하는(마 24:13) 사람은 "우리 하나님의 은혜"(4절)를 근거로 자신의 구원을 잃어버릴지도 모르는 짓을 감히 함부로 행할 수가 없다. 요한은 가난한 유대인을 돕지 않으면 구원을 잃어버릴 수 있음을 암시했다(요일 3:15,17). 예수 그리스도께서는 더 나아가셔서 분명하게 환란 성도가 가난한 유대인들을 돕지 않으면 지옥에 갈 것이라고 말씀하셨다(마 24:41-44).

"초극단-은혜"라고 말할 때 우리는 극단적인 세대주의자를 일컫는 것이다. 우리는 그들은 "드라이클리너"라고 부르며, 이들은 술도 마시고, 적당히 음행하며, 예배를 참석하는 것도 종종 빠지고, 자신이 원하는 것을 입으며, 디스코텍에 자주 가고, 자신이 번 모든 돈을 자신이 가지며, 이렇게 해도 자신이 구원을 잃지 않기 때문에 지속적으로 죄들을 짓는다. 바울이 우리가 "은혜"아래 있기 때문에 구원을 잃지 않으며(고전 6:12; 10:23), 그리스도인은 율법 아래 있지 않다고 말했다. 그러나 함부로 죄 짓는 자유분방한 자들을 경고하면서(갈 5:13-15), 그들이 자신의 행위를 조심히 살펴야 한다고 했으며(갈 6:7-8), 그렇지 않으면 그들은 스스로에게 크게 손해를 당하게 될 것이라고 했다.

바울이 말하는 이 자유는 대환란 기간에는 거짓교사들이 약속하는 것으로 쓰일 것이다(벧후 2:19). 이들은 양이 아니라 개들과 돼지들이다(벧후 2:22). 베드로는 이러한 자유는 육감적이고 육신적인 자유주의자들만을 만들어 낼 뿐이라고 말한다(벧후 2:14,19). 그는 그들을 양이라고 부르지 않는다. 그는 그들을 『**본성이 잔인한 짐승**』이라고 불렀다(벧후 2:12). 유다 또한 베드로와 동의하며(벧후 2:1), 『**유일하신** 주 하나님**과 우리** 주 예수 그리스도를 **부인하는 자들**』이라고 부르며, 베드로는 『**자기들을 사신 주마저 부인하며**』라고 말한다. 성경이 "샀다"라고 말한 것을 주의하라. 구주께서는 피로 몸값을 주시고 죄를 용서하셨다. 주님은 "선택받지 못한 자들"의 죄들을 위해 피 값을 지불하셨을 뿐만 아니라, "선택받지 못한 자들"을 거룩케 하신다(히 10:29). 칼빈의 "제한적인 속죄"는 비정상적인 사고에서 나온 오류일 뿐이다.

유다가 쓴 『**유일하신** 주 하나님』이라는 표현을 보았는가? 코란에 따르면, 만약 혹자가 『**유일하신** 주 하나님』을 "알라"라고 부른다면 용서받을 수 없는 신성모독을 저지르는 것이다. 신약 성경이 말하는 유일하신 『주

하나님』은 『**우리** 주 예수 그리스도』의 아버지시다(4절).

달 신인 알라는 한 번도 아들을 낳은 적이 없으며, 그러니 그 아들이 『주』일 수도 없다(빌 2:11).

유다는 "싸우고" 있다. 즉 유다는 일종의 "비평"인 것이다. 이는 그가 말로 싸운다는 뜻이다. 사도 바울 또한 그러했다. 로마서 1,2,11장, 고린도전서 1,2,3,6,15장, 골로새서 1,2,3장, 디모데후서 2,3장을 보라. 만약 당신이 믿음을 위하여 싸운다면, 특히나 힘써 싸운다면, 당신은 오늘날 미국의 85%의 구원받은 설교자들보다 더 훌륭한 일을 하고 있는 것이다.

1:4 이는 어떤 사람들이 몰래 들어왔기 때문이라. 그들은 옛적부터 이 정죄를 받기로 미리 정해진 자들이며 경건치 않은 자들이라. 그들은 우리 하나님**의 은혜를 색욕거리로 바꾸어 유일하신** 주 하나님**과 우리** 주 예수 그리스도**를 부인하는 자들이니라.**

5 그러므로 너희가 전에 이것을 알았지만 내가 너희로 기억나게 하고자 하는 것은 주**께서 그 백성을 이집트 땅에서 어떻게 구원하셨고 그후에는 믿지 아니한 자들을 어떻게 멸하셨는가 하는 것이라.**

6 또 자기들의 처음 지위를 지키지 아니하고 자신들의 처소를 떠난 천사들을 주께서 영원한 사슬로 묶어 큰 날의 심판 때까지 흑암 속에 가두어 두셨느니라.

7 소돔과 고모라와 또 그 같은 방식을 따르는 그 주위의 성읍들까지도 자신들을 음행에 내어주어 다른 육체를 따라가다가 영원한 불의 형벌을 받음으로 한 본보기가 되었느니라.

8 이와 같이 이러한 더러운 꿈을 꾸는 자들도 육체를 더럽히며 다스림

을 경시하고 권위 있는 자들을 비방하는도다.

본문에서 유다는 히브리서 3:16-19의 내용을 다시 쓰고 있다. 유다는 출애굽 사건을 〈NIV〉보다 5,000배는 더 정확하게 설명하고 있다. 〈NIV〉는 이집트에서 나온 모든 사람들이 반역했으며, 그래서 그들 모두가 광야에서 죽었다고 말한다. 사실은 그렇지 않았다. (여기서 우리는 다윗이 아니라 엘하난이 골리앗을 죽였다고 말한 〈NIV〉의 또 하나의 넌센스를 발견한다.)

『**구원**』받은 후에(5절) 누군가가 멸망받게 된 사실을 주목하라. 물론 우리는 여기서 『**구원**』이라는 단어가 속박에서의 구출을 의미한다는 사실을 알고 있다. 그러나 야고보서 5:20을 보라. 『**한 사람의 혼을 사망에서 구원하게 될 것이며**』 또한 마태복음 24:13을 보라. 『**그러나 끝까지 견디는 자는 구원을 받으리라.**』 만약 당신이 이 구절들이 오직 물리적으로 살아남는 것을 의미한다고 생각한다면, 수백 명의 죄인들이 대환란에서 물리적으로는 살아남지만 그것이 끝난 후에 지옥에 간다는 사실을 기억하라. 마태복음 25:44-46을 보라.

우리는 5절에서 유다의 위협하는 듯한 어조를 놓칠 수 없다. 동일한 주제(히 3:16-19)를 다룬 히브리서의 저자가 말한 것을 보면 알 수 있다. 『**조금 있으면 오실 이가 오시리니 지체하지 아니하시리라... 그러나 누구라도 뒤로 물러나면 내 혼이 그를 기뻐하지 아니하리라. 그러나 우리는 뒤로 물러나서 멸망하게 될 자들에게**["멸망" : 살후 2:3, 요 17:12] **속하지 아니하였고, 오히려 믿어 혼의 구원에까지 이르는 자들에게 속하였느니라**』(히 10:37-39).

위의 인용 구절의 문맥은 절대적으로 야고보서 2:14-18과 요한일서 3:10,17-19의 문맥이다. 찾아보라. 이 구절들은 바로 행위를 다루고 있는 것이다.

이 진리를 확실하게 각인하려는 듯이, 유다는 이집트에서의 구출과 두 구약의 예를 들어 차후의 멸망을 말하고 있다. 두 경우 모두 “멸망”과 “끝까지 견디지 않는 것”은 단지 물리적인 멸망이 아니라 지옥행을 의미한다. 두 경우 모두에서 누군가가 “끝까지 견디지” 않거나 “혼의 구원을 믿지” 않으면, “흑암 아래서 영원한 사슬”에 묶이게 되고 “영원한 불”로 고통받게 된다(7절). 빌리 그래함이나 교황이 말하는 단순히 하나님과의 분리를 의미하는 것이 아니다.

아마도 지금쯤이면 독자들이 왜 교회 시대의 수많은 그리스도인들이 줄곧 믿음과 행위들로 말미암는 구원을 믿고 죽을 때까지 “영원한 보장”이 있을 수 없다고 믿었는지 알 수 있을 것이다. 성령님께서 친히 신약의 100구절이 넘는 본문으로 이 그릇된 믿음을 강조해 놓으셨다. 그리고 독자는 그 중 일부를 살펴본 것이다.

성경을 공부하지 않는 것이 성경을 믿지 않는 것만큼이나 교리적으로 결정적인 문제에 봉착하게 만드는 것이다. 왜냐하면 오직 공부를 통해서만이 구약의 구원, 신약의 구원, 대환란 시대의 구원, 천년왕국 시대의 구원을 올바로 나눌 수 있기 때문이다.

사실 당신이 성경을 공부하겠다고 결심한다 해도 문제가 모두 해결되는 것이 아니다. 300명도 넘는 구원받은 근본주의자들이 자신도 믿지 않는 성경을 사용하여 당신을 “교육”시켜 주겠노라며 등록금을 내라고 할 것이기 때문이다.

우리는 이들 학자들의 무리를(1800-2000) “알렉산드리아의 이단”이라고 부른다. 왜냐하면 그들의 진원지가 함의 땅 아프리카(시 105:23; 106:22)에 있는 기독교대학이며, 이 도시는 간질병 환자인 알렉산더 대왕을 따라 이름 붙여졌다. 역사적인 자료를 원한다면, 필자의 〈신약교회사〉를 공부해 보라.

또한 우리는 6절을 베드로후서 2:4과 맞추어 볼 수 있다. 이들은 『**자기**

들의 처음 지위를 지키지』 않은 『하나님**의 아들들**』이다(창 6:1-3과 해당 주석을 참조하라). 그들의 『**처소**』는 셋째 하늘이었으며, 사탄(고후 4:4, 눅 4:6; 22:31)과 탕자(눅 15:11-14)처럼 그들은 먼 나라로 여행을 떠났던 것이다.

문제는 그들이 그들의 천사들로서의 본성을 인간의 본성과 바꿨다는 것이며, 그리하여 여자들과 함께 거하였다는 것이다. 이 일로 인해 그들은 죽음이 그들을 해할 수 있게 만들었다(시 82:6-7). 예수 그리스도께서 인간의 본성을 취하셨을 때(빌 2:8) 그분 또한 거의 동일한 일을 행한 것이지만, 그 천사들과는 다른 목적에서 그렇게 하셨다(히 2:14). 그분은 죄인들을 위해서 죽으러 오셨으며(딤전 1:15), "사람의 딸들"과 놀아나려고 오신 것이 아니다. 그러나 현대인은 "지저스 크라이스트 슈퍼스타," "마지막 유혹," "유다복음," "다빈치 코드" 등을 통해서 불경건한 생각을 하게 만든다.

차이는 예수 그리스도께서는 자신의 신성을 포기하지 않으셨다는 것이다. 〈NASV〉, 〈NIV〉 등은 예수님께서 자신의 신성은 포기하신 것으로 말하지만 그렇지 않다. 주님은 자신의 신성을 원하실 때 나타내 보이실 수 있으셨으며, 또 실제로 그렇게 하셨다(마 21:19-21; 17:1-6, 요 6:14, 눅 8:25). 주님은 두 가지 본성으로 지상 생애를 사신 것이다. 그러나 본문의 천사들은 (유 6) 그들의 본성을 포기했고, 그래서 그들은 "이상한 육체"를 가지고 인간과 함께 거했다. 그것은 사람의 육체일 수도 있으며(소돔과 고모라에서처럼), 동물의 육체일 수도 있다(레 20:15-16). 그것이 왜 하나님께서 모든 사람들과 함께 모든 동물들도 노아의 홍수 사건에서 죽이신 이유이다(창 6-9장). 수간에 관련된 동물들은 죽어야 하기 때문이다(레 20장).

어떻게 이러한 진리를 모를 수 있었는가? A.D. 90년 이후로 왜 5만 명 이상의 성경 교사들이 이를 모를 수 있었는가? 유럽(유로파)이 "신성한

소"(흰색 황소)와 교접하여 "짐승"을 탄 로마카톨릭 창녀를 낳았다(계 13:1-3; 18:1-3; 17:1-5). 적어도 이것이 그리스인들이 하는 말이다. "제우스"는 스페인 투우용 흰 황소와 같았다. 당신이 만약 믿지 못하겠다면, 2001년에 만들어진 ECC 유럽 깃발을 구해 보라. "미녀와 야수"! 미녀 유로파가 짐승을 타고 있는 것이다(계 17:3). 성경에서 유로파는 로마카톨릭 창녀이다. 곰곰이 생각해 보라.

우리는 여기서 인정받는 헬라어 학자들과 경건한 주석가들과 존경받는 성경학자들이 무엇이라고 주석하는지 살펴보자.

사례 A : NIV, RSV, NRSV, RV, ASV, NASV, NEB, NWT 등으로 〈킹제임스성경〉을 신약에서 5,000군데 가량 수정하는 데 사용된 바티칸 필사본("B")은 5절에서 『주』 대신 "예수"가 들어가야 한다고 말한다. 이는 『예수』에 해당하는 헬라어 단어(Ἰησοῦς)가 사도행전 7:45과 히브리서 4:8에 쓰였기 때문에 이렇게 주장하는 것이다. 오리겐과 그의 동료들은 여호수아가 "예수"에 해당하는 구약 이름임을 알면서, 유다서 5절에 여호수아를 집어넣었다. 그러나 이스라엘을 이집트로부터 데리고 나온 것은 "예수"나 "여호수아"가 아니라 모세다. 사도행전 7:45은 출애굽 사건과 아무런 관련도 없다. 그것은 여호수아 1-9장까지의 여정을 말한 것이다.

사례 B : "『하나님**의 아들들**』(창 6:2)을 천사들보다는 셋의 자손들로 여기는 것이 더 자연스럽다." 당신이 읽고 사고할 수 있는 능력을 영구적으로 잃어버렸다면 그렇게 생각할 수도 있다. 이는 제미에슨, 포셋, 브라운이 주석한 내용이다. "영들은 육체적인 관계를 가질 수 없는 것처럼 보인다." 천사들이 일단 『**자기들의 처음 지위를**』 떠났는데, 어떻게 여전히 영들일 수 있다고 생각하는가?(히 1:7)

제미에슨, 포셋, 브라운이 우리에게 말하려는 것은 천사들은 여자들과 음행할 수 없다는 것이다 "창세기 6장이 의도한 것은 그들의 애정이 하나님께로부터 소원하게 만든 그들의 야망이... 영적으로는 소돔이 하나님의 자연의 질서로부터 떠난 죄와 유사한 종류의 죄라는 것이다."

그러면 『**사람들의 딸들**』은 모두 카인의 여자 자손들이었다는 말인가? 단지 카인의 후손들이었다면 어떻게 거인들을 낳을 수 있었는가? 신약의 『하나님**의 아들들**』(요 1:12)을 창세기 6장에 적용시키면 어떻게 되는지 이제 알겠는가? 욥기 1,38장에 따르면 창세기 6장의 『하나님**의 아들들**』은 천사들이다. 제미에슨, 포셋, 브라운은 이 사실을 모르고 적용한 것이다. 그들은 단지 말도 되지 않는 시간 때우기 식의 주석을 써 놓은 것이다.

필자는 제미에슨, 포셋, 브라운도 스코필드 주석 성경의 주석에 오염되었는지, 아니면 스코필드가 이들의 주석을 읽고 오염되었는지 정확히 알지는 못한다. 아마 스코필드가 이들의 주석을 읽고 영향을 받았을 것이다. 이들은 그들의 주석을 1860년에서 1880년 사이에 저술했기 때문이다.

카인의 자손들인 딸들과 셋의 자손들의 관계라고 설정하기에는 너무나도 모순이 크다(창 6:1-3). 구약에 나오는 각각의 『하나님**의 아들**』은 천사라는 사실과 모든 천사들은 중성이 아니라 남성이라는 사실을 보지 못한다면, 시편 23편을 가르칠 자격도 없다.

이스라엘은 집체적으로 하나님의 "아들들과 딸들"이었으므로 창세기 6:1-3과 전혀 관계도 없다. 요한복음 1:12-13은 셋의 자손들이나 카인의 자손들과는 전혀 관계도 없다. 셋의 씨는 아브라함과 이삭과 야곱과 모세와 다윗을 낳았을 뿐만 아니라, 코라와 아비람과 아합과 아하시야와 시드키야와 에서와 아말렉과 암몬과 모압과 카야파도 배출했다(요 11:49-52). 셋의 씨는 또한 유다 이스카리옷과 유다의 장자 또한 낳았고, 성경은 『**주께서 보시기에 유다의 맏아들 엘이 악하므로, 주께서 그를 죽이신지라**』고 말씀한다(창 38:7).

사례 C : 리버티 대학의 성경학부 학장인 벤자민 채프만(Benjamin

Chapman)은 본문을 주석하기를 거부하고, 단지 베드로와 유다가 창세기 6장의 "외경의 해석을 수용"하고 있다고 말한다. 즉 채프만 박사는 본문이 말하는 바를 믿지 않는다는 것이다. 물론 직접 독자들에게 그렇게 말하지는 못하지만 실제로는 그렇다! 채프만 박사가 창세기 6:1에 대한 자신의 해석을 독자들에게 말하기를 주저하는 이유는 그가 성경적인 해석을 고려하고자 전혀 노력하지 않기 때문이다(고전 2:13, 딤후 2:5). 그의 동료들과 선배들처럼 그도 정상적인 사고를 가지고 본문을 다룰 수 없는 것이다.

이것이 바로 제리 포웰의 "학자적인" 성경 학부의 모습이다. 그들은 전혀 성경이 무엇을 말하는지 모른다.

사례 D : (〈새성경주석서〉, 에드먼드 출판사, 1970) 배교한 그리스도인이 얼마나 교묘하게 헬라어 원문들을 "객관적"으로 해석하는 체하는지 살펴보자. 당신이 이러한 배교한 알렉산드리아의 이단들을 따라가 보면(p.1276), 1800년 이후 모든 배교한 보수주의자, 복음주의자, 근본주의자들을 만나게 되는데, 그들은 모두 〈킹제임스성경〉의 영어 본문을 제거하는 것을 염두에 두고 있다. 사탄의 "계략들"에 전적으로 무지했던 수천 명의 배교한 학자들은 영어가 대영제국(1921-2000년)의 멸망 후에 세계어가 될 것이라는 것을 몰랐었다. 그래서 그들은 다른 영어번역본들을 아무거나 추천하면서 모두 〈킹제임스성경〉의 권위를 실추시키거나 〈킹제임스성경〉을 비평하고 수정했다.

한마디로 전형적인 예다.

데이빗 휘튼(David Wheaton) 박사는 유다서 5절을 주석할 때, 그는 도드(Dodds)의 〈새영어성경, *New English Bible*〉과 필립의 영어 번역본을 당신에게 추천한다. 〈킹제임스성경〉을 수정하고자하는 유혹이 너무 압도적이어서, 휘튼 박사는 NEB의 본문을 추천하여 〈킹제임스성경〉을 비평하는 자신의 영적인 상태가 탄로나 버렸다. (이것은 무의식적인 사탄적 영감에 대한 연구와 관련이 있다. 립링거의 〈뉴에이지 성경 역본들〉을 참조하라.) 여기서 라오디케아 시대의 배교자의 진정한 영적인 인격이 드러난다. 그러나 독자들이 필사본 증거와 알란드와 메츠거와 네슬의 변개된 헬라어 신약성경들의 비평장치에 대한 배경지식이 없다면 잘 드러나지 않는다.

5절에 『주』라는 단어가 있다. 〈해석자의 헬라어 신약〉을 본 휘튼은 258페이지에서 『주』라는 단어 대신 "예수"라는 단어가 두 개의 다른 대문자 필사본에서 발견된 것을 알고 있었다("A"-알렉산드리아 사본, "B"-바티칸 사본). 그는 또한 P-72 사본이 "하나님-그리스도"라는 본문을 가지고 있다는 사실도 알고 있었을 것이다. 그는 또한 『주』 대신에 헬라어 대문자 "C" 사본(제2수정자)은 "하나님"을 담고 있다는 사실도 알고 있었다. 위와 같은 4가지 "선택"들을 두고, 주석서는 "'주'(THE LORD)가 아마도 가장 최상의 본문이라고 말한다"(필립과 NEB처럼).

그런데 〈킹제임스성경〉 본문은 NEB와 필립의 역본이 나타나기 300년 전부터 『주』라고 말하지 않았는가?

그러면 왜 이 약싹빠른 사기꾼은 당신에게 자신이 저본으로 사용한 필사본을 거부한 두 개의 변개된 역본들을 추천한 것인가? 이 역본들은 다른 변개된 영어 번역본들처럼 권위를 인정받은 〈킹제임스성경〉의 신약에서 약 5,000개의 본문들을 제거하기 위해 헬라어 대문자 필사본인 바티칸 사본을 사용했다.

왜 그는 있는 그대로 〈킹제임스성경〉의 본문이 올바른 본문을 담고 있다고 말하지 않은 것인가? 왜 그렇게 말하지 않은 것인가? 그는 NEB나 필립이나 바티칸 사본이나 알렉산드리아 사본을 언급할 필요가 없었다.

그가 그렇게 말한 것은 그가 최종권위의 문제를 다룰 때 만큼은 사고체계에 문제가 있기 때문이다. 이는 다만 그에게만 해당하는 것이 아니다. 데이브 헌트, 척 스윈돌, 더그 큐틸렉, 론 민튼, 바비 섬너, 밥 존스 3세,

델 존슨, 도날드 웨이트, 데오도르 레티스, 윌버 피커링, 제인 하지스, 찰스 스탠리, 기드온 협회, 해롤드 롤링즈, A.V. 핸더슨, 빌리 그래함, 교황 요한 2세 등도 마찬가지다.

이것이 바로 1800년 이후로 학자들의 도덕적 윤리적 "인격"인 것이다. "경건한"이라는 형용사는 그들 중 누구를 언급하는 말로도 적합치 않다.

8절. 주석가들은 『**더러운**』 꿈꾸는 자가 없다고 한다. 모든 주석가들은 이 형용사를 제거한다. 그들에게는 이 말씀이 일종의 "증오"를 담은 표현인 것이다. 즉 그들은 누구라도 타인이 "더럽다"고 말할 수 있는 권리가 없다는 것이다. (〈킹제임스성경〉에서 이 표현을 사용하는 용례를 보라. 사 1장, 시 14:3; 53:3, 슾 3:1, 계 22:11, 벧후 2:7, 골 3:8).

베드로후서와 유다서의 주제들의 유사성을 고려해 본다면, 8절에서 언급한 소돔인들이 "더러운 꿈꾸는 자들"(filthy dreamers)이며 이들이 "음란한 행실"(filthy conversation)과 연결되지 않겠는가?(벧후 2:7) 시편 53:3과 시편 14:3은 둘 다 대환란의 상황들(시 14:4-5,7; 53:4-6)을 말하는 재림과 관련된 구절들이며, 그때 제단에서 유대인들을 잡아먹는 일이 자행될 것이다. (계시록 6:3과 그 주석을 보라. 모든 학자들과 주석가들이 놓친 정보들을 보라.) 그리고 이사야 6:13, 시편 16:4; 106:37-38, 신명기 32:32-33을 보라. 주석가들 스스로도 "공상"으로 죄를 짓고 있는 것은 아닌가? 만약 그렇지 않다면, 왜 그들은 민수기 33:52에서 〈킹제임스성경〉의 본문을 변개했는가? 분명 그들은 "그림들"과 연관된 문제를 가지고 있음에 틀림없다. 민수기 33:52에 나와 있는 뭔가가 당신의 거실에 자리잡고 있는 것은 아닌가? "몸의 빛은 눈"이라는 진리를 모르는가?(마 6:22)

마음에 "그림들"을 그리지 않고 "더러운" 공상을 할 수 없다. 성경을 변개하고 변개된 성경들을 옹호하는 이들은 모두 마음에 "그림들"을 가지고 죄를 지은 것이다. 즉 그들은 자신이 찔림받는 죄들을 감추기 위해서 성경을 변개하고 또 변개된 역본들을 옹호한 것이다.

이 작업이 어떻게 이루어졌는지 보았는가? 이들은 "엘리자베스 시대의 고어 영어"에서 "더 명확한 의미"를 독자에게 전달하기 위해서, 말벌에서 "침을 제거한" 것이다(롬 1:18,25,28). 이 작업을 어떻게 이뤘는지 분명히 보라.

이 전문적인 거짓말쟁이들이 만약 당신에게 "좋은 아침"이라고 인사한다면, 당신은 기상청에 전화를 걸어서 날씨를 확인해 보는 것이 좋을 것이다. 그들이 자신의 진심을 털어놓는 것처럼 보일 때도 그들의 진의를 다시 가늠해 보는 것이 좋을 것이다. 그들이 성경을 다룰 때 가진 "양심"이란 여우가 닭장에 침입할 때의 양심 수준이다.

RV, ASV, NASV, RSV, NRSV, NIV, 심지어 NKJV에 따르면 오늘날의 "꿈꾸는 자들"은 "더럽지" 않은 것이다. 제리 포웰은 〈킹제임스성경〉으로 "다시 한번 하나님의 영원한 진리들을 명확하게 말하게" 한다고 선전하며 NKJV를 팔아먹었다.

20세기와 21세기의 『**더러운 꿈을 꾸는 자들**』이 함께 모였다. 예를 들어 〈뉴(New)킹제임스성경〉 번역위원회는 『**더러운 꿈을 꾸는 자들**』이 아니라 단지 『**꿈을 꾸는 자들**』일 뿐이라고 순화하여 번역하였다. 고등교육을 받은 그리스도인들은 이와 같이 "더러운"(Filthy)과 같은 단어를 폐기시켰다. (그들은 이미 『**배설물**』(dung)과 『**천한**』(vile)과 같은 단어들도 던져버렸다. 『**더러운**』이라는 단어는 왜 안 되겠는가?)

"말씀에 수고하는"(딤전 5:17) 위대하고 선하며 "경건하며" 유명하고 자격 있는 "학자들"의 사탄적인 "표준처리절차"를 주목하라.

그들은 〈킹제임스성경〉의 본문을 거부하는 꽤 그럴듯한 알리바이가 있다. 『**더러운**』이라는 단어는 그 어떤 헬라어 원문에도 나오지 않는다는 것이다.

그러면 이것이 〈킹제임스성경〉에서 이 단어를 삭제해야 하는 좋은 이유가 되는 것인가?

그러나 헬라어 원문에 나타나지 않은 단어들을 번역 성경에 넣기도 함을 알아야 한다. 성경 번역에 대해 지식이 있으며 정직하고 일관성 있게 진리를 말하는 그리스도인이라면 이 사실을 알 것이다. NEB, NWT, RV, RSV, NRSV, TEV, CEVN, AS, NASV, NIV, NKJV를 내놓은 부정직하고 거짓말하며 왜곡되고 일관성 없는 번역자들에 대해서 지적하기 전에 유다서의 서술양식을 살펴보자.

『**경건치 않은 자들**』, 『**영원한 사슬**』, 『**사나운 짐승들**』, 『**성난 파도**』, 『**경건치 않게 행한**』, 『**경건치 아니한 행위**』, 『**경건치 아니한 죄인들**』 현대 번역본들의 번역자들뿐만 아니라 권위를 인정받은 〈킹제임스성경〉의 번역자들도 『**더러운**』이라는 단어가 본문에 나오지 않는다는 사실을 알고 있었다(8절). 그래서 그 말씀을 이탤릭체로 처리해 놓은 것이며, 그러나 〈킹제임스성경〉의 비평가들은 이 사실에 대해서는 언급하지 않는다. 비평가들은 〈킹제임스성경〉의 번역자들이 "헬라어 원문"에 더하는 것은 죄를 저질렀다고 생각하기를 원했던 것이다. 그러나 사실은 그들도 그들이 번역하는 원문에 없는 단어를 추가한다. 예를 들어 〈NIV〉는 "천상에"라는 단어를 추가했다(약 1:17).

그러므로 우리 또한 그들이 "헬라어 원문에 추가"하는 죄를 반복해서 지적하지 않을 수 없다. 예를 들어서 어떤 헬라어 원문에도 NASV의 "도움"(help)과 NIV의 "도움들"(helps)에 해당하는 원어가 나타나지 않는다(히 2:16). 그들은 헬라어 "*epilambanetai*"를 그렇게 번역했는데, 이 단어는 '뭔가를 붙잡다'를 의미하며, NIV와 NASV도 다른 곳에서는 그렇게 번역했다(눅 9:47, 행 9:27). 사도행전 21:30에서는 훨씬 더 강하게 나타난다. 디모데전서 6:12,19에서는 훨씬 더 강한 의미로 주어져서, "뭔가를 소유하기 위해서 그것을 붙들다"라는 의미이다. 이것이 정확하게 "*epilambanetai*"가 디모데전서 6:12과 6:19에서 번역된 방식이다. (디모데전서 6:12에서는 "*epilabou*"로, 디모데전서 6:19에서는 "*epilambotai*"라고 기록되어 있다.) 그러면 "helps"와 "help"라는 단어는 도대체 어디서 나온 것인가? 그들이 번역한 단어는 계열을 막론하고 그 어떤 헬라어 원문에도 없는 것이다.

"도움"이라는 의미의 헬라어 단어로는 "ἀντιλαμβάνομαι, βοηθέω, συλλαμβάνω, συμβάλλω, συναντιλαμβάνω, βοήθεια, συνυπουργέω" 등이다.

NASV와 NIV는 아무런 원문의 근거도 없는 단어를 번역해 놓은 것이다. 그러면 그들이 왜 그렇게 행한 것인가? 신학적인 편견 때문이다. 헬라어분해사전은 "*epilambanetai*"의 뜻이 어떤 것의 "본성을 취하다"(to assume the nature of) 혹은 "스스로를 붙이다"(to attach oneself)의 뜻으로 설명하고 있다. 독자들도 NIV와 NASV와 같은 부패한 역본들이 디모데전서 3:16에서 『하나님』을 대체함으로써 그리스도의 신성을 부인한 사실을 알고 있다. 히브리서 2:16의 주제도 바로 이것이다. 그래서 그들은 NIV와 NASV에서 성경을 "더 명확하고 더 쉽게" 이해할 수 있게 만든다는 명목하에 이런 사악한 변개를 자행한 것이다.

또한 시편 2편에는 "너희 아버지"(YOUR FATHER)라는 표현이 그 어떤 히브리어 필사본에도 존재하지 않는다. 또한 NIV는 유다서 7절에서 "그들 중에서"(Of those)라고 번역했지만, 그 단어를 포함하고 있는 필사본은 전무하다. 이 단어가 첨가된 이유는 소돔의 모든 변태성욕자들이 현재 지옥에 있다는 사실을 가리기 위해서이다. 또한 NRSV와 NASV는 그 어떤 헬라어 원문에도 없으나 디도서 3:10에서 "분열들을 일으키는 자는 누구나"(Anyone who causes divisions)라는 번역을 첨가해 놓았다. 그런데도 〈킹제임스성경〉의 비평가들은 유다서 8절에서 한 단어가 추가된 것에 대해서만 말한다. 위선자들이다. 또한 NIV의 히브리서 9:10을 보라. 그러한 단어를 포함하고 있는 헬라어 원문이 도대체 어디 있는가?

이 위선자들이 정말 얼마나 썩어빠진 자들인지 알기 원하는가? 좋다. 그러면 "더러운"이라는 단어가 네 개의 대문자 헬라어 필사본들과 400개의 소문자 필사본들과 몇 개의 고대역본들에 있다고 가정하자. 그러면 RV, RSV, NRSV, ASV, NASV와 NIV 등이 그들의 "정확하고" "더 명확한" 원문들에 그 단어를 그대로 번역했겠는가? 물론 아니다. 현대 번역자들은 모두 디모데전서 3:16에서 『하나님』이라는 단어를 포함하고 있는 필사본이 자그마치 618개나 된다는 사실과, 교부들의 인용도 20개 이상에 달하며, A.D. 300년 이전의 고대 성경번역본들도 포함하고 있다는 사실을 알고 있었다. 『하나님』에 해당하는 단어는 알렉산드리아 필사본(A)에 1650, 1657, 1659, 1707, 1716, 1737, 1742, 1738년에도 있었다.

그리고 이 단어는 제네바 성경, 비숍 성경, 라틴어 벌게이트, 매튜 성경, 틴데일 성경과 그레이트 성경, 마틴 루터의 독일어 성경과 〈킹제임스성경〉에도 그대로 남아 있다.

그렇다면 RSV, NRSV, ASV, NASV와 NIV등의 현대번역본들은 하나님께서 육신을 입고 오신 성육신의 교리를 어떻게 한 것인가?(딤전 3:16) 그들은 〈킹제임스성경〉의 본문을 담고 있는 절대 다수의 모든 헬라어필사본들의 증거를 무시한 것이다. 그러면서도 그들은 유다서 8절의 추가된 단어를 포함하고 있는 필사본이 있다면 그것을 인정했을 것이라고 거짓말을 한다.

현대영어성경번역본들의 번역자들은 최종권위의 문제에 있어서는, 세상에서 가장 추악한 위선자들이다. 디모데전서 3:16에 있어서 〈킹제임스성경〉의 본문을 지지하는 헬라어필사본은 618개이며, 상반되는 것은 단지 4개 필사본뿐이다. 154 대 1인 셈이다.

NIV는 수백 개의 필사본들이 담고 있는 말씀을 20단어 이상 골로새서에서 삭제했다. 또한 그들은 사도행전 24:6-8에서도 30개 이상의 단어들을 없애 버렸고, 그들은 마태복음, 마가복음, 누가복음에서 모든 필사본들이 지지하는 단어들을 254개나 제거했다. 즉 그들이 필사본 증거에 신경을 쓴다는 말은 농담에 불과한 것이다.

"더러운"에 해당하는 헬라어 단어가 없다고 그랬는가? 그러면 NIV와 NRSV등에 인쇄된 헬라어필사본들에 없는 표현들은 어떻게 된 것인가? "사람들"(people, 갈 1:7), "인적 자원"(human source, 갈 1:11), "돌이킴"(turning, 갈 1:6), "내 자신의 나이"(my own age, 갈 1:14), "몸"(body, 갈 2:20), "너희가 들은 것을 믿음"(believing what you heard, 갈 3:2), "죄의 죄수"(a prisoner of sin, 갈 3:22), "내가 이것을 사람의 말로 하자면"(I put this in human terms, 롬 6:19), "통제하다"(to control, 롬 6:20), "너희가 거두는 이익"(the benefit you reap, 롬 6:22), "기록된 형식으로"(of the written code, 롬 7:6), "죄의 본성"(sinful nature, 롬 8:8) 등이다.

사실이 이런데도 〈킹제임스성경〉이 이탤릭체로 말을 채워 넣은 것을 욕하는가? 이들 번역자들은 마귀적이며 낙타는 삼키고 하루살이는 걸러내는 자들이다. "정직은 보상을 받는다. 하지만 이처럼 부정직함도 수입이 짭짤한 것이다."

헬라어로 없는 단어가 1,000단어 이상 NIV의 본문에 첨가되었고 이탤릭체로 표시해 놓지도 않았다. 이는 〈킹제임스성경〉은 정직한 번역이며 NIV는 정직하지 않은 번역이라는 뜻이다.

NASV, NIV, NKJV, TNIV와 앞으로 번역본들을 찍어낼 성경문맹자들에 대해서 할 말이 많지만 하나님의 말씀을 주석하는 데 지면을 할애하도록 하겠다. 그리고 독자들 중 일부가 민감하게 반응할지도 모르지만 "더러운 꿈꾸는 자들"에 대해서 좀더 깊게 성경을 공부하려고 한다. 옥스포드, 캠브리지, 퀸즈 칼리지, 튀빙겐, 할레, 스튜트가르트, 하이델베르그, 하버드, 예일, 프린스톤, BJU, BBC, 리버티 대학 등은 물론 무슨 말인지 이해하지도 못할 것이다.

1800년대 이후로 알렉산드리아 이단들에게는 생소하지만 원래 "성경은 성경으로" 비교하여 해석한다.

유다서에 나온 "꿈꾸는 자들"을 보라! 헬라어로는 "에누프니아조메노이"(enupniaxomenoi)이다. 이 용어는 "꿈"을 뜻하는 "오나르"(ὄναρ)와 관련이 있다(마 1:20; 2:12,13,19). 구약에서 "꿈"은 "칼람"(חֲלֹם)이다. 오리겐의 칠십인역, 곧 헬라어로 기록된 구약에서 "꿈꾸는 자들"은 오직 몇 회 사용되지 않으며, 이것은 오리겐의 칠십인역으로 신약성경이 완성되고 100년도 더 지나서 기록되었다.

또한 이 단어가 사용된 곳에서 "꿈꾸는 자"는 "euupnazesthe," "enupniastes," "enupia"로 언급된다(렘 36:8-9, 창 37:9, 신 13:1,3).

"꿈"(onar)에서 파생하여 '꿈꾸는 자' 혹은 '꿈꾸는 자들'을 의미하는 "오나로스"(onaros), "오나로이"(onaroi), "오나레"(onare), "오나렌"(onaren), "오나레스"(onares) 등의 단어는 한 번도 쓰이지 않았다. 또한 성경이 말하는 "꿈꾸는 자"는 "꿈"이라는 용어에서 파생된 것이 아니다. 히브리어에서 "칼람"의 복수인 "꿈들"(chalam)은 "꿈꾸는 자"(chalam, chalom)와 같은 형태이다. 히브리어에서 "꿈"(dream)을 "꿈꾸는 자"로 바꾸려면 "오스"(oth)를 붙여 주면 된다(렘 27:9). 그러나 헬라어에서는 그렇지 않다.

유다서의 헬라어 본문은 전적으로 독특하다.

마태복음에서 계시록에 이르기까지 "꿈꾸는 자들"은 오직 유다서에만 존재한다.

예레미야와 신명기에 나오는 모든 "꿈꾸는 자들"은 거짓 선지자를 의미하며, 베드로후서 2:1, 유다서 4절, 요한일서 4:1, 마태복음 24:24, 계시록 16:13에서도 마찬가지다. 선한 혹은 중립적인 꿈꾸는 자가 있다면 그것은 오직 요셉이지만, 그것도 성령께서 그렇게 부르신 것이 아니라 그를 증오한 형제들이 악의적으로 그렇게 부른 것이다. (예수님의 적들도 예수님을 '포도주를 즐기는 자'라고 비난한 것을 기억하라. 마 11:19)

그러나 예레미야 27:9("Halomoth")처럼 창세기 37:19도 단순한 "꿈꾸는 자"를 말한 것이 아니다. 요셉을 "꿈꾸는 자"라고 불렀을 때, 그것은 '마귀들린 꿈꾸는 자'를 의미한 것이다. 히브리어로는 "바알-하칼로모스"(בַּל ַג הַחֲלטחוֹ)이다. 그러면 "바알"은 누구인가? 성경을 읽으면 알 수 있다. 이 용어는 "꿈들의 주"(Master of Dreams)라는 뜻이다. 하나님께서는 유대인들에게 그들이 회심하면 이 이름(baal)을 제거하라고 말씀하셨고(호 2:16), 바리새인들을 대하실 때 예수 그리스도께서 그분의 제자들에게 이 이름(master)으로 그들을 부르지 말라고 하셨다(마 23:10).

이제 왜 성령님께서 유다로 "더러운"이라는 단어를 "꿈꾸는 자들"앞에 삽입하게 하셨는지 알겠는가? 즉 이탤릭체로 "더러운"이라는 단어가 삽입되어 있기 때문에 "꿈꾸는 자들"에 대한 더욱 향상된 계시를 발견할 수 있게 된 것이다.

『**그 주위의 성읍들**』(7절)은 아드마와 스보임이며, 롯이 안전하다고 생각한 성읍은 소알이다(창 19:20-22). 운 좋게도 소알은 적어도 "열 명"의 의인이 그 안에 있었다. 하나님께서 아브라함에게 거짓말하시지 않았다면 말이다.

동성연애자들은 속어로 "패것"(FAGGOT, 장작)이라고 불리며, 장작은 불을 피울 때 사용한다. 『**마찬가지로 남자들도 여자들을 본래대로 쓰는 것에서 벗어나 서로 음욕이 불일 듯하니 남자들이 남자들과 더불어 부끄러운**

일을 행하여 그들의 그릇됨에 상당한 보응을 자기 자신들에게 받았느니라』(롬 1:27). 이러한 성경적인 용례에서 이 속어가 나온 것이며, 그 의미는 "타다 남은 나무막대기"의 의미이다(히 6:8). 변태들(derivatives)을 가리키는 다른 동의어들은 "페어리"(fairies), "프룻"(fruits), "퀴어"(queers), "버취"(butches), "다이크"(dykes), "호모"(homos) 등이 있다. 사실 "게이"(Gay)라는 단어는 전혀 변태성욕과는 무관하다. 이 단어는 변태성욕자들이 스스로를 정상적인 사람처럼 보이기 위해 만들어낸 용어일 뿐이다. 대중매체의 또 하나의 작품이다.

필자는 토페카에서 열네 살 때 처음 동성연애자들을 만났다. 1944년 앨라배마 주 투스칼로사에 있는 병원에서 한 번 더 "큰일 날 뻔한 사건"이 있었다.

처음 만났을 때는 나는 아카데미상 수상작 영화를 보면서 어두운 영화관에 앉아 있었다. 그런데 중년의 남자가 내 옆에 앉았다. 약 십 분쯤 뒤에 나는 그의 손이 내 오른쪽 무릎 위에 있는 것을 느꼈다. 열여섯이 될 때까지 나와 형은 여름이면 반바지를 입고 돌아다니곤 했다. 몇 분 지나자 그 손이 허벅지 안쪽으로 조금 더 올라갔다. 나는 길거리에 있는 개처럼 자랐다. 식사시간과 잠잘 때를 제외하곤 집에 잘 들어가지도 않았다. 1930년대에 나는 이미 1960년대 길거리를 방황하는 십대들이 터득하는 모든 "기술들"을 마스터한 상태였다.

나는 자리에서 곧장 일어나 온 힘을 다해 "안내원 아저씨!" 하고 소리쳤다. 그러자 그 변태는 십초도 되지 않아 극장 밖으로 뛰쳐나갔다.

두 번째는 내가 병원에서 외출금지 상태에 있었을 때였다. 그때 나는 연쇄구균으로 목에 염증을 앓고 있었다. 삼 일 정도 차도를 지켜보는 동안 나는 렘브란트, 피터 폴 르우벤, 밴 미얼, 프란쯔 홀즈 등의 화법을 익히면서 시간을 소일하고 있었다. 첫날 한 청년이 와서 나와 얘기를 나눴다.

그는 스물네 살 정도였고, 얼굴이 창백하고 안경을 꼈었다. 둘째 날에도 그가 찾아왔다. 주로 우리는 미술에 대해서 얘기를 나눴다. 몇 년이 지나서야 내가 아는 드럼연주자들이 클래식음악가들을 "긴 머리들"(long hairs, 1930-1960)이라고 불렀던 이유를 이해하게 되었다. 그들 중 상당수가 동성연애자들이었기 때문이다.

나중에 고전음악과 고전미술을 계속 공부하면서 알게 된 것인데, 나와 같은 혈기왕성한 젊은이가 사냥, 낚시, 풋볼, 축구, 스포츠카, 아르바이트 등을 제쳐놓고 그러한 분야에 비정상적인 관심을 보이면, 자동적으로 "변태"가 된다는 것이다.

나를 찾아온 그 청년 또한 그러한 변태였다. 그래서 그는 내가 예술가적 기질이 있기 때문에 나 또한 윌리암 포크너, 반 고흐, 앤디 워홀, 고갱, 차이코프스키, 테네시 윌리암스, 마네, 폴락, 세잔, 오스카 와일드 등과 같은 인물처럼 부도덕하고 비정상적일 것이라 여겼던 것이다. 둘째 날 오후, 그는 그의 의자를 내 침대에 바짝 붙이더니, "있잖아, ... 너의 복근이 정말 멋있어!" 하며 느끼하게 말했다.

"저기 창문 보이지?" 내가 말했다. (나의 방은 그 병원 4층이었다.) 그는 고개를 끄덕였다. "있잖아, 니가 내 몸에 손가락 하나라도 대면, 너는 저 창문 밖으로 머리부터 날아가게 될 꺼야. 내가 못할 꺼라고 생각하면, 한 번 해 봐, 날려 줄 테니!"

그는 꼼짝도 하지 않았다. 정말 손가락 하나만 까딱 잘못 놀리기라도 했다면 나는 그를 정말 창문 밖으로 던져 버리고, 간호사에게 그가 창문에 기대 있다가 실수로 떨어졌다고 말할 참이었다. 그는 갑자기 할 일이 있다고 하면서 황급히 내 방을 나갔다.

"변태는 좋게 타이르는 것보다 한번 혼구멍을 내 주는 것이 약발이 잘 받는다." 그 친구는 사람을 알아보는 눈이 없었고, 그제서야 깨달은 것이다. 나는 열다섯 이후로 계속 그림 그리고 음악을 하며 시를 쓰고 작사를 해왔다. 그리고 나는 18×24인치짜리 냉압착 종이로 된 캔버스에 수채화로 꽃을 그리기도 했다. 그런데 나의 이러한 "여성적인" 면모에 한 가지 문제가 있다면 동시에 나는 "육박전" 기술을 가르쳤고(제86블랙호크 보병사단), 아이스하키 골키퍼였으며(1982-2003), 유도, 합기도, 태권도, 가라데 등을 연마했다는 것이다(1960-1972).

1:9 그러나 천사장 미카엘도 모세의 몸에 대하여 마귀와 더불어 다투며 논쟁할 때 감히 그를 모독하는 비난을 하지 아니하고 오직 "주께서 너를 책망하시느니라."고 말하였느니라.

10 그러나 그들은 자기들이 알지 못하는 것들을 비방하고 또 사나운 짐승들처럼 본능적으로 아는 것들로 자신들을 부패시키느니라.

11 그들에게 화 있으리라! 이는 그들이 카인의 길로 갔고 또 상을 위하여 발라암의 잘못을 따라 탐욕스럽게 달려갔으며, 코라의 모반으로 멸망하였음이라.

이제 우리는 알렉산드리아 이단의 생각, 동기, 야망, 목표, 방법을 한 눈에 꿰뚫어 볼 수 있는 본문을 보게 된다. 학자들이 〈모세의 승천기〉라는 책에서 인용했다고 여기는 구절이 나오기 때문이다. 이 책은 〈에녹의 책〉과 〈라오디케아에 보내는 편지〉와 같은 책으로, 그들은 성령께서 "깜빡"하고 이 책들을 정경에 포함시키지 못했다고 생각한다.

8절에서 살펴본 내용으로 우리는 모세가 죽고 난 후에 어떤 일이 일어났는지 알 수 있다. 우리가 8절에서 공부한 "더러운 꿈꾸는 자들"은 두 가지 특징이 있다. 첫 번째는 "육체를 더럽힌 것"(defiling the flesh)이며, 〈킹제임스성경〉의 번역자들은 이들을 묘사하는 정확한 형용사를 사용하였다. [즉 진창과 토한 것처럼 "더러운"(filthy) 것이다. 벧후 2:22] 둘째로 그들은 "권위 있는 자들을 비방"한다. 왜냐하면 "권위 있는 자들"은 높은 지위를 가지고 "다스림을 경시"하는 자들을 다스리기 때문이다(8절). 이들은 바울이 로마서 13장에서 언급한 "위에 있는 권세자들"이다. 그들은 구약의 "백성의 통치자들"도 포함한다(행 23:5).

진정한 "더러운 꿈꾸는 자"는 무정부주의자이다. "최상의 정부는 무정부다." (베드로후서에 나오는 자유주의자들이 바로 여성운동, 동성연애해방운동, "자유, 평등, 박애" 운동, 팔레스타인해방기구, 코소보 해방 기구 등에 참여하는 자들이다.) 그들은 추종자들에게 "자유"를 약속하지만, 그 자유라는 것은 죽이고 더러운 죄악을 자행하는 것이다(벧후 2:18, 『**육신의 정욕과 더 많은 방탕함으로 유혹하며**』).

종교적 영역에 있어서 이를 가장 잘 보여 주는 예가 마호메트다. 그는 온 힘을 다해 "잔인한 짐승들"의 두 가지 기본적인 본능이 종교적으로 허용되는 종교를 만들어냈다. 즉 자유롭게 음행하고, 적들을 자유로이 죽이는 것이다. 이것이 바로 이슬람이며, 마호메트가 그의 아내들 사이에서 간질병 발작을 일으키며 "가브리엘" 천사와 이야기하고 난 후로 이것이 그들의 신조가 되었다.

바쿠닌은 골수 자유주의자였다. 역사 속에서 인간이 만들어낸 신이 두 명 있는데, 바로 볼테르와 찰스 다윈이다. 그들 둘 다 성경을 거부하는 바보들이었고, "인간의 지성을 해방"시켰다는 찬사를 받았다. 다윈은 조금 특이한 발상을 했는데, 즉 자신의 지성을 원숭이, 고릴라, 오랑우탄 등으로부터 물려받았다고 주장했다. 자유주의자들은 가난하고 고독하고 망상에 사로잡혔고 음행을 일삼는 그 죄인이었던 볼테르를 이렇게 평했다. "그는 인간의 지성에게 큰 자극을 주었다. 그는 자유를 얻도록 우리를 준비시켜 주었다.” 그러나 그 뒤에 닥친 것은 “공포정치”였으며, 그후에는 나폴레옹의 독재가 있었으며, 프랑스는 그후 1871년 비스마르크에게 넘겨졌고, 다시 1940년에는 히틀러에게 넘어갔다. “볼테르, 잘했어. 그렇게 하는 거야!”

다윈의 등장 후, “원숭이 인간들”은 원숭이로부터 진화된 지성으로 원숭이처럼 광기를 부리며 난동을 부리기 시작했다. 그들의 광기를 보여 주는 좋은 예가 있다. 그들은 히스테리적인 광기를 보이며 소리쳤다. “사상의 해방을 위해 다윈보다 더 위대한 일을 이룬 자유주의자는 역사상 일찍이 없었다. 〈종의 기원〉은 지성의 해방을 위한 진정한 대헌장이다. 인류의 역사 전체에 걸쳐 이 책만큼 지성의 해방에 기여한 문서는 없다.”

그들이 이처럼 찬양해 마지않는 위대한 지성인 다윈이 지성의 해방에 대해서 마지막에 어떤 말을 남겼는지 아는가? 우리는 이미 예수 그리스도와 사도 바울이 지성의 해방에 대해서 무엇이라 말했는지 알고 있다. 예수님은 말씀하셨다. 『**그러므로 만일 아들이 너희를 자유롭게 하면 참으로 너희가 자유롭게 되리라**』(요 8:36). 『**진리를 알게 되리니 그 진리가 너희를 자유롭게 하리라**』(요 8:32). 바울도 말했다. 『**그러므로 그리스도께서 우리를 자유케 하신 그 자유 안에 굳게 서서 다시는 종의 멍에를 메지 말라**』(갈 5:1).

〈종의 기원〉의 저자인 찰스 다윈 스스로 그의 “대헌장”에 대해서 무엇이라고 말했는가?

그의 친구 헉슬리에게 편지를 썼을 때 그는 이렇게 말했다(1860년 8월 8일). “자네에게 다시 말하지만, 나라는 사람 자체가 절망적인 혼란덩어리이고 앞으로도 그럴 꺼야.”

즉 오늘날에도 혼란스러운 바보인 다윈을 추종하는 약 20억의 “해방된 지성인들”은 사실은 다윈과 똑같은 바보에 불과하다는 것이다. 『**너 어리석은 자야**』(눅 12:20).

"더러운 꿈꾸는 자들"과 "천사장 미카엘"이 좋은 대비를 이룬다. 그는 자신보다 높은 위치에 있는 자를 비방하거나 욕하지 않는다. 심지어 그것이 세상에서 가장 사악한 존재였을지라도 그렇게 하지 않았다. 다윈은 창세기 1장을 쓴 모세를 비방했고, 볼테르 또한 예수 그리스도를 비방하고 욕했다. "경건한 보수주의 학자 양반들"의 무지하고 엉뚱한 해석을 찾기 전에 〈킹제임스성경〉이 스카랴 3:1,2과 이사야 50:6-9에서 보여 준 향상된 계시를 주목하라.

1. 예수 그리스도께서 친히 마태복음 4:10이 되기까지 사탄을 책망하기를 시도하지 않으셨다. 미카엘처럼 그분께서도 사탄을 더 높은 권세를 가지신 분이신 아버지 하나님께 넘기셨다.

『그리고 주께서 사탄에게 말씀하시기를 "오 사탄아, 주가 너를 책망하노라. 예루살렘을 택한 주가 너를 책망하노라. 이것이 불에서 꺼낸 나무가 아니냐?" 하시니라』(슥 3:2).

모든 학자들은 이 말씀이 얼마나 무시무시한 의미인지 감도 잡지 못한다. C.I. 스코필드도 이에 대해서 단 하나의 관련구절도 제시하지도 주석을 달지도 못했다. 사실 본문은 성경에서 가장 위대한 구절들 중에 하나인데도 말이다. 위 본문은 사탄의 권리와 능력들과 특권들을 설명하는 것이며, 단 한명의 유명한 기독교지도자도 이를 깨닫지 못했다. 이는 또한 왜 하나님께서 아브라함에게 이삭을 죽이도록 시험하셨는지, 왜 사탄이 이제 심판받는지(요 16:11), 왜 욥이 그러한 고난을 통과했는지, 또한 왜 모세의 시신이 계속 묻혀 있지 않았는지 설명해 준다.

영적으로 도산한 리버티 대학 또한 스카랴 3:2을 찾아내지 못한다. 왜냐하면 포웰의 대학에서 가르치는 "성경"교사는 조명을 얻지 못하여 마치 성경에 9절이 없는 양 주석하지도 않고 건너뛴다. 무슨 추측 비슷한 것도 내놓지 못한다.

이것이 1982년에서 2003년까지의 그들의 "근본주의들의 학자의 자질"인 것이다.

2. 주께서 신약의 마태복음 17장에서 모세의 몸을 다시 쓰시려는 의도를 가지고 계셨다. 그리고 이 일은 "혼적인 몸"으로는 불가능한 것이다. (고린도후서 12:1-4과 그 해당 주석을 참조하라.) 주께서는 모세로 상징되는 『**율법**』과 엘리야로 상징되는 『**선지서들**』을 성취하시기 위해서 모세의 몸이 필요했던 것이다. 모든 주석가들은 모세가 두 번 죽어야 한다는 사실을 잊었다. (계시록 11:7과 그 해당 주석을 참조하라.) 요나, 나사로, 야이로의 딸, 수넴 여인의 아들(왕상 4:8)도 두 번 죽었던 사람들이다. 이는 대환란에서 죽임을 당하는 순교자들은 천년왕국에서 다시 나이가 들어 죽게 될 것임을 가리킨다(계 6:9; 20:1-4, 사 66:20).

성경을 수정하고 고치는 자들은 모두 이번에도 우리의 기대를 저버리지 않고 모든 관련 구절들을 놓치고 만다. 그들은 어떤 헬라어 혹은 히브리어 필사본에서도 관련 구절들을 찾아내지 못한다.

성경대로 믿는 그리스도인들은 수천 명이 한 나무에서 나는 열매를 먹음으로써 "영원히 살게" 될 것임을 안다(창 3:22, 계 22:14). 물론 〈킹제임스성경〉의 본문에서 한 단어를 수정함으로써 자신의 신념을 정당화하려 했던 존 R. 라이스는 계시록 22:14; 12:17; 14:12 등을 믿지 않았다. 그래서 그는 모든 관련 구절들을 찾지 못하게 되었을 뿐만 아니라, 이와 연관된 계시들도 받지 못하게 되었다.

계시록 22:14은 존 R. 라이스가 신학적 자살을 기도한 곳이다. 그는 적어도 계시록 22:14에서만큼은 〈킹제임스성경〉을 버리고 그가 추천하는 1901년 ASV를 받아들이라고 추천했다. 그가 그렇게 행한 것은 그가 멍청하고 자아 중심적이었기 때문이다. 그는 당신이 그의 의견들이 〈킹제임스성경〉 본문보다 더 우월하다고 믿기를 원하는 것이다. 그의 뒤를 이은 〈주의 칼〉

지의 편집장들도 다 하나같이 그 모양이다.

3. 왜 9절에서 천사장 미카엘이 했던 것처럼 주께서 사탄을 『주』께 넘기셨는가 하는 이유는 마태복음 4장이 되기까지 사탄 또한 자신의 영역을 주장할 수 있었기 때문이다. 그는 주께서 만약 그를 책망하신다면 주 하나님을 고소할 수 있었다. 이 부분에 대해서는 히브리서 주석서에서 충분히 다뤘다(히 5:8,9).

사탄은 욥을 고소했듯이(욥 1,2장) 당신을 고소할 수 있으며(계 12:10), 베드로를 시험했듯이 당신을 시험할 수 있다(눅 22:31). 하지만 사탄이 하나님도 고소할 수 있다면 어떤가? 얼마나 엄청난 권세인가! 권세에 있어서 사탄과 비길 피조물이 없는 것이다. 사탄은 욥이 똑같은 일을 자행하도록 시험한 것이다. 그리고 그는 욥이 하나님을 고소하도록 하는 데 성공했다!

『사람이 무엇이기에 주께서 그를 높이시나이까? 주께서 주의 마음을 그에게 두시나이까? 주께서 매일 아침 그를 찾아보시며 매 순간마다 그를 시험하시나이까?』(욥 7:17,18)

『일이 다 한가지라. 그러므로 내가 말하기를 '그분은 온전한 자와 악한 자를 멸망시키신다.' 하였도다. 만일 갑작스러운 재앙이 사람을 죽이면 그분이 무죄한 자의 시련을 비웃으시리라. 세상이 악인의 손에 주어졌고 그분은 그 재판관들의 얼굴을 가리셨으니 그렇지 않다면 그가 어디에 있으며 누구리요?』(욥 9:22-24)

『강도들의 장막들은 번성하며 하나님을 **진노케 하는 자들은 평안하니** 하나님**께서 그들의 손에 풍성하게 가져다 주심이라』**(욥 12:6).

『내 손에는 불의가 없고 내 기도도 순결하도다』(욥 16:17).

『하나님**이 나를 넘어뜨리시고 그의 그물로 나를 에워싸셨음을 이제 알라. 보라, 내가 잘못되었다고 부르짖으나 응답받지 못하고 내가 크게 부르짖어도 심판이 없도다』**(욥 19:6,7).

『**나의 심판을 취해 가신** 하나님**과 나의 혼을 괴롭게 하시는** 전능하신 분**께서 살아 계시니**』(욥 27:2).

『하나님**께서 내가 너희를 의롭다고 하지 못하게 하시니 내가 죽기까지 나의 온전함을 버리지 아니하겠노라. 내가 내 의를 굳게 잡고 놓치지 아니하리니 내 마음이 내가 사는 동안 나를 책망하지 아니하리라**』(욥 27:5,6).

리버티 대학의 교수진은 진리를 찾아내지 못했지만, 이처럼 위대한 절대 진리의 보고가 유다서 9절 뒤에 숨겨져 있는 것이다!

천사장 미카엘이나 하나님의 아들께서도 왜 마귀를 함부로 대하지 않았는지 알겠는가? 정답은 욥기에 있다. 다음 구절들은 사탄을 대신해서 욥이 말하는 부분이다.

『**내가** 하나님**께 말씀드리오니 나를 정죄하지 마옵소서. 어찌하여 주께서 나와 논쟁하시는지 내게 보여 주소서. 주께서 억압하사 주의 손으로 지으신 것을 멸시하시고 악인의 계획에 빛을 비춰 주시는 것이 주께 선하니이까? 주께서는 육신의 눈을 가지셨나이까? 아니면 주께서는 사람이 보듯이 보시나이까? 주의 날들이 사람의 날들과 같나이까? 주의 연수가 사람의 날들과 같아서**』(욥 10:2-5).

꼼꼼히 살펴보았는가? C.I. 스코필드의 편집진은 이러한 진리를 찾아내지 못했다. 그들은 심지어 신약에도 그들의 코앞에 이러한 진리가 제시되어 있는데도 알아보지 못한 것이다.

『**그는 육체로 계시는 날들 동안 자기를 사망에서 구원하실 수 있는 분께 심한 통곡과 눈물로 기도와 간구를 드렸고 하나님께서는 그의 두려워하심을 인하여 들으셨느니라. 그가** 아들**이면서도 고난받은 일들로 순종을 배워서 온전하게 되심으로 자기에게 순종하는 모든 사람에게 영원한 구원의 근원이 되셨고**』(히 5:7-9).

성육신 이전의 말씀께서는 육신으로 나타나시기까지 사탄과 정면대결을 하시지 않은 것이다. 욥이 말했듯이 주께서 신격의 한 구성원으로서가 아니라 『**사람이 보듯이**』『**육신의 눈을**』 가지시게 되자, 그분은 친히 삼위일체의 한 죄 없는 구성원으로서가 아니라 한 인간으로서 『**모든 점에서 우리와 마찬가지로**』 시험을 받으셨다. (히브리서 4:11,13에서 『**우리**』는 사람들을 가리킨다.)

주님은 마태복음 1장 이전에는 사람이 아니셨으며, 예수 그리스도께서는 사람으로서 마귀를 그의 홈그라운드에서(눅 4장) 『**이 세상의 신**』인 마귀를 이기신 것이다(골 2장). 예수님께서는 마귀를 혼내셨으며, 그에게 도전하셨고(사 50:7-9), 그와 육박전으로 맞붙은 것이다(사 50:5,6). 주님은 마귀의 가장 강력한 공격을 받으시고도(골 2:14,15), 마귀를 K.O. 시키셨다(요 14:30). 즉 스카랴 3:1,2의 하나님으로서가 아니라, 사람으로서 이기셨다.

이것이 왜 미카엘이 마귀를 책망하기를 거절한 이유이다. 그는 그렇게 할 수가 없었다. 오직 하나님께서만이 완전한 사람으로서 그렇게 하실 수 있었으며, 한 사람으로 나타나신 예수 그리스도께서 이 일을 이루신 것이다. 주님께서 이 일을 이루신 것은 구약이 아니라 신약에서였다.

그러면 무오한 〈킹제임스성경〉이 주는 심오한 계시를 뒤로하고 성경을 신뢰하지 않는 어리석은 기독교학자들이 무엇이라 설명하는지 살펴보자.

"본문에 묘사된 사건은 〈모세의 승천기〉라는 외경에 더 자세하게 설명되어 있다."

사실 이 말은 별 의미가 없다. 그리고 〈모세의 승천기〉에서 성경과 일치하는 사건이 하나 있다고 해서 그것이 뭐가 대단하겠는가? 그리고 분명 저자는 세부적인 부분에 가서는 성경과 배치되는 거짓말들을 늘어놓았을 것이 분명하다. 사탄이 모세의 시신을 파내는 것을 미카엘이 책망하는 장면만이 언급되고 있다. 개인적으로 〈모세의 승천기〉를 읽어 보지는 않았다. 그러나 나는 토빗, 유딧, 벨과 용, 집회서, 솔로몬의 지혜, 베드로복음, 에녹의 비밀들, 예수의 탄생, 열두 족장의 언약, 도마복음, 빌라도행전, 지하세계로 내려가심 등의 외경들을 읽어 봤다.

이 책들의 내용은 별반 차이가 없다. 이미 기록된 성경의 내용을 아는 자들이 이러한 외경들을 기록했을 뿐이다. 그들은 영감받지 않은 상태에서 그냥 말했을 뿐이다. 그들은 성령께서 의도적으로 비워 두신 성경의 공백들을 채우려는 동기에서 기록되었다. 성령께서 이렇게 하신 데는 다 이유가 있다. 1. 성령 하나님께서는 우리가 그 내용이 필요하다고 생각지 않으셨다. 2. 성령 하나님께서는 성경 말씀들을 자신의 지성으로 거부하는 자들을(고전 1:21) 혼란케 하고, 적으로 만들며, 화나게 하시려고 그렇게 행하셨다(겔 14:1-10). 이들은 지혜를 사랑한다고 하는 철학자들과 학자들이다(골 2:8). 『**그는 현명한 자들로 그들의 간계에 빠지게 하시며**』(욥 5:13).

외경에서 예수님의 출생을 말할 때, 마리아를 "노트르 담"("우리의 성녀"), "성녀," "성녀 마리아"라고 부르는 것을 볼 수 있다. 또한 아픈 사람들이 아기 예수님의 기저귀를 얼굴에 비빔으로써 낫게 되는 이야기도 있다. 예수님께서 진흙으로 비둘기들을 만드시고 그것에 생명을 주는 얘기도 나온다.

이런 외경이 어쩌다가 두세 구절에서 성경과 일치되는 것을 말했다고 치자. 그것이 무슨 의미가 있는가? 만약 부처가 "너의 눈으로 보는 것은 참된 실제가 아니다."라는 말을 실제로 말했다면 그는 그 부분에서만큼은 옳은 말을 한 것이다. 그가 바울이 고린도후서 4:18과 히브리서 11:1-4을 쓰기 600년 전에 이러한 말을 했다는 사실이 무슨 특별한 의미가 있는가? 이는 단지 죄인이 지속적으로 거짓말을 하지만 그 머리를 통해서 가끔은 진리가 나오기도 한다는 사실을 의미할 뿐이다. 바울이 부처에게서 뭔가를 빌려온 것이 아니다. 바울과 부처가 어떤 점에서 일치했다면 그것은 부처가 세상을 헤매다가 우연히 그 진리를 깨닫게 되었다는 것을 의미할 뿐이다. "가브리엘"이 마호메트에게 마리아가 처녀였다고 말한 것이 영감받지 못한 것처럼, 부처가 삼매경에 대해 쓴 것도 전혀 영감이 없는 것이다. 물론 마리아는 처녀였다. 그래서 어쨌다는 것인가? 동정녀 마리아가 낳은 아들께서 죄인들을 위해서 죽으셨다는 것이 중요하다. 그러나 마호메트가 말한 동정녀 마리아는 이와는 다르다. 마호메트가 말하는 동정녀 마리아는 마호메트와 같은 아들을 낳았을 뿐이다. 그리고 그는 누구를 위해서도 십자가에서 죽지 않았다.

이제 이러한 것들은 외워 버려야 한다. 독자들이 눈만 크게 뜨면 신약성경이 기록되기 이전에 기록된 수많은 문서들이 모세의 죽음, 장사, 승천과 신약의 동정녀 탄생과 그리스도의 신부와 육체의 부활, 삼위일체, 피의 속죄, 지옥, 육신을 입기 전의 신들, 구원자들, 에덴과 같은 천상의 "정원들"에 대해 말하고 있기 때문이다. 히슬롭의 〈두개의 바빌론〉을 읽으면 약 B.C. 5년에서 B.C. 1500년까지의 기록들로, 신약성경의 약 100여 가지 교리들과 사건들을 시사하는 자료들을 읽을 수 있다. 그리고 이것은 그리스도께서 오시기전이다. 그 중 하나도 사실이 아니며, 또한 실제로 일어난 일이 아니다.

구약에서 일어나는 일은 역사이다.

수트라스, 푸라나스, 샤스타스, 젠다베스타 등에는 역사가 없다.

신약에 기록된 것은 역사 속에서 일어난 것이다.

이것이 왜 모든 성경비평가들이 성경의 역사적인 요소들 즉 이름들과 날짜들과 장소들과 기적들을 의심하는 이유이다. 그들은 성경을 이방종교 곧 카톨릭, 이슬람, 불교, 도교, 힌두교, 진화론 등의 신화쯤으로 끌어내리려 하는 것이다. 예를 들어서 코란이 자신을 경건하고 종교적으로 보이고자 하는 타락한 죄인이 쓴 철학적인 추측들에 불과하다는 사실을 입증하는 가장 확실한 증거는 114개의 수라에서 마호메트가 단 한 번도 실제로 역사에서 일어날 중대한 사건을 세부적으로 예언한 적이 없다는 것이다. 그는 단지 어떤 나라들이 어떤 전쟁들에서 이길지도 모른다 정도의 추측들을 했을 뿐이다. 죄인들이 권투, 농구, 축구 등을 놓고 돈을 걸며 도박하는 것과 똑같은 수준인 것이다.

그 어떤 지성인도 코란을 거룩하다고 부를 수 없는 이유가 무엇인지 아는가? 왜냐하면 거룩한 책인 성경은 1,817개의 예언들을 기록하고 있으며, 이 모든 예언은 그 예언하는 사건들이 역사적으로 일어나기 전에 기록되었다. 성경의 예언들은 세부적으로 737개의 서로 다른 주제들을 다루고 있으며, 이것은 암살들과 군주들의 등극과 폐위, 태어나지도 않은 사람들의 이름들, 한 사람이 살 연수, B.C. 550년부터 A.D. 2010년까지 이르는 세계 패권의 향방, 한 특정한 사람이 아프게 되고 다시 낫게 되는 일, 그 중 세 가지는 아직 일어나지 않은 일곱 가지 부활들, 한 사람이 알기도 전에 먼저 소명이 주어지는 경우, 물고기의 입에서 세금을 낼 돈을 찾는 일, 한 사람이 특정한 사실은 부인하고 또 어떤 사실은 시인한다는 내용과, UN의 결말과 성경을 거부하는 자들의 결말, 한 사람이 어떻게 덫을 피할 수 있는가와 한 사람이 대답하기도 전에 그의 대답이 어떠할지와 한 사람이 구체적으로 어떤 방식으로 죽게 될 것인지와 미래의 일어날 일과 관련되어 그 정확한 기후와 날씨를 기록하고 있다.

그리고 이것은 단지 그 일부에 불과하다. 성경의 31,102구절들 중 약 27%는 예언이며, 그것은 역사와 시간 속에서 실제로 일어났거나 앞으로 일어날 일들이다. 즉 8,352구절들이 예언인 셈이다.

이러한 성경의 예언과 비교하자면 마호메트의 코란은 추잡한 습작에 불과하다.

그는 "예언자" 혹은 "선지자"라고 불리지만, 한 번도 제대로 된 예언을 한 적이 없다. 누가 이런 인물이 지껄여댄 것을 거룩하다고 부르겠는가?

마호메트는 어떤 의미에서도 예언자가 아니다.

모든 사도들은 선지자(예언자)였다. 심지어 유다까지도 그러했다. 모든 이세벨의 성경교사들도 예언자들이었다. 즉 그들은 450명의 거짓말쟁이들이었다(왕상 18장). 마호메트, 진 딕슨, M.L. 킹, 니체, 조로아스터, 마르크스, 히틀러, 모든 진화론자들이 어떤 자들인지는 성경이 잘 밝혀주고 있다. (겔 13:3,4; 14:4-10; 22:28, 사 9:15; 28:7; 29:10, 렘 23:15,16,21,25,26, 28,30,33)

그러므로 어떤 거짓말쟁이가 말한 것을 누군가가 다시 옮겨 놓은 것이 바로 〈모세의 승천기〉가 된 것이다. 필시 그 내용의 4%는 어딘가에서 베낀 것이며, 어쩌면 10%가 넘을 수도 있다. 제미에슨, 포셋, 브라운은 이러한 전통에 대해서 바로 지적하였다. "영감을 받은 유다는 전통에서 어느 정도가 진실이며 혹은 거짓인지 알 수 있었다. 우리는 그러한 구분을 위한 방법이 없다. 그러므로 우리는 기록된 말씀에 포함된 전통을 제외하고는 그 어떤 전통에 대해서도 확신할 수 없다"(p.652). 정확한 주석이다. 특히 모든 카톨릭신자들이 성경과 동일한 권위를 가진 것으로 믿는 모든 "카톨릭 전통"에 있어서 그러하다.

『**성경**』이 마리아의 무염시태, 림보, 연옥, 면죄부, 묵주기도, 성체성사, 마리아의 영원한 처녀성, 교황직과 주교직 등을 지지하지 않는다면, 우리는 이런 전통들을 모두 〈모세의 승천기〉나 〈에녹의 책〉 등의 외경과 같이 폐기해야 하는 것이다. 카톨릭 전통에 따르면 대주교(Archbishop)가 예수 그리스도보다 높은 지위이다. 왜냐하면 성경은 예수 그리스도를 우리의 감독(Bishop)이라고 말씀하기 때문이다(벧전 2:25).

NEB의 주석가들은 미카엘과 마귀가 대결한 것을 그럴법하게 설명하려고 노력하지만, 그들은 마귀가 "모세의 몸은 물질적인 것이기 때문에" 자신에게 속한다고 주장했다고 얼버무린다. 신구약을 통틀어 볼 때, 이런 주석은 종이 낭비일 뿐이다.

얼마나 어리석으면 사탄이 사람들의 혼들이 떠난 죽은 시체들을 원한다고 생각했겠는가?(창 35:18) 만약 사탄이 모세의 몸을 소유한다면 그것을 가지고 무엇을 하려고 했는가? 느보 산에서 내려와서 모든 이스라엘인들에게 그가 거짓말했고, 여호와 하나님께서도 거짓말했다고 말하려고 그랬는가?

『내가 주께 간구하오니, 나로 건너가게 하소서. 요단 건너편에 있는 아름다운 땅과 아름다운 산지와 레바논을 보게 하소서." 하였으나, 주께서는 너희로 인하여 내게 진노하시어 내게 들으려 하지 아니하시고, 주께서 내게 말씀하시기를 "그것으로 충분하니, 이 일을 더 이상 말하지 말라. 너는 피스가 산 정상에 올라가서 서쪽과 북쪽과 남쪽과 동쪽을 향해 눈을 들라. 네 눈으로 그것을 보라. 이는 네가 이 요단을 건너지 못할 것임이라』(신 3:25-27).

한번 상상해 보라! 사탄이 그런 짓을 하는 것을! 그는 하나님께서 만드신 피조물 중에 가장 영리한 피조물이다(겔 28장).

사탄이 모세의 몸이 거기 남겨져 있기를 원한 것은 그가 성경의 상당 부분이 기록되기 전에 그 내용을 이미 알고 있었기 때문이다. (〈UFO를 둘러싼 음모〉를 참조하라.) 그가 알지 못하는 내용일지라도 요셉과 생애를 관찰해 왔고, 모세가 모세오경을 기록하기 이전에 말한 욥의 말에 주목했다면 추측해 낼 수 있었을 것이다. 사탄은 항상 이 세상에 있는 어떤 IQ 250 이상의 지성인이나 컴퓨터 시스템과 비교할 때 1,000배 이상 많은 정보를 갖고 있다.

새벽 1시쯤 미카엘이 "시체도둑"이 되어 나타난다. 그리고 땅을 파기 시작한다. 별안간 뒤에 누군가가 서 있음을 느낀다. 뒤돌아보지 않아도 알 수 있는 섬뜻한 느낌을 주는 존재가 와 있는 것이다. 그러나 그는 계속 땅을 판다.

"거기 뭐 하고 있는 거야?" 『**아침의 아들**』이 묻는다.

"주께서 이 사람의 몸을 원하셔. 그래서 내가 가지러 왔을 뿐이야."

"안 돼. 당장 멈춰!" 마귀가 말한다. "첫째 부활이나 둘째 부활을 위한 때가 되지 않았으니까 가져갈 수 없어. 메시야가 나타날 때까지 죽었든지 살았든지 그 누구도 셋째 하늘에 올라갈 수 없다고 성경이 말씀하시잖아."

계속 땅을 파면서, 미카엘이 대답한다. "뭐라고? 그러면 에녹은 어떻게 된 건데? 주께서 그를 데려가셨잖아?"

"그렇지, 그러나 그는 살아서 하나님과 동행한 사람이잖아. 그러나 이 자는 죽었고, 하나님을 대적해서 죄를 지었기 때문에, 약속한 땅에 들어가지 못한 거야. 그는 마지막 날까지 여기에 남아 있어야 해!"

"글쎄," 천사장이 이마에 맺힌 땀을 닦으면서 말한다. "나는 너와 성경 논쟁을 할 시간이 없어. 그리고 성경이라면 나보다 너가 더 잘 알겠지. 그러니까 나의 하나님께서 너를 책망하시고, 입 다물도록 하시게 해야겠군. 『**오 사탄아, 주가 너를 책망하노라.**』"

〈모세의 승천기〉가 이렇게 결말을 맺지 않는다면, 그것은 단지 항간에 나도는 얘기를 듣고 쓴 소설에 불과하다. 하나님께서는 모세의 혼이 그의 몸을 입고 변화산상에 나타나기를 원했다. 주께서 출애굽기 19,20,34장에서 시내(호렙) 산에 나타나셨듯이 말이다. 또한 모세는 계시록 11:2에서 "시온" 산에서도 바로 이 장소에 나타날 것이며, 이때 그는 제단에서 거짓선지자와 대결을 펼칠 것이다(계 13:15-17). 이 거짓선지자는 엘리야가 대결했던 선지자들의 예표이며, 이들은 둘 다 하늘에서 불을 내리는 이적과 관련이 있다(왕상 18장, 계 13:13; 11:6).

주께서는 간단하게 신명기 34:5-6에서 사탄을 눌러 버리셨다.

모세는 그의 기도에 응답을 받았으며(신 3:25-27), 다만 1530년 정도 그 응답이 지체되었을 뿐이다.

『**사나운 짐승들처럼 본능적으로**』(10절). 베드로는 『**그들 자신의 타락 가운데서 완전히 멸망하게 되리라.**』고 덧붙인다(벧후 2:12). 이 구절을 보면 두 가지 신학사상이 생각난다. 첫째는 존 칼빈의 "택함받지 못한 자들"은 지옥에 가기로 예정되었다는 교리이다. 성경은 "예정"이라는 용어를 죄인의 구원받기 전의 상황과 연관하여 쓰지 않는다(롬 8:29, 엡 1:5,11). 극단적 칼빈주의자들이 기반으로 삼는 본문들에 대한 가장 확실한 연구서적은 로렌스 밴스 박사의 〈극단적 칼빈주의의 이해, *The Other Side of Calvinism*〉이다.

그러나 바른 성경을 읽고 연구하는 데 시간을 할애하는 성도라면 누구나 대환란과 관계된 구절들에서 "택함받지 못한 자들"이 등장하며 이들은 유다(마귀)와 카인(악한 자에게서 난자)과 같은 자들임을 잘 알고 있다. 『**세상의 기초가 놓인 이래로 죽임당한** 어린양**의 생명의 책에 그들의 이름이 기록되지 못하고**』라는 말씀은 이들에게 해당하는 말씀이다(계 13:8). 이 본문과 요한계시록 13:5. 마태복음 24:13, 히브리서 3:6,14; 10:26-33을 함께 공부하라.

본문과 연관하여 또 하나 마음에 떠오르는 것은 유다가 찰스 다윈과 그의 추종자들을 지지하는 듯이 보이는 말씀을 기록했다는 사실이다. 10절의 죄인들은 『**사나운 짐승들**』이다. 그들은 단지 사나운 짐승과 비슷하거나 유사한 것이 아니라, 사나운 짐승들로서 비방하고 자신들을 부패시킨다. A.D. 60년경에 한 진정한 선지자가 20세기의 사람들을 "사나운 짐승들"이라고 부르는 것이 놀랍지 않은가! 21세기의 인간들은 그들이 200만 년 전부터 정글을 배회하다가 스스로의 "잔인함"과 "사나움"에서 벗어나게 되었다고 말하지 않는가 말이다. 유다가 하나님의 말씀을 기록할 때 그는 앞으로 19세기 후에 있을 일들을 알고 있었던 것이다.

이것이 진화가 아니라 역(逆) 진화가 작용하는 것이다. "인간"은 자신이 진보하고 있다고 생각하지만, 그는 퇴보하고 있을 뿐이다. "인간이 더 인간과 유사한 기계를 만들어내면 낼수록, 인간은 더욱더 기계처럼 될 뿐이다."

하나님께서는 엘리야 또한 그의 몸과 함께 취하길 원하셨다(마 17:1-6). 엘리야는 산 채로 들림받았고 후에 죽게 되며(계 11:7), 모세는 죽고 난 다음에 들림받았고 나중에 또다시 죽게 된다(계 11:7). 유다서에 관한 어떤 주석서도 이러한 진리를 다루고 있지 않다. 주석가들은 히브리서 9:27이 교리적인 진술이 아니라 일종의 예화이며, 성경에는 모세처럼 두 번 죽는 사람들이 많이 있다는 사실을 모른다.

1. 이 시대에 구원받고 주께서 오실 때 살아 있는 사람들은 죽지 않는다(고전 15:50-56). 이것은 분명하다. 그들은 들림받은 후, 결코 죽지 않는다. 에녹이 이들에 대한 예표이다.

2. 이 시대에 구원받은 죽은 성도들은 그리스도께서 오실 때 무덤에서 나와 영원히 살게 된다(고전 15:50-56). 예수 그리스도께서 친히 이들에 대한 예표가 되신다.

3. 구원받은 사람들이 이 땅을 떠난 후에(살전 4:13-18), 땅에 남아 대환란 "끝까지" 견디는 사람들이 있을 것이다. 이들이 환란을 통과하여 구원받는다면, 이들은 이 시대에 사람들이 나이 들어 죽듯이 천년왕국에서 자연사로 죽게 될 것이다(사 65:20).

4. 만약 그들이 모세와 엘리야처럼 순교당한다면(계 6,11장), 그들은 모세와 엘리야와 함께 들림 받고 그 후에 다시 돌아와(판 5:10, 솔 6:13) 아마겟돈에 나타날 것이며 천년왕국에서 다시 죽을 것이다. 그들의 예표는 유다서 9절에서와 같이 확실히 제시되어 있다. 바로 모세이다. (또한 유두고, 나사로, 요나, 나인성 과부의 아들, 도르카, 야이로의 딸 등도 예표가

된다.)

5. 만약 그들이 대환란 끝에 산 채로 들림받게 된다면(시 50:2-4, 욥 37:1-4, 마 24:31, 히 9:28), 그들은 천년왕국이 시작된 후에 죽게 될 것이다. 그들은 한 번만 죽는다. 그러므로 살아서 들림받은 엘리야가 그들의 예표가 되는 것이다.

유럽과 미국에 있는 어떤 성경교사도 어떤 히브리어, 헬라어 학자도, 또한 어떤 성경개정자도 방금 필자가 주석한 진리들을 발견하지 못했다. 그들은 모두 "축자적으로 영감받은 무오한 원본"에 정신이 팔려 있고, "원저자의 의도"를 "명확하게 오늘날의 영어"로 가져와서, 성경독자들로 성경을 "더욱 쉽게 이해하게" 하는 데 혈안이 되어 있다. 진실은 이렇다. 유럽과 미국에서 "기독교 고등교육"만큼이나 성경의 진리들을 깨닫는 데 방해가 되는 것은 없다. 정말 없다.

사탄이 그 혼이 떠난 죽은 시체를 원했다고 설명하는 주석서가 얼마나 웃기는지 생각해 보라! 만약 그가 죽은 시체를 원했다면, 그는 왜 하나님께서 모세의 몸을 묻으신 후 즉시 와서 그것을 가져가지 않았는가?(신 34장) 왜 지체하다가 미카엘과 다투느냔 말이다.

라오디케아 시대의 알렉산드리아의 이단에 속한 니콜라 당과 그들에게서 배운 자들만이 이러한 엉터리 주석을 할 수 있다. 똑같이 세뇌당한 것이다.

사탄은 오늘날까지 모세의 몸을 땅에 묻어 두길 원했다. 그렇게 되면 모세는 누가복음 1-3장과 마태복음 17장 등에서 유대인 메시아와 함께 나타날 수 없기 때문이다.

『이는 그들이 카인의 길로 갔고... 발라암의 잘못을 따라... 코라의 모반

으로 멸망하였음이라』(11절).

『**카인의 길**』은 죽이고 거짓말하는 것을 말하며, 그의 동기는 시기였다(요일 3:12, 창 4장).

『**발라암의 잘못**』은 『**발라암의 길**』(벧후 2:15)과 『**발라암의 교리**』(계 2:14)와 구분해서 공부해야 한다. 물론 NIV나 NASV와 같은 변개된 역본들로 공부하는 독자들은 의미를 명확하게 알기보다는 혼란에 빠져 올바로 나눌 수 없다. 이러한 현대 영어역본들에는 진리의 말씀을 『**공부하라**』는 단어 자체가 삭제되었기 때문이다. 변개된 역본들을 만들어낸 자들은 독자들을 그들 자신의 무지의 수준으로 끌어내리려는 것이다.

발라암의 『**교리**』는 계시록 2장에 나온다. 또한 민수기 25:1-9에 묘사되어 있다. NEB는 정신을 못 차리고 민수기 24:25과 베드로후서 2:15을 동일선상에 놓고, 계시록 2:14은 까맣게 잊어버렸다.

NEB의 주석가가 그 참조 구절을 빼먹은 것은 그 구절이 "육체적인 순결의 중요성을" 간과하고 "아마도 그의 행위들을 정당화한 것"을 말한 것이라고 생각했다(p.1284). 리버티 성경 주석은 본문에 대해서 입을 다물고, 발라암과 그의 잘못에 대해서 전혀 다루지 않는다. 리버티 성경 주석은 계시록 2:14은 바르게 주석했지만, 어떻게 발라암이 발락에게 뭔가를 가르칠 수 있었는지 설명하지 못했다. 민수기 24:25에서 발락은 발라암에게 나가라고 말하고, 그는 발락에게 어떤 것도 가르치지 않고 나갔다.

제미에슨, 포셋, 브라운은 신구약 모두를 내팽개치고 독자들에게 영적인 교훈만을 준다. 다른 주석가들도 설교 자료나 묵상에 적합한 내용 정도로만 일관하여 자신의 게으름과 어리석음을 가리려 한다.

제미에슨, 포셋, 브라운의 주석이다. "그 대가에 어쩔 줄 몰라하며 그들은 발라암처럼 이익을 좇아 달려간다"(p.652). 발라암은 하나님의 부분적인 허용 아래(민 22:34) "물주"를 따라 서둘러 갔다. 게다가 발라암은 돈으로 대가를 지불받는 것 이상으로 발락에게 정보를 제공했다. 성경을 보라(민수기 22-24장).

자, 이제 진지하게 성경을 공부할 시간이다.

1. 『발라암의 길』은 NKJB, TNIV, ASV, NASV, NJB, RSV, NRSV와 다른 150여 개의 변개된 영역본들에는 감추어져 왔다.

『**발라암의 길**』(벧후 2:15)은 돈을 사랑하는 것이다(딤전 6:10). 명확하다. 여기서 『**삯**』은 돈과 그것으로 구할 수 있는 것들을 말한다. 무슨 오해의 소지가 전혀 없다. 그는 돈을 사랑했다. 말하자면 발라암은 이전처럼 원하는 자를 저주해 주면 백지수표를 주겠다는 제안을 받은 것이며, 돈에 대한 욕심으로 침을 흘리기 시작한 것이다(민 22:6). 돈에 대한 사랑은 1900년 이후에 출간된 NKJV를 비롯한 모든 역본들이 디모데전서 6:10을 수정한 이유이다. 그들은 자신의 만행을 가리기 위해서 디모데전서 6:5도 변개시켰다. 쉽게 말해서 그들은 "이익이 경건이라" 여긴 것이다.

발라암의 삯은 불의와 연관된 것이었다. 그는 『**삯**』이 의로운 것이든 불의한 것이든 상관없이 『**삯**』을 사랑했다. 본문이 주석가들의 죄를 정확하게 지적하기 때문에 본문의 진리를 놓칠 수밖에 없었던 것이다. 똑같은 이유로 NIV, TNIV, NASV, NKJV 등은 로마서 1:18,25,28 등을 오역했다.

성경이 말하는 그대로 주석하자면 다음과 같다.

1. "발라암의 길"은 돈을 사랑하는 것이다. 모든 현대 기독교인 백만장자들과 "번영의 복음" 혹은 "순복음"을 전하는 은사주의 설교자들과 모든 성경 개정자들이 이 길을 가고 있다.

2. "발라암의 잘못"은 발라암이 민수기 24:25에서 발락을 떠난 후에 다시 그를 접촉한 것이다. 계시록 2:14과 민수기 25:1-4; 31:16 등으로 볼 때, 우리는 그가 발락에게 돌아가서 이스라엘을 저주하지 않지만 개인적인

조언을 준 것을 알 수 있다. 그것이 왜 발라암이 민수기 31:8에서 죽임을 당한 이유이며, 모든 주석가들은 이 점 또한 간과했다. 즉 발라암은 이스라엘을 직접 저주하지 않고도 그들이 저주받게 하는 방법을 찾았고(민 31:16), 그런 방식으로 우리는 발라암이 희생제들을 드렸을 때(민 24:9) 그가 얻을 수 없었던 것을 얻었음을 알 수 있다(민 24:10-13).

3. 『**발라암의 교리**』는 대부분의 주석가들도 주석해 놓았다. 그러나 리버티 성경 주석은 이 부분도 주석하지 못했다. 그것은 발락에게 어떤 선지자가 와서 저주하지 않아도 이스라엘을 멸망케 할 수 있는 방법을 보여준 것이다(민 22:6). 이 『**교리**』는 이세벨의 『**교리**』와도 일치한다. 계시록 2:14과 계시록 2:20을 비교해 보라.

이 교리를 현대판으로 고치자면 로마카톨릭이 『**우상 목자**』(슥 11:17)의 주도 아래 문자 그대로 수백 개의 『**우상들**』이 있는 곳에서 "성체"를 희생제라 여기며 먹는 행위이다. 그러나 성경은 단 한 번도 주의 만찬을 희생제라고 말하지 않는다(히 10:8-12). 그들의 마귀들린 『**목자**』는 전 세계의 모든 성경에 기록되어 있는 출애굽기 20:4의 제2계명이 없다고 주장한다.

『**너는 어떤 새긴 형상도 네게 만들지 말고**』라는 말씀을 영원히 제거하기 위해서 제2차 바티칸공회 이후에 출간된 공식적인 로마카톨릭 교리문답은 십계명을 마태복음 22:39의 두 번째 계명으로 대체시켰다. 그 계명이 돌판에 기록된 원래의 제2계명을 대체시켰다는 인식을 심어 주기 위해서 그렇게 한 것이다(출 20:1-17, p.151를 보라).

십계명 중 두 번째 계명은 출애굽기 20:4에 기록되어 있듯이 『**너는 어떤 새긴 형상도 네게 만들지 말고**』이다. 이 계명을 지켰더라면 수많은 사람들이 하나님의 진노로부터 구원받을 수 있었을 것이다(출 20:5). 그럼에도 로마카톨릭은 1973년 제2차 바티칸공회 이후로 이 계명을 삭제하든지 아니면 또 다른 계명 하나를 발명해 내든지 결정해야 했다. 그들은 형상 곧 우상들을 간직하고 숭배하기 위해서 열 번째 계명을 반으로 나눈 것이다. 그러나 그들이 발명한 열 번째 계명은 1973년에 발간된 공식적인 로마카톨릭 교리문답에 등재되지도 않았다. 이 교리문답은 아홉 번째 계명에서 끝나는 것이다(p.171).

제2차 바티칸공회에 이르기까지 모든 십계명 목록에 포함되어 있었다. 1,500년 이상 출애굽기 20:17의 상반절은 아홉 번째 계명이었고 나머지 하반절은 열 번째 계명이었다.

카톨릭은 더 이상 십계명을 믿지 않는다. 로렌스 로바스키(Rev. Lawrence Lovaski)가 쓴 〈St. Joseph New American Catechism〉에 따르면 하나님께서는 모세에게 십계명을 주신 것이 아니라, 오직 아홉 개의 계명들만 주신 것으로 기록되어 있다(p.171, paragraph 140). 로마카톨릭 교리문답서로 학생들에게 퀴즈를 낼 때도, 학생들은 제1계명부터 제9계명이 무엇이냐 질문받았을 뿐이다. 제10계명은 출제도 되지 않았다.

미국에 있는 그 어떤 개신교 혹은 로마카톨릭 지도자도 그들이 제2계명을 삭제한 것을 눈치채지 못했다. 교황도 결코 말한 적이 없다. 로버트 슐러나 빌리 그래함도 마찬가지다.

바알 숭배다. 이는 바알, 발라암, 발락, 바알을 숭배한 이세벨을 통칭한다(왕상 16-18장).

이것이 모든 주석가들이 『**길**』과 『**잘못**』과 『**교리**』의 차이점을 설명하기 거부하는 이유이다. 그들은 모두 "연합," "교량을 만드는 일," "대화," "통합," "유사점" 등을 숭배하는 자들이다.

『**음행**』은(계 2:14) 예배의식의 일부분이며 대부분의 이교도들의 실행이 그러하다(B.C. 3000년부터 A.D. 2000년에 이르기까지). 그들에게 태양은 "바알"이며, 달은 "아스타롯"이다(판 2:13).

남성과 여성. (이시스와 오시리스, 탐무즈와 이쉬타, 일라라와 시, 슈와 테프눗, 비스와 마마 등). "알라"는 아랍인들이 그를 그렇게 부르기 전에 중동에서 그를 부르는 또 다른 이름이 있었다. 고대 이라크와 이란의 달 신은 "씬"(SIN, 죄)이라고 불렸다. 이 신은 자기의 이름을 딴 도시들(겔 30장)과 광야들이 있었다(민 33장). 모슬렘들이 그들의 신의 원래 이름을 고수했다면 그들의 신앙고백이 어떤 가관이 되었을지 한번 생각해 보라.

"오직 한 분 하나님 곧 '씬'이(죄가) 계시며, 마호메트가 '씬'(죄)의 선지자다!" 그야말로 편파적인 발언이라고 몰아붙일 것이다. "온 세상은 '씬'을(SIN, 죄를) 경배하라." "우주의 주인이신, '씬'을(SIN, 죄를) 찬양하라!"(수라 1) "자비를 베푸시며 자비로우신 '씬'(SIN, 죄)의 이름으로..." "하늘와 땅의 조성자이신 '씬'을(SIN, 죄를) 찬양하라." "'씬'과(SIN, 죄와) 그의 선지자를 믿는 사람들은..."(수라 24:62).

〈코란〉이 말한 그대로를 믿는다면 실제로 그들은 "씬" 곧 죄를 섬기는 자들이다. 〈코란〉은 손을 잘라버리고, 무력으로 전 세계를 정복하고, 네 명의 아내와 음행하고, 당신의 원수들에게 복수하고, 유대인들과 힌두교인들과 그리스도인들을 살해하라고 가르치지 않는가! 나는 아라비아인 울라마와 이맘들이 이 부분을 해명하려고 애쓰는 것을 지겨울 정도로 지켜보았다.

『**음행**』은 남자 대 여자, 남자 대 남자, 여자 대 여자로 이뤄진다. 많은 이교도들의 신들이 남성 동성애자나 남녀 양성애자였다(아이기스토스, 옴팔레, 아폴로 등). 또한 이교도 신들이 흔히 근친상간을 행하듯이, 로마카톨릭 신부들은 남색을 좋아하고, 로마카톨릭 수녀들도 동성연애의 죄를 저지른다. 사람들이 숭배할 만한 그럴 듯한 "신"이 있다면 그 신은 뭔가를 만들어내는 창조자여야 한다. 성적인 재생산은 항상 "뭔가를 창조하는 것"과 연관되어져 왔다. 따라서 『**멸망의 아들**』이 등극하자마자 『**음행**』이 주일예배의식의 일부분으로 재도입될 것이다.

『**코라의 모반**』은 민수기 16장에 기록된 코라와 다단과 아비람의 반란을 말한다.

이것은 하나님께서 정하신 종교적 권위에 대한 반란이었다. 로마카톨릭은 교황과 카톨릭 체제가 추기경에서 신부에 이르기까지 하나님께서 정하신 가장 높은 종교적인 권위라고 왜곡한다. 물론 이런 교리는 성경적으로 말도 되지 않는 것이다. "사도들의 통치자"인 베드로에 따르면(벧전 2:9), 모든 성도가 제사장이라는 의미 외에 신약에서 하나님께서 정하신 제사장직은 없다(벧전 2:5).

예수 그리스도의 『**거룩하신 아버지**』께서는 지상에서 그분 외에 그 어떤 다른 존재를 『**거룩하신 아버지**』 혹은 신부(神父)로 세우신 적이 없다. 모든 교황들은 사기꾼이며 신성모독자들이다. 즉 하나님께서 마리아에게 그녀의 남편의 권리를 빼앗아(고전 7:5, 살전 4:6) 예수 그리스도 외에 어떤 자녀들도 가지지 말도록 말씀하셨다는 개념 자체가 신성모독적인 것이다(시 69:8, 요 2:17).

아론과 모세의 "다스림"은 히브리서 13:17과 디모데전서 5:1,17,19의 "다스림"과 유사하다. 그것은 신약에서의 목자의 "권위"와도 같으며, 모세가 신정 통치 상황에서 『**여수룬에서 왕**』이었다는 사실이 다르다(신 33:5). 그는 군대들과 법 집행을 관할하고 있었다(민 31, 출 18장). 모세가 이러한 흠모할 만한 권력의 지위에 있었기 때문에 그후에 생긴 두 개의 다른 종교체계들은 이러한 구약적인 체계를 모방하고 위조하여 자신이 원하는 것을 성취하고자 했다. 즉 모든 "불신자들"을 죽이는 것이며(출 34:10-11, 신 1-6장) 왕들로부터 사유재산을 몰수하는 것이다(수 12장). 또한 "제사장"들을 두어 법정에서 문제들을 처리하고(신 17:6-11), 이들이 정부의 돈으로 먹고 살 수도 있었을 것이다(에 7:21-26, 느 2:8). "제사장"으로서 사무엘은 합법적으로 왕들을 죽일 수 있었고(삼상 15:33), 왕들을 지도할 수 있었다(삼상 15:1,22,26). 이것이 모든 로마카톨릭 교황들의 간절히 바라 마지않는 목표이다. 즉 그들은 종교적 제사장직으로 세속 정부들을 통치하고자 하는 야욕을 가지고 있는 것이다.

마호메트는 "불신자들"을 대항하여 군대를 형성하기 위해 그의 병사들로 모두 그가 신명기 18장의 "모세와 같은 선지자"라고 믿게 했다. 이것은 그가 그의 말을 듣는 모든 사람들을 판단하는 최고 판사가 되는 것을 의미한다. 그는 점잖게 자신이 "알라"라고 고백했다. 하나님의 말씀을 보라. 『**주 너의** 하나님**께서 네 가운데로부터 네 형제들 가운데서 나와 같은 한** 선지자를 **네게 일으키시리니 너희는 그에게 경청할지니라... 그가 내 이름으로 말할 내 말들에 경청하지 않는 자는 누구라도 내가 그에게 그것을 요구하리라**』(신 18:15,19).

이런 주장은 마호메트가 고의적으로 성령님을 모독했음을 보여 준다. 왜냐하면 성령님께서는 베드로를 통해서 이렇게 말씀하셨기 때문이다. 『**모세도 실로 조상들에게 말하기를** '주 **너희** 하나님**께서 너희 형제 가운데서 나와 같은 한 선지자를 너희에게 일으키시리니 너희는 그가 너희에게 무엇을 말하든지 그에게서 모든 말을 들으라**』(행 3:22).

쉽게 말해서 마호메트는 예수 그리스도에게 돌아갈 자리에 자신이 앉은 것이다.

마호메트가 코라와 다단과 아비람처럼 얼마나 모세의 자리를 탐냈는가 보라. 모슬렘 식으로 다른 도시와 국가들과 평화를 이룩하는 방법은 율법하에서 주어진 신명기 20:9-15의 내용을 따른 것이다. 즉 그들에게 "거절할 수 없는 제안"을 주고 그럼에도 그들이 받아들이지 않으면 멸절시키는 것이다. 이것이 모슬렘 군대가 팔레스타인, 터키, 아프가니스탄, 앙골라,

수단, 모로코, 알지어스 등과 또한 한때는 키프로스, 크레테, 그리스, 시실리, 스페인, 프랑스와 발칸 반도 일부 지역을 차지한 방식이었다(A.D. 700-1800년).

이슬람이 오늘날 쓰는 방식은 정부의 요직과 기관과 특히 교육시설 등에 침투하는 것이며, 나중에는 "거절할 수 없는 제안"을 하고 계속해서 테러를 자행하는 것이다.

즉 로마카톨릭과 이슬람은 구약의 이스라엘을 왜곡하여 부활시킨 체제일 뿐이다.

코라의 반란은 하나님께서 자신의 음성으로 직접 부르시고, 수십 번 그분을 만났으며, 수시간을 하나님과 대화를 나눴고, 피(출 7,12장)와 죽은 동물들(출 9:6)과 전염병들(출 9:9-11)과 바다가 갈라지고(출 15장) 심지어 태양이 빛을 잃는(출 10:22) 등의 위대한 역사로 하나님의 지시를 받는 지도자에 대항하는 것이었다.

그렇다면 마호메트나 교황에게 반기를 드는 것은 어떤가? 이들은 자신의 "하나님"을 결코 뵙지도 못하고 대면하여 그분과 말도 나눠 보지 못했다. 마호메트의 경우 자신의 하나님이 뭔가를 기록하시는 것도 보지 못했으며 하나님께서 쓰신 것을 읽을 수조차 없었다(신 10:1-5). 이 두 종류의 종교적인 협잡꾼들 모두 태양의 빛을 잃게 하기는커녕, 뒤뜰에 수영장에 가는 길도 뚫지 못하는 자들이다. 이들은 모두 한심한 "하나님의 아들의 대리자들"이다.

어쩌면 세상은 이들이 없으면 망할 것처럼 여길지도 모르지만, 성경대로 믿는 그리스도인은 이 자들이 없어도 즐겁게 살 수 있다. 필자가 만약 마호메트나 교황과 대화를 나눌 기회가 있다면, "어이 형씨, 내가 말야 15분 정도 시간이 남거든. 당신이 알고 있는 것 모두 한번 말해 봐!"라고 말할 것이다.

1:12 그들은 너희와 더불어 잔치를 할 때 두려움 없이 자신들을 먹이는 너희 애찬의 흠이요, 그들은 바람에 밀려다니는 물기 없는 구름이며, 두 번 죽어 뿌리까지 뽑힌, 열매가 시들어 열매 없는 나무요

13 자기의 수치를 거품처럼 내뿜는 바다의 성난 파도며, 유리하는 별들이니 이들에게 캄캄한 흑암이 영원히 간직되어 있느니라.

14 아담의 칠 대 손 에녹도 이들에 대하여 예언하여 말하기를 "보라, 주께서 수만 성도들과 함께 오시나니

위의 세 구절은 하나님께서 UN에 소속된 국가들을 심판하실 이유가 무엇인지를 잘 설명하고 있다. UN에 속한 나라들은 지난 1,900년 동안 왕이신 하나님의 아들을 거부해 왔기 때문이다(시편 2편). 14절은 하나님의 아들이 왕으로 오심을 말씀하고 있다(눅 1:31-33). 13절은 예수 그리스도의 재림은 수백만의 죄인들을 제거하기 위한 것이며, 그들을 바깥 흑암으로 내던져 버릴 것이다. 구원받지 않고 예수 그리스도를 거부하는 유대인들 또한 그들과 함께 쫓겨날 것이다(마 8:11-12).

죄인들은 위의 본문에서 "그들의 점"(their SPOT) 때문에 『**흠**』(SPOTS)이라고 불린다. 표범이 그의 점들을 바꿀 수 없기 때문에(렘 13:23), 계시록 13장의 표범처럼 문둥병이 사람들의 피부에, 그리고 심지어 옷에 발병하여 점들이 생기게 할 것이다(23절). 이러한 진리를 이해하지 못하고 〈킹제임스성경〉을 개정한다고 하는 자는 "검은 점은 없애 버려!"라고 말하고는 재빨리 〈킹제임스성경〉의 본문을 제거해 버린다.

당신은 이 "점"을 받으면(계 14:9), 심한 헌데가 생기게 된다(계 16:2). 즉 짐승의 표는 일종의 병인 것이다. 학자연합은 엘리자베스 시대의 고대 영어로 기록된 "낡고" "모호하고" "이해하기 어려운" 〈킹제임스성경〉의 향상된 계시를 이해하지 못하기 때문에 오직 하나의 선택밖에 없다. "점"

에 대해서 우리가 심도 깊은 연구를 하는 동안, 그들은 스올의 깊은 어두운 구덩이로 내려간다.

〈해석자의 헬라어 신약〉 : "이 단어(spilades, Greek)의 의미에 대해 많은 논의가 있었다. 전반적으로 동의하는 것은 이 단어가 바닷물 안이나 바닷가에 있는 바위에 대해서 사용되었다는 것이며, 사전학자들은 숨겨진 바위에 대한 것이라 이해하며... 토마스 매그의 의견을 보라. 다른 주석학자도 똑같이 설명하고 있다." 어떻게 이들이 진리에서 빗겨가는지 보라. 이들은 재빨리 "헬라어 원본"으로 달려가서, 그들의 게으름과 어리석음을 감추고, 그런 후 그들과 똑같이 어리석고 게으른 다른 자들을 대동하고 당당하게 그들의 무지를 둘러대는 것이다. 그들은 너무 게을러서 성경을 직접 찾고 공부하지 않는 것이다.

이것이 1901년 이후로 미국의 기독교 고등교육의 진면모를 정확히 묘사한 것이다.

또한 "유사한 은유적 의미"를 찾아보기 위해서 키케로(Cicero)의 예를 보라고 한다.

한심하기 짝이 없는 일이다. 이들은 〈킹제임스성경〉의 본문은 찾아보지도 않는다. 즉 이 "점"에 대해서 레위기 13:23,25,28, 창세기 30:39, 에베소서 5:27, 베드로전서 1:19과 다른 구절들은 찾지도 않았고 찾을 수도 없는 것이다.

모든 기독교대학들의 배교의 첫 번째 원리는 진리를 깨닫기 위해서 결코 성경을 찾지 않고 오히려 성경비평가들의 의견을 묻는다는 것이다.

학자들은 이 단어 『**흠**』이 사실은 "가라앉은 바위"라고 말한다(12절). 그러면 누가 이들을 조종했는가? 세 명의 악당이 일을 저질렀는데, 그들은 알렉산드리아 사본(A), 바티칸 사본(B), 에프라임 사본(C)이다. 알렉산드리아 원문의 이러한 영향력에도 불구하고 특이하게 NASV와 NIV는 이번에는 "가라앉은 바위"라고 번역하지 않고 "흠집"(blemishes)이라고 번역해 놓았다. 물론 진리의 성경이 정확한 용어 『흠』(spots)에서는 벗어난 것이다.

모든 학자들과 성경번역자들은 초등학교 4학년 수준의 〈킹제임스성경〉이 말하는 22가지 사실을 찾지 못한 것이다.

1. 언제 점들이 나타날 것인가.
2. 누가 그 점들과 연결되어 있는가.
3. 어디서 그들은 그 점을 받을 것인가.
4. 그 점은 어떻게 생겼는가.
5. 그 점은 어떤 질병을 동반하는가.
6. 그 점과 연관된 동물은 무엇인가.
7. 그 점들이 없는 동물은 무엇인가(벧전 1:19).
8. 점 없는 동물의 아내는 누구인가(엡 5:27, 계 19:8).
9. 왜 그 점이 사람의 옷에 들어가게 되었는가(레 13:47-59).
10. 왜 롱 존 실버(Long John Silver)는 검은 점을 염려했는가.
11. 왜 "X"로 그 점을 표시하는가.

320명이 넘는 학자들이 25년간의 정규 교육으로 히브리어와 헬라어 원문들을 연구하고 히브리어와 헬라어 문법과 렉시콘을 공부한 뒤에 찾아낸 것이 고작 "흠집"들과 "가라앉은 바위들"뿐이었다니 놀라울 따름이다. 그들은 단 하나의 성경적인 비교도 단 하나의 관련 구절도 단 하나의 성경적인 증명도 하지 못하고, 연구를 하고 성경을 "해석"한다고 하는 것이다.

이것이 RV, RSV, NRSV, ASV, NASV, NWT, NEB, CEV, NKJV와 NIV를 내놓은 학자들의 과학적인 연구방법에 따른 것이다. 이것이 교회 시대

끝에 그리스도인 학자들이 내놓을 수 있는 최고의 수준이며, 이런 자들이 지난 200년 동안 〈킹제임스성경〉의 영어본문을 공격했던 것이다. 그러나 이 〈킹제임스성경〉이야말로 단 한 단어로 곧 "spilades"로 다른 변개된 번역본들이 10구절을 합해도 주지 못하는 풍성한 계시를 주고 있는 것이다. 이와 같이 〈킹제임스성경〉의 한 단어로 변개된 성경이 주지 못하는 진리를 조명해 주는 경우가 수도 없이 많다(딤전 3:16; 6:5,10, 딤후 2:15, 고후 2:17, 행 1:3; 4:27,30, 요 3:13, 롬 1:18).

이 『**흠**』들은 하나님을 두려워하지 않는다. 영적으로 말해서 그들은 『**물기 없는 구름**』 곧 아무런 유익을 주지 못하는 비를 내리지 못하는 구름으로서, 바람에 의해 이리저리 밀려다닌다. 마치 바람에 의해 이리저리 바다가 요동하는 것과 같은 것이다(13절). 그들은 썩은 열매를 맺으며(마 7:18-20) 이는 그들 스스로가 썩은 나무이며 땅에 나뒹굴며 잘려져 불타 버릴 운명이기 때문이다(마 3:10). 그들은 너무 시들어 먹지 못할 썩은 열매를 맺으며, 전혀 열매를 맺지 못하기도 한다(『**열매 없는 나무**』). 그들은 사망을 두 번 경험할 수밖에 없다(계 20:14). "한 번 태어나면 두 번 죽고, 두 번 태어나면 한 번 죽는다"는 말은 성경적인 진리를 담고 있다.

NEB는 아무 생각 없이 이 지옥에 갈 수밖에 없는 죄인들이 한때는 구원받은 적이 있는 사람들이라고 말한다(p.1276). 이에 대한 관련 구절로 일반서신의 구절들을 달아 놓았다. 이 구절들은 요한일서, 야고보서, 히브리서, 요한계시록과 유다서 등에서 필자가 줄곧 설명해 놓은 것들이다(히 6,10장, 벧후 2장 등).

『**유리하는 별들**』에 대한 NEB는 성경을 비평하는 학자들에 딱 맞는 주석을 달아 놓았다. "이 교사들은 지도자라 자칭하며 그런 지위에 스스로를

올려놓았지만, 사실은 그들은 전혀 교사가 아니다."(p.290)

이것이 1700년부터 2000년까지의 320여 명의 기독교 "유명인사들"에 대한 정확한 묘사이다!

『**두 번 죽어**』 사람이 한 번 죽었다면 어떻게 다시 죽을 수 있는가? 『**두 번 죽어**』라는 표현은 "진짜 죽었다"를 의미할 수 있다. 그러나 성경적인 관점으로 볼 때 예수 그리스도 없이 죽는 사람은 누구나 두 번 죽는다. 왜냐하면 그는 이미 죽은 상태로 태어나고(엡 2:1-4), 그 다음에 육체의 죽음이 뒤따르기 때문이다. 또한 『**두 번 죽어**』는 『**죽은 자들 가운데서 그 나머지는 천 년이 끝날 때까지 다시 살지 못하리라.**』(계 20:5)고 하신 말씀과 그 다음에 둘째 사망인 불못이 뒤따르는 것을 의미할 수도 있다(계 20:14).

더 적절한 해석은 이 표현이 종교적인 교사들과 지도자들에 대한 것이며, 그들에게는 영적인 생명이 없으므로 그 누구에게도 어떤 것도 내놓을 것이 없음을 말한다. (16절과 벧후 2:1,13을 비교하고, 특히 벧후 2:18을 16절과 맞춰 보라.) 열매가 있다고 한다면 그것은 그들이 만들어낸 사람들인데(벧후 2:18,19), 이들은 두 배나 악한 지옥의 자식들이다(마 23:15). 『**뿌리까지 뽑힌**』은 그들이 어떤 종류의 열매도 맺을 수 없다는 것을 말한다. 침례인 요한이 『**또한 이제 도끼가 나무뿌리에 놓였으니**』라고 말한 것과 같다(마 3:10, 겔 31:2-18).

오리겐은(A.D.154-254) 『**캄캄한 흑암**』이 영적 무지를 의미한다고 말했다. (필자는 그가 자신의 상태를 그대로 기술한 것이라 믿는다.)

『**아담의 칠 대 손 에녹도 이들에 대하여 예언하여 말하기를**』(14절). 에녹은 어떤 기록도 남기지 않았다. 에녹이 아닌 누군가가 〈에녹의 책〉을 기록했고, 이 책은 〈에녹의 비밀들〉과는 또 하나의 별개의 책이다. 에녹은 이 두 책 중 그 어떤 것도 기록하지 않았기 때문에, 수천 명의 학자들이 이 책이 "진실하다"고 말하는 것은 전혀 근거도 없고 명분도 없다. 이것은 〈모세의 승천기〉가 정경이라고 생각하는 것과 같은 억측일 뿐이다. 누군가가 성령께서 깜빡하고 정경에 필요한 책들을 넣으시지 않았다고 생각하고 이 책들을 쓴 것이다.

제미에슨, 포셋, 브라운은 이번에는 올바른 주석을 달아 놓았다. "지금 현재 존재하는 형태로 볼 때 〈에녹의 책〉이 유다서를 도용한 것이지 그 반대가 아니라는 것이 명백하다." (〈모세의 승천기〉에 대해서도 이 말을 그대로 적용할 수 있다.) 〈에녹의 책〉에 대한 전문가들이 유다서보다 앞선 B.C. 160년 정도의 저작 시기를 내세운다 할지라도 그들은 한 입으로 "이 책은 많은 추가기록들을 포함하고 있다"고 말한다(p.234, Vol.5, 〈The Expositor's Greek Testament〉). "추가기록"이 무엇인지 아는가? "추가기록"은 저자가 없는 책에 서로 다른 시기에 많은 사람들이 여러 가지 내용들을 써넣은 것을 말한다. NEB는(R.H. Charles) "추가기록"들이 "기독교 시대"까지 이어졌고, 사도 요한이 계시록에서 사용했으며 〈바나바에게 보내는 서신〉에 등장하는 "X씨"가 사용했다고 한다.

터툴리안(160-230)은 〈에녹의 책〉이 "성경"이라고 주장하는데, 이는 유다가 이 책에서 한 구절을 인용했기 때문이라고 한다. 터툴리안은 바울이 설교할 때 구원받지 않은 이교도 철학자들을 인용한 적이 있음을 모른다(행 17:28, 딛 1:12). 물론 바울은 그 인용이 〈토빗〉, 〈유딧〉과 〈벨과 용〉처럼 전혀 성경이라 생각지 않았다.

또한 그 누구도 〈에녹의 책〉을 찾지 못했다. 사람들이 찾은 것은 헬라어가 쓰여진 종이 몇 장과 그것이 나중에 책으로 합쳐져서 A.D. 600년에 에디오피아어로 〈에녹의 책〉이라 불려지게 된 것이다. 유다서가 기록된지 한참 후에, 오리겐의 헥사플라(A.D. 120-200)의 아퀼라와 심마쿠스가 〈에녹의 책〉으로부터 본문들을 도입했다(p.239, 〈The Expositor's Greek

Testament〉).

이제 독자들은 우리가 어떻게 생각하는지 분명하게 알게 되었을 것이다. 성경을 읽고 분석하되, 자신이 진리를 말한 "하나님의 거룩한 사람들"과 같이 되려 한 자들이 많았던 것이다. 즉 "가난하고 평범하고 어리석은 사람들"을 위한 해석자로 자처하면서 지극히 자아 중심적이 되어서 이들은 성령의 자리를 차지해 버렸던 것이다.

오리겐 : "성경 전체는 일반적인 사람들로 이뤄진 대중을 위한 의미 하나와 오컬트 제자들을 위한 또 다른 하나의 의미를 가지도록 기록되었다." 하나님께서 성경을 읽는 사람들이 성경을 이해하도록 도우시는 것이 아니라(눅 24:45, 요일 5:20, 욥 32:8, 딤후 2:7, 출 36:1, 잠 5:1, 단 9:20-23, 시 119:25-27, 엡 1:17,18 등), 이 자만으로 충만한 "기독교인들"이 스스로 성령의 자리에 앉아 성경을 해석해 준다는 것이다. 이들은 디오트레페 같은 자들이다. 이들은 자신이 대중에게 성경의 의미를 깨닫게 해줄 수 있다고 여기는 것이다. 하나님의 말씀은 이와 같이 소경이 되어 소경을 이끄는 이 자들에 대해 경고하고 있다(요 8:43,44, 단 12:10, 시 92:6, 사 29:14, 고전 1:19, 엡 4:17,18, 욥 17:14, 행 28:26,27 등).

이는 기독교 역사가 그리스도인들이 썼을지도 모르는 책들로 넘쳐나게 된다는 것을 의미한다(요 21장). 이들은 자신이 성경이라 여기기 원하는 책들을 만들어낸다. 〈열두 족장의 증거〉, 〈디오다케〉, 〈그리스도와 아바가루스〉, 〈라오디케아인들에게〉(골 4:16). 〈바울과 세네카〉, 〈클레멘트 1, 2〉, 〈허마의 목자〉, 〈바나바의 서신〉 등이다.

만약 에녹의 책이 실제로 있었다면 그것은 이그나티우스가 쓴 〈트랄리아인들에게, To the Trallians〉, 〈마그네시아인들에게, To the Magnesians〉 등과 같은 서신처럼 전혀 성경의 정경에 포함될 수 없는 것이다.

사도 유다는 단지 하나님께서 에녹이 그렇게 말했다고 말씀하신 것을 기록했을 뿐이다. 『**에녹도 이들에 대하여 예언하여 말하기를**』 그래서 그는 그대로 기록했고, 이는 누가가 바울이 예수님께서 그렇게 말씀하셨다고 말해서 기록한 부분과 같은 것이다(행 20:35). 이 부분은 야고보서 4:5과 히브리서 12:21처럼 성경 인용이 아니다. 성경에 기록된 8,000여 가지 진리들처럼 하나님께서는 B.C. 4000년에서 A.D. 2000년까지 사람들이 쓰거나 말한 진실들을 보여 주실 수 있다. 그러나 하나님께서는 그분의 책의 내용들을 결정하시기 전에 그러한 것들을 걸러내셨다. 그것이 유다서 14절에서 일어난 일이다. 만약 이것이 유다서보다 앞서 기록된 책에 기록되어 있었다면, 그 책은 적어도 50페이지 정도를 할애하여 반성경적인 엉터리를 기록하고 반 페이지 정도만이 B.C. 2300년에 일어난 일들을 서술해 놓았을 것이다.

만약 이렇게 가짜 성경을 만들어 내는 작업에 대해서 공부해 보기 원하는 사람이 있다면 필자의 〈"성경"을 모르는 민족은 망했다〉(말씀보존학회)를 읽어 보라.

이제 이솝 우화나 요정 이야기 대신에 제대로 된 성경 공부를 해보자. 또한 40,000페이지에 달하는 학자들의 저작들도 덮어 버리고 『**영생의 말씀**』을 살펴보자.

『**보라, 주께서 수만 성도들과 함께 오시나니**』(14절)

그러나 주께서는 오시지 않았다.

이제 〈에녹의 책〉과 〈모세의 승천기〉 쯤은 문제도 아닌 것처럼 보이게 만드는 진짜 문제가 생겼다.

『**땅 위에는 화평이요, 사람들에게는 호의로다.**』

그러나 이런 일이 일어나지 않았다.

『**보라, 내가 속히 오리라.**』

그러나 주님께서는 오시지 않았다.

왜 주님은 나타나시지 않았는가? 에녹은 B.C. 3317년에서 B.C. 3017년 사이에 예언을 하고 있었다. 누가 나타났는가? 아무도 나타나지 않았다. 오히려 사람들이 홍수로 말미암아 익사했다(B.C. 2349년).

『보라, 주께서 수만 성도들과 함께 오시나니』

주님께서 오실 수도 있지 않았는가? 물론 그렇다. 주님은 B.C. 2800년 전에 처녀에게서 태어나시고 자라셔서 뱀의 머리를 부수실 수 있었다(창 3:15). 에녹의 시대 이전에 주께서 누군가를 위해 죽으시거나 장사되거나 부활하실 것이라는 예언이 주어진 적이 없다. 노아 이전에 성경에 기록되거나 말해진 유일한 "메시아적" 예언은 창세기 3:15에서 하나님께서 마귀에게 하신 것이다.

게다가 이사야 53장과 시편 22편에 기록된 것과 같은 예언들은 하나님의 계획 속에서 미리 정해진 것이기 때문에 반드시 일어나야만 한다면(딛 1:1-3), 이 사건들은 모두 다양한 방법들을 통해서 에녹이 승천할 때부터 노아의 홍수를 위한 비가 올 때까지의(창 7장) 기간 동안에 모두 쉽게 일어날 수 있었다. 이 기간은 600년도 더 되는 기간이다.

『보라, 주께서 수만 성도들과 함께 오시나니』

에녹이 이 예언을 하고 난 뒤, 주께서 600년 동안 오시지 않았기 때문에 에녹은 사실 거의 바보처럼 보였을 것이다. 주께서 실제로 오셨을 때에는 "수만 성도"는 차치하고 단 한 명의 성도도 데리고 오시지 않았다. 주께서 노아와 함께 나타나셨다면(창 6장), 에녹은 거짓 선지자로 드러날 수도 있었다. 요나처럼 말이다. 『하나님**께서 그들의 행함을 보시니 그들이 그들의 악한 길에서 돌이키는지라. 그러므로** 하나님**께서는 그들에게 내리시겠다고 말씀하셨던 재앙에서 돌이키시고 그 일을 행하지 않으셨더라**』(욘 3:10). 니느웨가 40일 만에 심판을 받았는가? 물론 아니다. 요나는 이제 그에게 예언하라고 임무를 주신 하나님에 의해서 거짓 선지자로 나타났던 것이다(신 18:22).

심도 깊은 성경 연구를 원하는가? 우리가 다루고 있는 것이 바로 그것이다. 왜 하나님께서 성경의 한 구절도 위반하시지 않으면서 주님의 두 번의 오심을 아브라함이 태어나기 전에 성취시키실 수 있었는데, 초림이 있기까지 3,000년 이상 미루셨는지 이해가 되는가? 만약 이 부분을 이해할 수 있다면 나는 당신을 훌륭한 성경학자로 상이라도 주고 싶은 심정이다. 유다서 14,15절은 앞으로 일어날 일이지만, 노아가 태어나기 전에 일어날 수 있었다는 것이다. 그렇다면 왜 하나님께서는 3,000년 동안 죄가 행해지는 것을 허락하시고, 또다시 유다의 예언이 성취되기까지 2,000년 동안 죄가 자행되도록 허락하신 것인가?

14절의 원래 출처는 의심의 여지없이 신명기 33:2이다. 외경의 "에녹"은 단지 이 말씀을 베끼고 에녹이 썼다고 했을 뿐이다. 유다가 14절의 예언을 에녹의 예언이라고 한 근거는 신명기 33장의 저자께서 모세가 그 말씀들을 기록하기 전에 에녹이 발설한 말씀들을 알고 계셨기 때문이다. 그렇게 유다가 모세의 글에 포함된 에녹의 예언을 인용했던 것이다.

IQ 80 이상이면 다 해결할 수 있는 문제다.

1:15 이는 모든 사람을 심판하시고 그들 가운데 있는 경건치 않은 모든 자가 경건치 않게 행한 모든 경건치 아니한 행위와 경건치 아니한 죄인들이 주를 거슬러 말한 모든 거친 말에 대하여 정죄하시려는 것이라."고 하였느니라.

16 이들은 원망하는 자들이요, 불평하는 자들이요, 그들의 정욕을 따라 행하는 자들이라. 또 그들의 입으로는 과장하는 말을 하고, 유

익을 위해 사람들의 외모를 칭찬하는 자들이라.

17 **그러나 사랑하는 자들아, 너희는 우리** 주 예수 그리스도**의 사도들이 이전에 말한 말씀들을 기억하라.**

18 **그들이 너희에게 말하기를 "마지막 때에 자신들의 경건치 못한 정욕을 따라 행하는 조롱하는 자들이 있으리라."고 하였느니라.**

19 **그들은 분파를 만드는 자들이요, 관능적인 자들이며,** 성령**이 없는 자들이니라.**

20 **그러나 너희 사랑하는 자들아, 너희의 지극히 거룩한 믿음 위에 너희 자신을 세우고** 성령 **안에서 기도하며**

21 하나님**의 사랑 안에서 너희 자신들을 지켜 영원한 생명에 이르기까지 우리** 주 예수 그리스도**의 자비를 기다리라.**

22 **어떤 자들을 동정하되 차이를 두어 하며,**

여기서 당신은 AV 1611년 성경에서 발견되는 또 하나의 진리를 발견하고 놀라게 될 것이다. 이 진리는 19세기와 20세기의 성경 개정자들의 진정한 도덕적 윤리적 수준을 드러내는 것이다. 이 부분은 발설된 말과 관련이 있다. 16절의 『**과장하는 말**』은 시몬 베드로가 기록한 것과 일치한다. 『**그들은 헛된 말로 자랑하며**』(벧후 2:18). 『**이는 마음에 가득한 것을 입이 말하기 때문이라**』(마 12:34). 우리는 이와 같은 말씀이 말하는 바를 간단히 다루고 넘어갈 것이다. 만약 당신이 이에 대해 지구상의 주요한 연설가와 저자를 다룬 작품을 원한다면, 필자의 〈The Damnation of a Nation〉를 찾아 보라(1991,1995). 그리고 "의미론의 문제"라고 제목을 단 첫장을 읽어 보라.

〈킹제임스성경〉의 모든 교육받은 비평가들은 "말"을 잘 사용해야 한다. 그들은 자신의 목적을 이루기 위해 신중하게 말을 선별해야 한다. 〈The

King James Version Debate〉의 저자인 칼슨(D.A. Carson)이 밥 존스 대학을 대변해서 말한 것을 보라. "물론 우리는 다수의 신자가 진실하다고 여기는 누군가를 교리적으로 반대하기 전에 매우 조심하고 겸손해야 한다." 이 말은 쉬운 말로, 진리를 말하지 말고 거짓을 밝혀내지도 말며 진리를 반대하는 사람들을 비평하지도 말라는 뜻이다. 즉 정복하기 위해 겸손한 척하라는 것이다(니콜라파 : 평신도를 정복하는). 연기를 하라. 곧 위선자 노릇을 하는 것이다. 왜냐하면 칼슨은 실제로는 조심스럽지도 겸손하지도 않기 때문이다(p.294).

사탄처럼 모든 파괴적인 비평가들은 전형적인 대화 패턴이 있으며 전형적인 어휘 선택을 한다. 즉 그들 자신을 가장 잘 돋보이게 하는 것들이다. 이것은 성경 전체에서 이러한 "조심스러운 연설가들과 저자들"의 위선을 드러내는 모든 구절을 바꾸고 제거해야 한다는 뜻이다. 유다서 16절은 이러한 작업이 진행되는 것을 볼 수 있는 완벽한 예다. 이 전문적인 거짓말쟁이들은 성경을 읽다가 자신에게 찔리는 부분에서 멈추게 되는 것이다. 이들은 『**불평하는 자들이요, 그들의 정욕을 따라 행하는 자들**』과 함께하며 사람들의 외모를 칭찬하는 자들이다. 왜냐하면 그것이 그들에게 사회적으로나 종교적으로나 교육이나 돈과 관련해서 그들에게 "유익"이 되기 때문이다.

주님께서 재림하실 때 그분의 발로 깔아뭉개고(사 64장, 계 14,19장), 불태워 버리실 자들이 바로 이런 자들이다(말 4장, 마 13,25장, 살후 2장, 습 3:8).

대학교육을 받은 기자, 앵커, 뉴스 리포터, 성경 개정자, TV 스타, 히브리어 · 헬라어 학자, 대학 총장, 로마카톨릭이나 오푸스데이(Opus Dei), 새로운 세계 질서, 그리스도인 연합, 프라미스 키퍼 등의 에큐메니칼 운동과 관련된 종교 지도자 중 이 범주에 들어가지 않는 자가 없다. 그들은 교육을 받지 않았거나 사물을 있는 그대로 말하는 사람들을 견딜 수 없어 한다. 이는 또한 자신의 이미지와 수입에 민감한 모든 근본주의자들의 그룹에서도 믿음의 "근본사항"이다.

성경은 이 구절에서 이런 자들의 정체와 행태를 만천하에 밝혀 놓았다. 『**과장하는 말**』(swelling words, 16절). 성경이 이 말씀에 해당하는 모든 범죄자들을 너무나 상세하게 묘사해 놓았기 때문에, 이들은 완전히 하나가 되어 이 말씀을 제거하려 했다. 밥 존스 대학이 추천하는 NASV는 이 말씀을 "교만하게 말하는"으로 변개시켰다. 이 번역은 말이 되지 않는다. 왜냐하면 "유명인사들"에게 "교만하게" 말하면서 유익을 취하는 것이 아니기 때문이다.

엉터리 NIV의 번역도 참 볼 만하다. "그들은 스스로를 자랑하며"

제리 포웰이 편찬한 리버티 성경 주석은 무엇이라 말하는가? "시끄럽게 말하는"

변개된 영역본들이 경고하는 것은 단지 시끄럽게 말하고 소리치며 자랑하기 좋아하는 자들이다. 그러면 AV를 파괴적으로 비평하는 자들은 소리치거나 드러내 놓고 자랑하거나 부정적인 증오 연설을 하는 것을 삼가고, 무례한 언어를 쓰지 않으면 되는 것이다. 즉 그들은 하나님의 말씀을 변개시킴으로써 자기 자신의 죄와 위선을 정죄받지 않게 만든 것이다. 그들은 성경을 변개하여 "칼"을 피하여(엡 6:17), "불의 가운데서 진리를 붙잡고" 있으면서도(롬 1:18) 면도칼만큼 날카롭고 양날을 가진 칼에서 자기 자신을 보호하려 했던 것이다(히 4:12,13).

여기서 제미에슨, 포셋, 브라운은 올바른 주석을 달아 놓았다. 그들은 이 서신에서 쓰인 『**과장하는 말**』(Swelling words)은 "그들은 크게 부풀린 말을 하면서 부유한 자들에게는 참으로 비열하고 아첨하기 좋아한다는 뜻이다."라고 해석했다.

정확하게 맞췄다. 그들의 말이 교만하다는 것이 아니다. 본문은 그들의 말이 듣는 사람에게 아첨을 떤다는 뜻이지, 듣는 사람을 언짢게 한다는 말이 아니다. 제미에슨, 포셋, 브라운이 "비열한"이라는 용어를 쓴 것을 보았는가? 이 용어야말로 AV가 출간된 이후로 AV를 비평한 자들의 성질을 올바로 규정한 것이다.

제미에슨, 포셋, 브라운은 이번에는 제대로 핵심을 때린 것이다. 그러나 그들이 그렇게 할 수 있었던 것은 그들이 잠언 14:15에 순종했기 때문이다.

소위 새롭고 더 명확하다고 하는 성서들을 출간하는 자들은 사실 마귀에게 사로잡힌 자아중독자들이며, 그들은 자신의 생명이(욥 2:4) 『**진리의 성경**』(단 10:21)과 『**영생의 말씀**』(요 6:68)보다 더 중요하다고 여기는 자들이다. 립링거의 〈뉴에이지성경역본들〉을 읽어 보라(1993).

필자가 누군가를 폄하한다고 생각하는가? 다음 성경 구절들을 보라.

『**그러한 자들은 우리** 주 예수 그리스도를 **섬기는 것이 아니라 자기들의 배를 섬기는 것이니 정중한 말과 그럴듯한 언변으로 순진한 사람들의 마음을 미혹하느니라**』(롬 16:18). 이 구절을 어떻게 적용할지도 나와 있다.

『**우매한 자는 온갖 말을 믿으나, 총명한 사람은 자기의 걸음을 살피느니라**』(잠 14:15).

우리는 성경을 파괴적으로 비평하는 자들의 『**온갖 말**』(every word)을 믿지 말고, 오히려 성령께서 말씀하시듯이 성경의 『**모든 말씀**』(every word)을 믿어야 한다(잠 30:5, 눅 4:4). 우리가 검증하고 분석하고 가려내야 하는 "온갖 말"은 누가복음 4:4과 요한복음 8:40-48과 마태복음 24:35을 믿지 않는 자들의 말이다.

『**정중한 말과 그럴듯한 언변**』(롬 16:18)을 어떻게 변개했는지 보자.

NIV : "부드러운 말과 아첨"

RSV와 NRSV : NIV와 동일하다.

NASV : "부드럽고 아첨하는 말"

NEB : "아첨의 기술"

Falwell : "부드러운 말"

이제 잘 생각해 보라. 자신이 가는 길을 잘 살펴보라.

왜 모든 성경을 왜곡하는 자들이 본문에 있는 두 개의 긍정적인 단어를 하나의 부정적인 단어(아첨, flattery)와 긍정적이지도 부정적이지도 않은 하나의 형용사로 바꿨는지 아는가? 그들의 동기가 무엇인가? 위에 언급한 여섯 부류는 왜 똑같은 짓을 한 것인가? 이들이 이렇게 하도록 조종한 자는 누구인가?

이들은 이 구절을 변개시켜서 자신이 이 구절로 공격받지 않게 만든 것이다.

이들은 디모데전서 6:5,10,20과 고린도후서 2:17과 로마서 1:18,21,25,28에도 똑같은 짓을 했다.

이제 독자들은 1800년 이후로 "더 새롭고 더 명확한" 영어 성경을 만들어낸다고 하는 개정위원회에 소속된 자들의 동기를 알게 되었을 것이다. 6학년 학생이라도 〈킹제임스성경〉을 보면 그들의 죄들을 정확하게 알 수 있고, 그들은 자신의 죄들을 덮기 위해서 권위를 인정받은 〈킹제임스성경〉(AV, 1611)을 개정하는 것이다.

즉 본문의 "정중한"(Good)과 "그럴듯한"(Fair)이라는 용어를 본문에 남겨 둔다면 이브부터 시작하여 인류가 지은 죄가 바로 "고등교육"의 문제와 연계되어 있다는 것이 드러나기 때문이다.

『**여자가 보니 그 나무가 먹음직하고**(Good) **보기에도 즐겁고 현명하게 할 만큼**(Wise) **탐스러운 나무인지라**』(창 3:6).

그래서 로마서 16:18의 저자는 또한 사탄의 간교함에 대해서 우리에게 경고하고 있는 것이다(고후 11:3). 사탄은 완전히 드러나 보이는 “아첨”과 “부드러움”만을 쓰는 것이 아니다. 사탄은 “정중한 말” 즉 좋은 말을 쓴다. 곧 사랑, 연합, 평화, 자유, 나눔, 대화, 영적 가치, 긍정적 오리엔테이션, 긍정적 사고 패턴, 프로그래밍, 자기 격려, 우울증 극복하기, 역할 모델에 도전하기 등의 아첨이 없이도 좋은 말을 쓸 수 있다. 사탄의 “그럴듯한 언변”은 말로 다 할 수 없을 만큼 많다. 모든 정치인들과 기독교 유명 인사들이 하는 대중 연설 혹은 설교가 바로 이것이다.

성경의 베드로와 유다와 바울은 모두 더럽고 회칠한 그리스도인 위선자들에 대해서 경고했다. 이들은 “아첨”과 “부드러운” 말만 하지 않으면 얼마든지 당신을 『**정중한 말과 그럴듯한 언변으로**』 당신을 파괴할 수 있는 것이다. 사실 이것이 1901년 이후로 기독교 고등교육이 역점을 두었던 사역이다. 그들은 약 5,000명에서 10,000명의 젊은이들을 물들여서 성경적인 사역을 하지 못하게 하였다.

독자들은 필자가 사소한 것들을 과장한다고 생각할지도 모른다. 그러나 우리는 성경이 그리스도인 학자들과 성경 교사들과 설교자들과 주석가들에 대해서 무엇이라 말씀하시는지를 배우고 있는 것이다. 즉 전체 주석에서 몇 페이지를 할애하여 아담의 본성이 절대 진리에 어떻게 반응하는가를 배우고 있는 것이다. 성경에는 동정녀 탄생과 새로운 출생보다 지금 우리가 다루고 있는 이 부분에 대해서 더 많은 구절들을 할애한다.

『**베드로와 요한이 담대하게 말하는 것을 보자 배우지 못한 무식한 사람들로 알았다가 놀라며**』(행 4:13).

배교한 학자들은 바울을 하르트와 샤프너와 마르크스처럼 만들어서 BJU, PCC, BBC, 리버티 대학, 테네시 템플, 덴버, 달라스, 포트 워쓰, 뉴올리언즈, 루이스빌 등에 있는 신학교들과 어울리는 인물로 그려낸 것이다. 따라서 이들은 베드로와 요한도 학자들처럼 보이도록 만들어야만 하는 것이다. 따라서 누가가 예수 그리스도의 위대한 사도들을 『**배우지 못한 무식한**』 사람들로 묘사했다는 것은 말도 안되는 것이다.

NEB : 베드로와 요한은 『**배우지 못한 무식한**』 사람이었는가? 절대로 그렇지 않다. 그들은 단지 "정상적으로 학교를 다니지 못한 사람들"이었을 뿐이다.

RSV와 NRSV : 그들은 "정상적으로 학교를 다니지 못한 사람들"이었을 뿐이다.

NASV : 그들은 "교육받지 못하고 훈련받지 못한" 사람들이었지 결코 『**무식한**』 사람들이 아니었다. 이들은 자신을 베드로와 요한과 같은 부류의 그리스도인들이기 때문에 베드로와 요한과 같은 사도들이 무식하다는 것은 있을 수 없는 일이라 여기는 것이다.

이제 독자들은 충분히 알았을 것이다. 즉 성경을 고치고 개정하는 자들은 거짓말쟁이일 뿐만 아니라 위선자임을 알 수 있다. 그들의 평생 하는 일이라고는 그들 자신의 죄들을 덮는 것이다. 그들과 같은 자들이 사도행전 4:13에 있었다. 그러나 베드로와 요한이 아니다. 즉 성경을 제 맘대로 고치는(막 7:6-13, 마 23:27-29) 학자들과 종교지도자들(행 4:5-6)이 그들이며, 그들은 베드로와 요한을 위협하고 있었다(행 4:7-21).

미국에 있는 〈킹제임스성경〉을 파괴적으로 비평하는 모든 학자들은 성경대로 믿는 그리스도인들이 "무식하다"고 믿고 가르친다. 또한 그들은 성경대로 믿는 그리스도인이 배교한 신학교에서 교육받지 않았기 때문에 또한 배우지 못했다고 여긴다.

그들은 교육받은 사람은 청중들을 감동시키는 "크게 과장된 말"을 써야 한다고 생각하는 것이다. 예를 들자면 이들은 이런 세련된 용어를 쓰는 것이다. "지지하는"(supportive), "지불유예"(moratorium), "새로워진 강조점"(renewed emphasis), “중대한 요점”(significant thrust), “기준”(criteria), “응집도”(coherence), “대화”(dialogues), “범주”(categories), “영역”(areas), “가치 규명”(values clarification), “행동수정”(behavior modification), “차별철폐조치”(affirmative action), “연루”(involvement), “초점”(focus), “피드백”(feed back), “적절한 관점”(proper perspective), “비준”(validation), “확실한 내용”(definitive content), “관계된 조직”(related structures), “패러다임 쉬프팅”(paradigm shift), “단순한 지성”(simplistic mentality), “인구 구성 변화”(demographic shifts), “종교성”(religiosity), “탈신화적인”(demythologizing), “고립된 생각”(isolated mentalities), “탈인격화”(depersonalized), “심도 있는”(in-depth), “직업 윤리”(work ethic) 등이다.

사람들이 이런 용어들을 씀으로써 고의적으로 사용하기를 회피하는 말들이 무엇인지 아는가? 흑과 백, 선과 악, 뜨거운 것과 차가운 것, 하늘 나라와 지옥, 하나님과 마귀, 구원받음과 잃어버림, 사악한 것과 의로운 것, 지혜로운 것과 어리석은 것, 친절한 것과 악한 것, 똑똑한 것과 멍청한 것, 영구적인 것과 일시적인 것, 의와 불의, 살인, 저주, 게으름, 바보, 멍청이, 소경, 이중적임, 죄, 불의, 불법, 거짓말, 신실하지 않음, 책임감이 없음, 비겁함, 죽은, 사망, 심판, 반응, 퇴화, 독립, 충성심, 효과적인, 낭비, 썩은, 더러운, 위선, 변태 등의 용어다.

AV1611 〈킹제임스성경〉은 이러한 거짓말하는 위선자들이 나타나기 280년 전에 이들이 어떤 자들인지 규명하고 있는 것이다. 〈킹제임스성경〉은 이들이 어떤 자들인지 정확하게 21세기의 영어로 묘사하고 있다. 이것이 왜 그들 모두가 단결하여 〈킹제임스성경〉에서 재판관기 16장, 베드로후서 2:8, 고린도후서 10:10; 11:6, 로마서 16:18, 사도행전 4:13 등의 본문을 보자마자 이 본문들에서 진리를 제거하고자 노력하는 이유이다.

바티칸과 뉴스미디어를 제외하고는 이들보다 더 교활하고 자기 기만적이며 간사하고 자기를 사랑하며 사람을 숭배하는 파괴적인 집단이 없다. 말하자면 그들은 당신과 악수를 하고 있을 때에도 어떻게 당신의 주머니에서 돈을 털까 생각하는 자들이다.

『**그러나 사랑하는 자들아, 너희는 우리** 주 예수 그리스도**의 사도들이 이전에 말한 말씀들을 기억하라**』(17절). 사도 베드로가 우리에게 "기억하라"고 말했던 것과 유사하다(벧후 1:13; 3:1, 유 1:5).

필자는 기억한다. 어렸을 때 우리는 안전벨트도 에어콘도 라디오도 에어백도 필요없는 차를 타고 다녔다. 또한 날씨가 따뜻하면 여덟 살이 넘는 아이들은 누구든지 아버지의 픽업 트럭 뒤에 타고 놀았다. 그리고 우리는 병에 든 생수를 사먹지 않고 정원 호스에서 나오는 수도물을 마셨다. 그때는 어린이 보호장치가 필요 없었다. 우리가 베거나 뼈가 부러지거나 이가 나갔다면 언제나 우리의 잘못이었다. 그래도 우리는 서로 고소하지 않았다. 우리의 잘못인 것을 뻔히 알았기 때문이다. 우리의 행동의 결과가 무엇인지 알았고, 당연히 대가를 치렀다. 우리가 법에 저촉되는 일을 했다면, 부모님은 법의 편을 들었다. 만약 우리가 한 과목에 낙제를 받았다면, 우리는 그 과정에 대해서 유급되는 것을 당연하게 여겼다. 그때는 어떤 학교도 기준을 낮추고 시험 수준을 낮춰서 공부를 못하는 학생이나 그 부모를 기쁘게 하려 하지 않았다. 우리는 여가시간을 모두 야외에서 보냈고, 아무도 인터넷이나 전화나 컴퓨터 칩이나 웹 등으로 우리에게 연락할 수 없었다. 우리는 "자유"가 진정 무엇인지 만끽하며 살았다.

그러나 모든 현대의 인본주의자들과 시민권리 운동하는 사람들, 미국시민자유연맹(ACLU) 회원들, 심리학자들, 사회주의자들, 뉴월드주의자들 등은 모르지만, 우리가 누렸던 자유에는 책임이 따른다는 사실을 우리는 알고 있었다. 1945년에서 1964년 사이에 우리는 이러한 자유를 모두 잃어버렸다. 연방관리들이 이런 자유들을 앗아가고서는 이제 우리에게 일어나는 어떤 일에 대해서도 우리가 책임이 없다고 말했다. 우리가 그들을 반대하지만 않으면 된다고 한다. 다른 모든 일은 다른 누군가의 잘못이므로, 얼마든지 서로 고소해도 된다는 것이다.

이 구절에서는 사도 베드로와 바울이 "마지막 날들"에 대해 말한 것을 "기억하라"는 것이다(17절). 바울은 이 부분에 대해서 디모데후서 3,4장에서 말했으며, 베드로는 베드로후서 2,3장에서 말했다. 마태와 마가는 바울과 베드로가 그들의 서신을 기록하기 훨씬 전에 이에 대해서 언급했다. 물론 마태와 마가가 이 말씀들을 들었던 해에 그 말씀을 기록한 것은 아니었다(마태복음 24장, 마가복음 13장).

이 구절 때문에(17절) 유다의 사도직을 의심하려는 자들은, 히브리서 2:3,4도 같은 원리를 적용하자면 사도 바울이 저자가 될 수 없다는 점을 명심해야 할 것이다.

유다가 베드로와 안드레와 도마와 빌립과 야고보와 요한 등을 "우리 주 예수 그리스도의 사도들"로 언급했다고 해서 자신을 사도직에서 제외시킨 것이 아니다. 그들은 있는 그대로 주 예수 그리스도의 사도들이었음을 의미하는 것이다.

18절 : 『**마지막 때에... 조롱하는 자들이...**』는 베드로후서의 『**마지막 날들에 조롱하는 자들이 와서...**』라는 말씀과 일치한다(벧후 3:3). 베드로의 경고는 동일과정설 지질학들을 다루는 것이다. 이들은 찰스 리델(Charles Lydell, 〈Principles of Geology〉)과 "스트라타" 스미스("Strata" Smith, 1769-1839)의 후예들에 대한 것이다. 이들은 전 세계적인 대격변이 두 차례 있었다는 사실을 망각한다(창 1:1; 7:6, 저자의 〈창세기 I〉 주석 참조).

1604년과 1611년 사이에 기록된 한 책이 다윈을 추종했던 모든 진화론자들이 하는 말을 그들이 나타나기 240-250년 전에 예언하고 있는 것이다. 베드로후서 3:4은 1860년 이후로 50만 명도 넘는 진화론자들이 한 말이다. 그들은 "오늘날 진행되는 동일한 과정을 과거에 적용하여 과거를 판단할 수 있다"는 것을 증명하려고 시도했다. 물론 이런 주장은 말도 안되는 것이지만 웬만한 세상 학교에서 석 · 박사를 따려면 이런 헛소리도 들어줘야 한다.

『**그들은 분파를 만드는 자들이요**』(19절). 주의하라. 고린도후서에 기록된 분리 곧 성별은 가볍게 받아들여서는 안 된다. 또한 고린도후서 6:14-16, 에베소서 5:1-11, 디모데후서 2:21 등도 마찬가지다. 본문이 말하는 분리는 잠언 18:1,2에 잘 정의내려져 있다. 이것은 연구실에 틀어박혀서 자신의 책들로 죄를 위한 알리바이를 찾는 학자들을 말한다(고전 1:21). 이것이 우리가 몇 페이지 앞에서 16,17절을 주석하면서 설명했던 바이다.

1500년 이래로 모든 과학 분야에서 과학자들이 이룩한 모든 "진보"와 다른 차원으로 통하는 "혁명적인 발명들"은 단순히 성경 말씀의 진리를 뒤엎으려는 죄인의 시도에 불과하다.

창세기 3:14-19. 땀과 출산으로 인한 고통과 남자가 집안을 다스리는 것과 예수 그리스도께서 동정녀 탄생하셨음과 마귀가 인격체라는 진리를 제거하라.

창세기 9:24-27. 인종적인 차이점들을 부인하고, 인종들에 대한 예언들을 부인하고 세 인종 모두가 같다고 가장하고, 아프리카가 함의 땅이 아닌 것처럼 가장하고(시 105:23), 함의 후손들이 종들의 종들이 아닌 것처럼 가장하라.

창세기 12:1-3; 15:18-21. 유대인들에 대한 문자적인 약속들을 모두 제거하고 영적으로 해석하라. 팔레스타인 땅을 이스라엘의 열두 지파가 아니라 아랍인들에게 주라(창 28:13,14).

레위기 20:13. 동성연애자들을 죽이지 말고 그들과 함께 교제하라.

갈라디아서 6:7. 당신이 뿌린 것을 거두지 않아도 된다.

이사야 66:2. 하나님의 주목을 받으려면 하나님께서 하신 말씀을 두려워하고 떨어야 한다는 진리를 제거하라.

마태복음 25:41,46. 예수 그리스도는 아무도 불못에 보내시지 않을 것이다.

요한복음 14:6. 예수 그리스도만이 유일한 진리시며 유일한 길인 것은 아니다.

요한복음 14:6. 수백만 명의 죄인들이 하나님의 아들을 통하지 않고도 하나님께 나아가고 낙원 혹은 하늘 나라에 들어갈 수 있다.

고린도전서 11:3. 남자가 여자보다 뛰어나지 않고 따라서 남자가 여자를 다스려서는 안 된다(고전 11:7-9, 레 27:2-7).

디모데전서 6:1. 어떤 누구도 주인을 섬길 필요가 없다. 모든 사람이 자유로워야 한다.

디모데전서 6:10. 돈을 사랑하는 것이 모든 악의 뿌리는 아니다.

시편 115:6. 하나님께 받아들여지지 않고도(사 14:13,14) 사람이 자신의 재간으로 하늘 나라에 가서 살 수 있다.

소위 "현대적인" 진보와 과학적인 "향상"이라고 하는 것들은 그 자체의 정의와 이러한 용어들이 포함된 신념들에 따르면 그 핵심 의미가 바로 이것이다. 이러한 일들을 추구하는 자들의 의도는 성경의 저자이신 하나님을 거짓말쟁이로 만들려는 것이다.

사실 이런 자들은 구령에 관심이 없는 만큼이나 그들이 믿는다고 고백하는 "원본"에 관심이 없다.

이 모든 것이 의미하는 바는 교양 과목 교육에서의 주요한 목적은 성령님을 거짓말쟁이로 만드는 것이라는 것이다.

20절은 설명이 필요없다. 『**믿음**』이라는 단어는 3절에서와 같은 의미에서 쓰였다. 그러나 거의 모든 주석가들은 이 부분에서 특이하게 추가된 표현에 주의를 기울이지 않는다. 『**지극히 거룩한 믿음**』(MOST HOLY faith). 신약에 "지극히 거룩한" 것은 없다. 『**거룩한 입맞춤**』이 있고 『**거룩한 형제들**』이 있으며 『**거룩한 제사장들**』, 『**거룩한 천사들**』, 『**거룩한 도성**』, 『**거룩한 성전**』, 『**거룩한 사도들**』, 『**거룩한 자녀**』, 『**거룩하신** 아버지』, 『**거룩한 언약**』, 『**거룩한 땅**』이 있다. 그러나 이 중 어떤 것도 "지극히 거룩하다"고 말하지는 않는다. 만약 히브리서 9:3의 『지성소(the Holiest of all)**라 불리는 성막**』이라는 말씀 대신에 "지극히 거룩한 성소"(the most holy place)라는 표현을 쓴다면 있을 수도 있지만, 여전히 이것은 구약의 성막을 가리키는 말씀이다.

필자가 이렇게 이 부분에서 독자들의 주의를 환기시키는 이유는 다음 구절에서 『하나님**의 사랑 안에서 너희 자신들을 지켜**』라고 말씀하기 때문이다. 로마서 8:29에서는 사람이 자신을 지키는 것이 아니라 하나님께서 우리를 지키신다는 말씀이다. 한 번 지적한 바 있듯이 21절에서 기다리라고 말씀하시는 『**자비**』는 디모데후서 1:16의 오네시포로의 상황과는 다른 것이다. 왜냐하면 오네시포로의 경우는 자비가 영원한 생명과 관계된 것이 아니기 때문이다(21절). 그러나 유다서에서는 『**영원한 생명에 이르기까**

지... 자비를 기다리라.』고 말씀하시기 때문이다.

유다서 20절과 21절은 구약 신학의 핵심인 믿음과 행위 체계를 암시하고 있다. 만약 의심이 간다면 "지극히 거룩한" 것들이 구약의 두 책에서 얼마나 많이 나오는지 보면 된다(출 26:33; 29:37; 30:10; 40:10, 레 2:3; 6:17; 7:1,6; 10:12; 14:13; 24:9; 27:28). 유다는 "일반 서신" 즉 "히브리인-그리스도인" 서신을 기록한 베드로나 야고보나 요한처럼 『**야곱의 고난의 때**』를 당할 누군가에 초점을 맞추고 있다(렘 30:7).

1:23 다른 자들은 불 속에서 끌어내어 두려움으로 구원하되, 육신으로 더럽혀진 그 옷조차도 증오하라.

24 이제 능히 너희를 실족하지 않게 지키시고 자기의 영광의 임재 앞에 흠 없이 큰 기쁨으로 서게 하실 수 있는 그분,

25 곧 홀로 지혜로우신 하나님 **우리** 구주께 **영광과 위엄과 다스림과 권세가 지금과 또한 영원토록 있을지어다. 아멘.**

23절에서는 누군가가 『**불**』에 직면하게 된다. 20세기와 21세기의 빌리 그래함이나 교황 요한 바오로의 신학처럼 "하나님으로부터 분리되는 것"을 말하는 것이 아니다. 본문은 또한 이런 자들을 불 속에서 끌어내야 한다고 말씀하고 있다. 따라서 모든 〈킹제임스성경〉의 비평자들은 그들이 구원받았든 구원받지 않았든 전체 본문의 의미를 격하시키고 오리겐이 살았던 알렉산드리아의 최초의 기독교 학교의 플라톤과 필로를 따른 "정책"에 따라 본문의 『**불**』을 "비유"로 만든다.

이들 중 아무도 "더럽혀진 옷"(spotted garment)이 무엇인지 밝혀내지 못했기 때문에, 정직하고 가치 있는 주석을 달지 못했다.

제미에슨, 포셋, 브라운은 더럽혀진 옷이 격언적인 표현이라고 한다. 실제로 더럽혀지는 것과는 관계가 없다는 것이다. 바울 서신의 에베소서 4:22과 골로새서 3:9,10처럼 단지 우리가 "죄와의 최소한의 접촉이라도 피해야 함"을 의미할 뿐이라는 것이다. "죄인들의 옷은 은유적으로 어떻게든 그들과 접촉하는 것이며... 피해야 한다." 제미에슨, 포셋, 브라운은 올바른 구약의 참조 구절(레 13:52-57; 15:4-7)을 제시하고도, 안타깝게도 진리에서 빗겨가 버렸다. 제시한 참조 구절이 실제로 미래에 역사적으로 일어날 일로 가르치지 않고 단지 일종의 예화로만 제시한 것이다. 유다는 대환란 시대에 지옥에 가게 될 사람들을 다루는 것에 대해 명령을 하고 있는 것이다(계 14:10-11; 19:20).

『인자**가 올 때 그가 세상에서 믿음을 찾아볼 수 있겠느냐?**』(눅 18:8)

제미에슨, 포셋, 브라운은 A.D. 325년 이래로 로마카톨릭 "여인"(마 13:33)이 "좋은 음식"(마 13:33)을 다루듯이 본문을 다룬 것이다. 로마카톨릭은 미래 역사에 대해서 말하는 500개의 성경 구절들을 제쳐 버렸고 이 구절들이 영적인 예화 혹은 은유로 그들 자신의 "지옥 같은 성모 교회"를 의미하는 것처럼 가장했다.

린치버그에 있는 제리 포웰의 학교도 유다서 23절이 다음과 같이 이해되어야 한다고 말한다. "의심으로 요동하는 자들(약 1:6,7)에게 자비를 베풀어라. 당신이 할 수 있는 대로 말하자면 불꽃들로부터 그들을 끄집어내어 구원하라. 즉 육신으로 인해 더럽혀진 그들이 입는 옷조차도 증오할지라도 경건한 두려움 속에서 자비를 베풀라."

"말하자면" 그렇다고? 정말 그런가?

〈킹제임스성경〉의 본문을 심판하려 한 이후로(8절), 이 어리석고 경험도 없고 앞도 보지 못하는 파괴적인 비평자는 모든 헬라어 본문에 없는 6개의 단어를 추가한다. 이들은 8절에서 "'더러운'이라는 단어는 원문에 없는 단어이며 실수로 인해 첨가되었다."고 비평했던 자들이다(Liberty University Comment on Jude, vs. 8).

이것이 현재 근본주의 기독교 대학의 현실이다.

현존하는 모든 헬라어 필사본은 유다서 23절에서 『**불**』(ἐκ τοῦ πυρὸς)이라고 기록하고 있다. 이렇게 명확하고 쉬운데도 이들은 이 단어를 "불꽃들"이라는 복수 표현으로 바꾸어, 은유적인 문맥으로 바꾸어 "말하자면"(as it were)이라는 표현을 "원본"에 추가한 것이다. 이들은 처음부터 그들이 고백하는 소위 "원본"이 무엇이라고 말하는지 관심이 없는 자이다. 그리고 8절에서 주석한 것도 코란의 5만 개의 필사본만큼이나 거짓에 불과한 것이다.

〈NEB〉도 제미에슨, 포셋, 브라운의 "은유적" 예화 설명을 수용하여 이 부분에 있어서 비논리적인 결론을 내려 버렸다. 즉 문둥병자를 피하듯이 "오염의 근원"을 피해야 한다는 것이다. 이는 제미에슨, 포셋, 브라운이 제시한 참조 구절(레 13:47-49)을 인용한 것이지만, 막상 이 참조 구절은 이러한 적용을 제시하지 않는다. 실제로 "오염의 근원인 문둥병자"를 피하라고 말하는 구절은 45절과 46절에 나오며, 47절부터는 다른 내용이다. 이런 이상하고 의도적인 잘못된 적용을 하고 성경을(롬 1:2) 혼란스럽게 만든 것을 어떻게 해명할 수 있는가?

쉽다. 만약 혹자가 〈NEB〉가 제시한 증명 구절 앞에 있는 구절을 읽었다면 그는 세상에 있는 죄인들이 지옥에 가게 내버려 둬도 되는 알리바이를 찾은 셈이 되는 것이다. 또한 유다서는 성경 독자에게 그 사람을 즉 그 사람과 옷과 전체를 불 속에서 끌어 내라고 말씀하신다. 구약에서는 문둥병자는 만져서도 안 된다. "말하자면"을 붙여서 말이 되는 것이 아니다.

또한 〈킹제임스성경〉을 거부하는 학자들처럼 〈NASV〉도 "더럽혀진"(spotted)라는 단어를 "오염"으로 바꾸어 학자 연합의 "역사적인 입장"과 일치하게 만들었다. 학자들은 "점들"(spots)이 일종의 육신적인 "비행"(misdemeanors)이라고 주장하는 것이다. 뭔가를 더럽히는(spot) 것이 아니라 단지 "오염"시킬 뿐이라는 것이다.

세대가 바뀌어도 "경건한" 학자들이 어떻게 서로서로의 거짓말을 모방하여 똑같은 오류들을 수십 년 동안 반복하는지 주목하라. 이들의 "역사적인 입장"의 이와 같은 타락상은 끝도 없이 그리스도의 심판석 혹은 큰 백보좌 심판까지 계속될 것이다.

〈NIV〉는 어떤가? "더럽혀진"(spotted) 것도 "흠"(spots)도 없다. 결국 〈NIV〉는 "니콜라파에게 단번에 전해진 거짓 교리를 위해 힘써 싸울" 수밖에 없는 것이다(계 2:6,15). 〈NIV〉는 "썩은 육신에 의한 얼룩"(stain by CORRUPTED flesh)이라고 번역했다. 이러한 개악은 본문을 매우 효과적으로 "묵상용"으로 만든 것이다. "묵상용"으로 만들면서 『**심한 헌데**』가(계 16:2) 그 점(spot)이 있는 자에게 생길 것이고 그 옷에서 점들이 생길 것이라는 진리를 깨닫지 못하게 한 것이다(레 13:47,49).

〈RSV〉와 〈NRSV〉는 어떤가? "더럽혀진"(spotted) 것도 "흠"(spots)도 없다. 그들 또한 그들의 사악한 동료들처럼(〈NIV〉 번역위원회) 똑같은 오류를 반복할 수밖에 없는 것이다. 이들은 "옷옷이 그들의 몸에 의해 더럽혀졌다"(the tunic defiled by their bodies)고 번역해 놓았다.

〈위클리프 성경 주석〉은 어떤가? 마찬가지다. "흠"(spots, 12절)도 "더럽혀진"(spotted, 23절) 것도 없다.

알렉산드리아의 이단들은 야고보서의 시작과 마지막에서 전적으로 그릇된 주장을 펼쳤던 것처럼(약 1:1; 5:20), 유다서 첫 구절과 세 번째 구절부터 마지막 절까지 그들의 주석은 "완전히 쓰레기"일 뿐이다.

두 서신 모두 구령(Soul-winning)에 관한 말씀으로 끝나는 것을 주목하라. 『**혼들을 이겨오는 자는 현명하니라.**』는 구약의 권면이지만(잠 11:30), 바울 또한 확실히 이 말씀을 믿었다(고전 9:22).

알렉산드리아의 이단들 곧 네슬, 웍그린, 니다, 알란드, 메츠거, 데이어, 스웨트, 그린, 모울튼, 웨스트, 밀리간, 사우터, 조디에이츠, 로버트슨, 그레고리, 그리스바흐, 샤프, 티쉔돌프 등을 가르친 자들이 "구령"에 대해 아는 것은 성냥곽 뒷면에 적어 넣을 정도도 되지 않는다.

『**혼들을 이겨오는 자는 현명하니라.**』 이 말씀에 따르면 〈RV〉, 〈RSV〉, 〈NRSV〉, 〈ASV〉, 〈NASV〉, 〈NKJV〉, 〈NIV〉, 〈TNIV〉의 번역위원회에 소속된 학자들은 타조가 가진 지혜만큼도 없는 것이다. 『**타조는... 그녀의 수고가 두려움 없이 헛되나니 이는** 하나님**이 그녀에게서 지혜를 박탈하며 명철을 나눠 주지 않음이라**』(욥 39:14-17).

이 욕을 먹어도 싼 배교자들이 "말씀에" 자행한 변개에 대해 하나님께서는 예수 그리스도가 탄생하기 600년에서 1,000년 전에 이미 말씀해 놓으셨다.

『**너희가 살아 계신** 하나님**, 만군의 주 우리** 하나님**의 말씀들을 변질시켰음이라**』(렘 23:36).

『**서기관들의 펜이 헛되도다. 현명한 사람들이 수치를 당하나니 그들이 당황하며 잡히는도다. 보라, 그들이 주의 말씀을 거절하였으니 그들에게 무슨 지혜가 있느냐?**』(렘 8:8,9)

『**내 입의 모든 말들이 의에 있나니, ... 그것들은 깨닫는 자에게는 모두 알기 쉬운 것이요, 지식을 얻는 자들에게는 옳은 것이니라**』(잠 8:8,9).

만약 당신이 위의 말씀들을 찾아보지 않을 정도로 게으르다면 당신은 폰티오 빌라도만큼이나 진리에 관심이 없는 사람이다. 빌라도는 진리이신 예수 그리스도께 진리에 대해 묻고는 답을 기다리지도 않고 문을 박차고 나가 버렸다(요 18:38).

유다의 축복은 명백하게 "교회 시대" 본문이라 할 수 있으며 일차적인 "독자들"을 위한 것이다. 이는 야보고서 1:18; 5:8; 3:13-18과 1:12-15의 본문들도 마찬가지며, 히브리서 1:3; 2:14-18; 4:14-16; 7:25-28; 9:11-13,24; 10:8-20; 12:1-11; 13:1-25의 본문 또한 이 시대에 초점을 맞춘 것이며, 대환란에 관한 본문과 함께 나온다. 유다서 24,25절은 영원한 보장에 관한 바울 서신의 약속과 같은 것이다. 그러나 이러한 표면적인 부분만 보고 모든 성경을 거부하고 성경을 써먹기만 하는 근본주의자들은 유다서 전체의 교리적인 문제들이 바울 서신과 맥락을 같이한다고 확정 지워 버린다. 물론 그렇지 않다.

이것이 일반 서신에 주석서를 출간한 주석가들 중 95%가 지속적으로 범하는 오류다. 그들은 지속적으로 본문의 교리적인 위치를 잘못 설정함으로써 성경 본문이 서로 모순되게 만드는 것이다. 그들이 이런 짓을 고의적으로 계속하는 것은 자신이 그리스도인들을 무지에서 구원해 줄 수 있는 구주로 제시할 수 있기 때문이다. 그리하여 사람들이 신뢰하고 추종할 수 있는 영적인 "해석자"가 되어 성령님의 자리를 차지하는 것이다. 그들은 자신이 받은 교육이 성경을 이해하는 "열쇠"라고 여긴다. 그러나 성경에 따르면 그렇지 않다. 골로새서 2:3, 잠언 8:8,9, 고린도전서 2:9-14, 누가복음 24:45, 시편 119:98-105을 읽어 보라.

이들은 먼저 독자에게 명백한 "모순"처럼 보이는 부분을 제시하고 난 후에 자신이 성경 구절의 모순을 이렇게 저렇게 해결할 수 있다고 보여주는 것이다. 실제로 이들은 성경을 다시 써서 성경이 그들 자신의 무지에 맞도록 만들고 그들의 말을 듣는 사람들도 그들과 같은 수준의 무지로 끌어내리는 것이다. 성경에서는 이를 『**파멸**』시키는 일(subverting)이라고 부른다(딤후 2:14, 딛 1:11; 3:11).

차라리 베드로와 요한과 바울처럼 우리도 "언변이 서툴고" "하찮으며" "배우지 못하고" "무식한" 편이 더 낫다. 어리석은 자가 길에서 벗어나지 않도록 분명하게 말해야 한다(사 35:8). 물론 "조심스럽고" "겸손하게" 말하지도 않을 것이다.

사람들의 믿음과 하나님께서 무엇을 말씀하셨는가와 어떻게 말씀하셨는가와 누구에게 말씀하셨는가를 믿는 믿음을 파괴하지 않는다면 "고등교육"을 탓할 것이 없다. 이것이 창세기 3:1에서 벌어진 일이다.

창세기 3:1에서 이브에게 말을 걸며 동일한 짓을 한 자는 결국 불못에 던져지게 된다.

이것이 요한계시록 22:15이 말하는 바다.

성경대로 믿는 사람의 한 가지 간단한 규칙을 기억하는 한, 무엇을 언제 어디서 누구에게 배우는지 전혀 관계 없다. 즉 무엇을 듣고 누구와 상대한다 하더라고 하나님께서 당신에게 주신 절대 권위라는 하나의 기준으로 모든 것을 판단하라는 것이다. 이 절대 권위가 〈킹제임스성경〉이다.

교육을 받아 어떤 정보를 섭렵한다하더라도 그것이 성경과 일치하고 성경과 모순이 되지 않는다면, 우리는 그것을 유용할 수 있다. 곧 의학, 지질학, 과학, 여행, 항공학, 대화, 죽음, 여가 시간 활용, 종교, 철학, 예술, 인종들, 음악, 유엔, 심리학, 경영학, 외교관계, 가족관계, 도덕률, 윤리, "생활방식", 결혼, 이혼, 별거, 운동, 역사, 자녀 양육, 화학, 물리, 기술, 취미, 오락, 질병, 건강, 죽음, 심판 등을 다루는 모든 것이다.

성경을 부인하고 성경을 거부하고 성경을 비평하고 성경을 무시하고 성경을 대체하려 하고 성경을 조롱하고 성경을 의심케 하고 성경을 부인하면서도 사용한다면, 언제 어디서 어떤 상황에서 누가 무엇을 말했건 그런 주장은 전적으로 무시해 버려라. 뚜껑을 닫고 쓰레기통에 던져 버려라.

이렇게만 한다면 어디서 어떤 교육 체계에 의해서 어떤 것을 배운다고 하더라도 아무런 문제가 없다. 판단의 잣대에 따라 정확하고 참인 것은 취하라. 그리고 심판자는 당신이나 당신을 가르치고 있는 사람이 아니라는 사실을 기억하라. 간단하다(롬 16:19). 성경이 말씀하는 바에 따라 "거짓"을 판별해 내고 그것을 폐기시켜 버려라. 이 규칙에 동의하지 않는다면 누구든 70년 된 쓸모없는 카세트 플레이어처럼 던져 버려라. 심판자인 하나님의 말씀에 따라 모든 것을 판단한다면 실제로 가치가 있는 것은 어떤 것도 버리지 않게 될 것이다. 오만 명의 거듭나고 구원받은 "경건한" 학자들이 성경과 다르게 말한다면, 그들의 모든 관찰과 언급과 주해와 분석과 설명과 주석을 내다 버려도 아무런 문제가 없을 것이다. 이들을 사실상 자유주의자 혹은 실제적인 무신론자로 취급해도 무방하다.

『곧 홀로 지혜로우신 하나님 **우리** 구주**께 영광과 위엄과 다스림과 권세가 지금과 또한 영원토록 있을지어다. 아멘.』**

B.C. 760년경에 이사야에게 말씀하셨던 동일한 구주 하나님이시다(사 43:11; 44:8).

피터 럭크만의 주석서

요한일이삼서-유다서

2010년 10월 25일 초판1쇄
2023년 12월 29일 초판2쇄

지은이 피터 S. 럭크만
옮긴이 김 진 석
펴낸이 말씀보존학회
펴낸곳 말씀보존학회

서울시 강서 우체국 사서함 제90호
전화 (02) 2665-3743 / 팩스 (02) 2665-3302
인터넷 / www.biblemaster.co.kr
E-mail / kjv@biblemaster.co.kr
등록 / 제409-2022-000036호

값 20,000 원